I0730706

Avv. AGOSTINO RAMELLA

GIORNALI E GIORNALISTI

PUBBLICAZIONI LEGALI SONZOGNO
dirette dall'avv. CAMILLO CAVAGNARI

Serie I, A — N. 5 — Manuali

Giornali e Giornalisti

DELL'AVVOCATO

AGOSTINO RAMELLA

MILANO
SOCIETÀ EDITRICE SONZOGNO
14 — Via Pasquirolo — 14.

Proprietà letteraria
e riserva dei diritti di autore e di editore

Milano, 1898. — Tipografia della Società Editrice Sonzogno.

GIORNALI E GIORNALISTI

I.

1. — È naturale ad ogni uomo il desiderio di comunicare con altri e di conoscere quanto avviene fuori di sè, sia per soddisfare la sua semplice curiosità, sia per istruirsi ed aumentare le proprie cognizioni. A questo bisogno provvede l'uso del *linguaggio*, il quale tanto più si perfeziona, quanto più l'individuo progredisce nel suo sviluppo.

Ma quello che è pel singolo, è anche pel popolo intiero, per tutta l'umanità. Pur qui s'accrescono di grado in grado, e coll'aumento dello stato di coltura, il vivo desiderio e l'assoluta necessità di comunicazioni. Però il linguaggio qual mezzo di commercio più non basta se soltanto parlato; altro ajuto dovea essere trovato, e questo fu l'invenzione della *scrittura*. La spinta era data per corrispondere anche a distanza. Ma la specie di corrispondenza era contenuta, in troppo ristretti limiti: il ritrovato della stampa venne esso ad aprir la via al soddisfacimento di tutte le esigenze delle comunicazioni. Poco tempo di poi trascorse perchè la stampa venisse adottata a divulgazione di notizie ed alla pubblicazione, su speciali fogli volanti, dei più importanti avvenimenti; nè tempo maggiore passò prima che queste notizie, disposte secondo certi principî e coordinate secondo determinati punti di vista direttivi, venissero, con più o meno regolarità, spedite agli amatori di novità di tutte le parti del mondo. Da tale giorno data l'apparizione di quegli stampati conosciuti sotto il nome di *giornali*.

Il *giornale*, infatti, da *jornalis*, nel latino medioevale *diurnalis*, indica, per sua stessa etimologia, il compito suo di apprestare le novità del giorno; per questo appunto, non ostante le asserzioni dell'Andrew (*History of british Journalism*, 1851) dell'Hatin (*Bibliogr. histor. de la presse pér. fr.*, 1866) e di altri, nulla di comune può ritenersi abbia cogli *acta diurna* dei Romani, veri diarî dove si notavano esclusivamente gli affari sbrigati.

2. — Come il giornale, precipuo strumento della moderna coltura, sia potuto arrivar a conseguire l'attuale sua potenza mondiale, non deve recare meraviglia. La via che esso ebbe a percorrere dall'inizio suo, specialmente dalle prime notizie d'oltremare dopo la scoperta d'America e l'emigrazione europea ivi direttasi, fino al principio del secolo XIX, fu assai modesta. Il giornale rimaneva essenzialmente, ciò che il suo nome significa, un foglio volante, con avvenimenti importanti; era omesso ogni apprezzamento su di essi, o si riportavano, tutt'al più, i ritratti dei principi e sovrani. Può dirsi che soltanto colla rivoluzione di luglio 1830 abbia cominciato il giornale ad esercitar una seria influenza. Ma d'allora in poi crebbe prodigiosamente la sua importanza coll'introduzione dei nuovi mezzi di comunicazione (ferrovie e telegrafi) che subito adattò al suo servizio. - Verso la metà del secolo la stampa avea infatti già conseguito il primo posto nella vita politica e sociale.

E tuttavia, più oltre venendo, quale distanza dal 1848 ad oggi, nel breve spazio di nemmeno la vita d'un uomo!

Il giornale è arrivato oramai ad essere il più importante fattore del moderno incivilimento. Re, principi e governi, che ad esso erano ostili, lo hanno dapprima temuto, hanno imparato poi a valersene. Il giornale è oggi la più potente leva dell'umana attività. Spinge lo sguardo per ogni dove, occulte ingiustizie reca alla luce del giorno, affina lo sguardo della legge, e fa sì che nessun malvagio sia dinanzi alla stessa sicuro. Esso è il solo e prezioso pubblico controllo degli atti umani; in esso si concentra la generale coscienza. Può paragonarsi ad una pianta gigantesca la quale non tanto la pubblica vita copre quanto anche la privata, ad un mostro ai cui tentacoli nessuno può sottrarsi.

3. — Che la stampa periodica sia oramai a tale potenza giunta da doversi considerare un appoggio indispensabile ai governi ed ai partiti, non v'è più discussione: fautori ed avversarî del suo moderno sviluppo sono in questo d'accordo.

Ma si disputa sul compito suo, sull'influsso che essa esercita nella vita. Così, a cagion d'esempio, coloro che la causa d'ogni progresso ripongono nell'accrescimento della intellettuale coltura e la libera concorrenza ritengono il rimedio più efficace di tutti i mali sociali, veggono nell'irresistibile accrescimento della stampa periodica un salutare beneficio pel progresso umano. Per essi è nell'ordine naturale delle cose l'assegnar al giornalismo il primo posto sulla rimanente letteratura, chè tutte le classi sociali sentono il prepotente bisogno delle notizie sugli avvenimenti quotidiani, come se si trattasse di un giornaliero alimento. Qual meraviglia adunque se la lettura dei giornali va prendendo ognor più i sopravvento sulla lettura dei libri?

Altri invece, battendo l'opposta via, ritengono irreparabile danno che la maggior parte del pubblico non altro legga che giornali, informando a questi il suo stile, la grammatica e l'ortografia, e che inoltre gran parte dei lettori, specie di poca esperienza e coltura, attribuisca ai giornali un'autorità in ogni campo della vita. Da più anni, ad esempio, ha Schopenhauer biasimato un tale fatto, poichè l'uso della stampa di fornir ogni giorno un intellettuale alimento nella stessa forma e quantità disposto, e in fretta preparato, e con maggior fretta divorato, rende la memoria ottusa, confusi i giudizî, senza energia l'intelligenza. Il lettore non pensa, non ha più bisogno di pensare, di studiare, di indagare, trovando i concetti ed i pensieri già belli e preparati giorno per giorno dagli scrittori di periodici. Ugualmente si esprimono Gœthe, Bucher, Lassalle, Feuillot, Carlyle, ecc. Eppure quando tali opinioni si manifestavano, la vita e l'espansione dei giornali erano ancora al loro inizio, nè il giornalismo avea ancora raggiunto, sulla vita, idee e tendenze, quell'influenza che oggi esercita sulla gran massa del pubblico odierno.

4. — Egli è che qui si verifica lo stesso fenomeno che ha luogo nei teatri.

Chi non ha udito o letto su di questi le più disparate opinioni? Per gli uni è il teatro scuola di educazione nella vita, per gli altri è causa d'esaltazione della fantasia; pei primi è fonte di virtù e di moralità, pei secondi di vizio; per quelli è incentivo al bello, al grande, all'ideale; per questi ne è la negazione. Tutti concetti con un fondo di verità e d'errore ad un tempo. Il teatro, infatti, ove adempia fedelmente la sua ideale missione, esercita un' influenza nobilissima, e soltanto può, secondo le circostanze, e quando s'arrenda al pernicioso spirito del tempo, agir anche come veleno.

Niuna meraviglia adunque se lo stesso avviene della stampa periodica, da taluni ritenuta precipua fonte di intellettuale perfezionamento, da altri invece considerata fomite di disordini e traviamenti.

Un breve esame dell'atteggiamento suo nella vita pratica ci dà la conferma di tali contradditorî giudizî in quanto, a seconda della via percorsa, può talora riputarsi faro di verità e talora madre adottiva della menzogna, in un caso verace guida della pubblica opinione, in altro causa d'errori e di corruzione.

5. — Così è uno dei beneficî della stampa periodica servire di *ricreazione* e di *trattenimento*, scacciare la noja, consolare, e, col suo buon umore, colle sue piacevolezze e spiritosità, portar un raggio di sole nella vita.

Ma spesso la brama di novità trascina a divulgar malignità o indiscrezioni. La serietà, le estetiche esigenze dispajono del pari.

Le caricature e satire di taluni attuali fogli sono talvolta illustrazioni così antiestetiche da far vergogna all'arte. La rubrica dei romanzi, come è da certi giornali coltivata, sta lì a confermar il detto di Lamartine che « il romanzo è l'oppio dell'occidente ». O eccita o addormenta, deprimendo i sensi, ed occupando lo spirito senza essenzialmente nutrirlo.

Nei riguardi dell'*istruzione* il suo valore è smisurato. Nel passato poteva qualche raro intelletto precorrere i tempi, ma la maggior parte del popolo viveva nell'ignavia e in preda alle più insulse superstizioni. Chi portò la luce? Accanto alla scuola, certo la stampa, colla guerra incessante all'errore, all'ignoranza, ai pregiudizî, alle chimere. Se altro non fosse, sarebbe già questo un frutto consolante della stampa, di questo *summum et postremum donum* come l'appella Lutero.

Ma quando un falso giornalismo, anzichè inalzar il popolo, ritrarlo dall'errore e avviarlo a migliori idee, gli fa vedere, attraverso falsi miraggi e sotto un punto di vista unilaterale, i problemi della vita, e stolti concetti gli pone in capo e lo allontana dalla realtà delle cose, non si potrà negar che esso sia, in tal caso, pericoloso.

Con disinteressata *critica*, con ispregiudicati giudizî sulle artistiche e scientifiche produzioni, molto utile reca il giornale, rendendo popolare l'arte e la scienza, e con chiaro e bello stile influendo sul mondo dei lettori che ne riproducono facilmente la espressione nei loro scritti e corrispondenze.

Ma vi è pur una falsa critica, una critica partigiana, mercè cui certi artisti talora omaggio ricevono dalla stampa, talora immeritate censure, ora vengono schiacciati, ora inalzati.

In fatto di *moralità*, di *disinteresse*, di culto del bello e del buono, rende il giornalismo preziosi servigi. Quando inalza monumenti ai grandi, le loro virtù divulga, quando tratti di generosità d'animo descrive e pei patriotici magnanimi fatti s'entusiasma e da bassi o volgari pensieri o propositi mette in guardia, e sulla fronte dei tanti, alti o bassi, malvagi imprime il marchio del disonore, non è di segnalato vantaggio ?

Senonchè vi è pur una stampa fonte di immoralità. Molte caricature di onesti uomini appajono di spesso nei giornali, e falsi principî sulla vita vi si divulgano. Il gusto pure trascorre nella trivialità, presto corrompendo un grosso pubblico per mancanza di migliore alimento. Non pochi giornali preparano, con raffinata arte, pubblicazioni di fatti criminosi e scandalosi, con influenza depravatrice ed esaltante. Meritano pur cenno le comuni immorali inserzioni ed annunci (Beta, *Unsittlichkeist-Industrie in der tagespresse*, 1872).

Nella parte *narrativa* la stampa mette sott'occhî i più salienti avvenimenti del mondo, d'un paese, d'un popolo, od anche d'un sol uomo. Quando fu detto che la storia del mondo è un giudizio universale, il concetto si riferiva naturalmente anche alla stampa. Essa cura, in tal materia, che sulla portata dei fatti uno si formi un giusto criterio, che delle persone in essi aventi parte possa rettamente giudicare, che riesca a pesarne le azioni, che poi i loro servigi rifulgano, a sua opera, di pieno splendore.

Però non manca qui pure il lato sfavorevole. Certa stampa non è sufficientemente objettiva, contiene molte partigiane vedute che offuscano le impressioni e tendono ad erigere un falso culto personale. Nei tempi passati era l'ira di Dio che si temeva se non si era sicuri di quanto si scriveva. Ora son avvenimenti d'ogni genere, politici, religiosi, sociali, ecc. che si creano di pianta, suscitando talvolta grave e generale commozione. Quanto più in alto e interessanti son le persone, tanto più s'attribuiscono ad esse parole o giudizî che mai uscirono dalla loro bocca, ponendo le medesime in cattiva luce ed esponendole a vendette o inimicizie. Non si parla dei giornali criminosi, sistematicamente diffamatori ed aggressivi, che ingiusti attacchi muovono a innocenti persone, che, o a scopo di scandalo, o per dispetto, o per lucro, o per altri riprovevoli motivi, menano gran rumore delle notizie di cronaca o delle persone che vi sono implicate.

La verità è adunque che, pur essendosi il concetto del giornalismo di molto inalzato, e, con esso, accresciuta la potenza sua sullo sviluppo della coltura sociale, tuttavia, nel suo vasto campo, accanto agli schietti e nobili prodotti, germogliano anche l'oglio ed altre erbe velenose, ed opposta ad una faccia piena di splendore, sta altra avvolta nelle tenebre: effetto, per altro, inseparabile dalla grande estensione conseguita.

II.

6. — Il giornalismo vero dei tempi moderni, quello nato coll'arte della stampa, ebbe, a quanto pare, la sua prima origine a Venezia, chè già al tempo delle guerre della repubblica con Solimano II (1522) ne apparvero traccie. È diffusa, del resto, l'opinione che unisce il nome dei giornali, ivi in uso, al nome della moneta *gazzetta* che si pagava per averli, cosicchè, coll'andar del tempo, il nome della moneta sarebbe passato al foglio contenente le notizie. Si conservano collezioni di tali gazzette: una dal 1555 in poi, altra dal 1605, una terza dal 1621, ecc.: tutte con notizie politiche, commerciali e marittime, e con corrispondenze, non solo d'altre città d'Italia, ma pure da Stati esteri; la maggior parte contenenti anche gli atti del Governo; talune con supplementi; le ultime eziandio colla cronaca cittadina.

A Firenze sorse nel 1636 una gazzetta a stampa, a Roma nel 1640, a Milano nel 1641, a Genova nel 1642, nel 1645 a Torino, e via via.

Vuolsi infine che il primo giornale italiano con un vero titolo sia *Il Sincero*, pubblicato a Genova nel 1648. Ancora a Venezia, passato il suo primo periodo di nascita, ebbe la maggiore diffusione il giornale. Nel secolo XVIII, alle gazzette *politiche*, tengono dietro *riviste* e giornali *letterarî*, ad es.: *Il giornale dei letterati d'Italia*, di A. Zeno; il *Foglio per le Donne*, il *Diario* di C. Zane, ecc. Nel 1760 Gaspare Gozzi infonde nuovo risveglio alla *Gazzetta Veneta*, nel 1761 crea l' *Osservatore Veneto*.

Fra le schiere dei giornali letterarî e di costumi, dovunque poi diffusisi, è notevole la mordace *Frusta letteraria* del Baretti, ma, su tutti, il filosofico ed umanitario *Caffè* di Milano (1764), sorretto dal Beccaria, da Verri, Lambertenghi, ecc., dove spira l'alito della vita moderna, ed in cui, sotto l'apparente levità della forma, sono trattate profondamente questioni di commercio, d'economia politica, di scienze naturali.

Non molto tuttavia era ancor avanzato lo sviluppo del giornalismo *politico*.

Dopo e durante la rivoluzione francese apparvero

qua e là giornali, leggieri, se vuolsi, nella critica letteraria e scientifica, ma dove è forte l'influenza dell'enciclopedismo, sbrigliata la forma, dove rivoluzionarie appajono le idee, men fredde, aride ed impassibili, che per lo innanzi, le discussioni politiche. Son giornali d'allora il *Giornale italiano,* il *Termometro politico,* il *Poligrafo,* il *Mercurio d'Italia,* diretti da Guillon, da Saffi, Monti e Compagnoni, ed altri assai, specie a Milano.

Ripristinato il governo austriaco, non mancarono giornali col proposito di assecondarne le mire e formare una pubblica opinione in Italia contraria alle idee propagate dalla rivoluzione: tale fu specialmente la *Biblioteca italiana,* diretta dall'Acerbi e durata dal 1816 al 1857. Ma altri giornali pur sorsero a propugnare principî patriotici e liberali, specialmente il *Conciliatore,* creato dal Pellico nel 1818, la *Gazzetta di Firenze,* l'*Antologia* del Viesseux, il *Politecnico* di Cattaneo, l'*Euganeo* di Stefani, la *Gazzetta Piemontese* del Romani, il *Messaggiere Torinese* del Brofferio, ecc.

Il 1848 inizia i giorni della riscossa, e da un dì all'altro crebbe una coraggiosa stampa con giornalisti di splendido ingegno e di indomito coraggio, quali Mazzini, Cattaneo, Correnti, Cavour, Brofferio, Gioberti ed altri.

Le vittorie sull'Austria, nel 1859, e le successive annessioni han dato rapido incremento al giornalismo nostro. Tutti ne siamo testimonî.

7. — In Inghilterra apparve, nella metà del secolo XVI, il giornale *Weekly Newes,* e poco dopo l'*English Mercury:* entrambi settimanali. Fu il secondo a diffondere, nel 1588, la notizia che era stata vinta dagli Inglesi la famosa *invincibile armada* di Filippo II di Spagna, presentatasi dinanzi la loro spiaggia. D'allora in poi la novità fece progressi sempre maggiori e più rapidi, tingendo anche là, come tutte le grandi conquiste del pensiero, la superficie della terra del sangue de' suoi martiri.

La prima *rivista* fu creata nel 1689, ed in quel tempo vennero fuori il *Daily Courant*, il *Public Intelligencer* e altri *giornali quotidiani*, letti e ricercati attivamente (Coucheval Clavigny, *Hist. de la Presse en Angleterre et aux Etats Unies*, 1857; — Grant, *Newspaper Press, Origin*, ecc., 1871; — Andrew, già cit.: — Duboc, *Gesch. d. engl. Presse*, 1883).

In Germania, le *Zeitungen*, *Relationen*, *Zeitschriften* si divulgarono nel 1600, e corrispondevano, su per giù, alle *Newes letters* inglesi, alle nostre *Gazzette*, a quella prima forma del giornale che consisteva semplicemente in lettere e corrispondenze spedite con qualche regolarità da un punto all'altro e contenenti informazioni di carattere pubblico. Si illustravano pure, come dicevansi, le *novissime gesta* d'oriente e si riferivan notizie del nuovo mondo (Opel, *Geschichte der Zeitungen von 1609-1650*, 1879; — Grásshoff, *Briefliche Zeitung d. XVI Iahrh.* 1877; — Haller, *Deutsche Publizistik in den Iahren 1668-1674*, 1892).

In Francia comparve nel 1605 il *Mercure français*, mera compilazione storica. Pochi anni dopo, nel 1631, imprese le sue pubblicazioni il primo vero giornale col nome *Recueils des nouvelles gazettes*, diretto da Renaudot. Si presenta ivi lo spirito vero dei tempi e del giornalismo, come lo prova il seguente brano sulle difficoltà ed esigenze nella compilazione d'un giornale: « ... Come si fa? i capitani « vorrebbero trovare ogni giorno, nel foglio, no- « tizie di battaglie, di assedî, di città conquistate; « i reclamanti vorrebbero trovarvi delle decisioni « che tornino al loro caso; i devoti vi cercano i « nomi dei migliori predicatori. Coloro che nulla « sanno dei misteri della corte, ve li vorrebbero « trovar tutti, spiattellati tali e quali. Taluni fanno « un'inserzione, e poi si lagnano col giornalista « perchè par loro che non abbia saputo metterla « bene sott'occhî al re. Altri non trovano mai ab-

« bastanza di titoli, vorrebbero che non si parlasse
« che di signori e monsignori; ve n'è che esigono
« un linguaggio tutto fiorito... Io ho tentato di con-
« tentarli tutti. »

Dal secolo XVIII in poi il giornalismo seguì in
Francia, come in tutto il resto, un'altalena continua,
dalle compressioni più odiose (diritto di bollo, cau-
zioni, revisioni, firme obbligatorie, autorizzazioni
governative) alla licènza più sfrenata. La Legge
29 luglio 1881 abolì ogni restrizione, riconoscendo
la libertà della stampa (Hatin, *Hist. du Journal
en Fr.*, 1853; *Hist. polit. et litér. de la Presse en
Fr.*, 1859-1861; *Le Journal*, 1882; — Delisle de Sa-
les, *Le journalisme depuis 1873, jusque à l'an 1800*,
1811; — Wallou, *La presse de 1848*, ecc.)

Negli Stati Uniti rimonta al 1690 la pubblicazione
del primo giornale, *Publick Occurences* a Boston;
ma, perchè non ancor nata ivi la libertà repubbli-
cana, e perchè esso trattava eziandio di cose militari e politiche, ne venne ordinata la soppressione.

Nel 1704 comparve il giornale *Nuove lettere di
Boston*, poco dopo la *Gazzetta di Boston*, ricca specialmente di notizie marittime e commerciali. A
Filadalfia sorse, nel 1719, il settimanale *Mercurio*,
e così man mano, in altre città, altri giornali. La
preparazione della rivoluzione diffuse ognor più il
bisogno della stampa. Fu nel 1784, quando era già
stata riconosciuta la nuova repubblica, che nacque
il primo giornale quotidiano, il *Daily Advertyser* di
Filadelfia. D'allora in poi i giornali più non si contano, ed ora son tali, per numero e potenza, da
tener quasi fronte a quelli del resto di tutto il
mondo presi insieme (Grant, Cucheval Clavigny,
cit; — Pelz, *Die Presse der Vereinigten Staaten*,
1864; — Steiger, *The period. literat. of the United
States*, ecc., 1873).

Sull'origine e sviluppo del giornalismo nel Belgio,
Olanda, Russia, Austria, ecc., V. Warzée *Histoire
des journeaux belges*, 1844; — Hatin. *Les Gazettes*

de Hollande... au XVII et XVIII siècles, 1865; — Meschew, *Period. liter. in Russland in den Jahren 1858-1864*, 1864; — Nestroyeff, *Russ. Zeitschr. 1703-1802*, 1874; — Winkler, *Period. Presse österr.*, 1880.

7 *bis.* — Ai giornali *politici*, sorti primi perchè attinenti ad ogni ramo della vita pubblica, tennero dietro i giornali *umoristici,* poi i giornali *illustrati,* indi i giornali o *riviste* con intenti scientifici o professionali ed in campo estraneo alla politica.

La *stampa umoristica* ha stretti rapporti con quella politica perchè ben di spesso identico è il loro compito. Trae materia dalle novità del giorno, dalla vita parlamentare o pubblica in genere, e segnatamente dai capricci della moda. Ora sferza colla frusta della satira, ora diverte coll'innocente scherzo, talvolta però mette alla luce del giorno le altrui debolezze e cerca derivarne ragione di scandali.

La stampa umoristica data da mezzo secolo. Fra i più autorevoli giornali si contano lo spiritoso berlinese *Kladderadatsch,* fondato nel 1847 ed ora diffuso in tutto il mondo, il londinese *Punch*, che data dal 1843, il gioviale parigino *Petit journal pour rire,* ed anche la *Vie parisienne*, il nostro *Fischietto,* che vive dal 1846, il *Pasquino,* ecc., tutti con accenni alla politica. Nel numero di quelli che la politica assolutamente escludono troviamo i *Fliegenden Blätter* di Monaco (dal 1845), il viennese *Kikeriki* (dal 1849), ecc.

I *giornali illustrati* si collegano ai precedenti, dando però bando, del tutto o quasi, alla politica. Se non nella forma, almeno nella sostanza risalgono al secolo precedente. Anzi gli stessi fogli volanti, che precorsero i veri giornali, erano, nei grandi avvenimenti, illustrati, e pur i primi giornali portavano vignette, almeno nell'intestazione (Opel, *Geschichte der Zeitungen*, 1879, p. 8 ne dà un fac-simile). Ma il primo esempio di fogli illustrati venne dall'Inghilterra. Fu l'*Observer* che nel 1820, in occasione della scoperta d'una congiura contro il governo, attuò quell'idea, ben presto seguìto dal *Weekly Cronick* e dall'*Illustrated London News* (V. quivi art. di Masson Jackson, *The pictural Journalism*, 1879, n. 1 e seg.). Tennero dietro il *Voleur*, nel 1829, l'*Illustration,* nel 1843, poi l'*Illustrirte Zeitung,* l'*Ueber Land. und Meer,* l'*Illustration européenne* a Bruxelles, l'*Illustrazione Italiana,* il *Secolo illustrato,* ecc. Per la loro mondiale diffusione e somiglianza meritano cenno il *Monde illustré, the Field, the Queen, the Graphic.*

I *giornali o riviste speciali* sono oramai numerose e sempre più aumentano, chè lo sviluppo della scienza e delle iudustrie trae seco crescente divisione di lavoro. Possono tuttavia comprendersi in tre categorie. Anzitutto le riviste *scientifiche,* sorte al principio del secolo XVII (V. n. 6) talvolta, ma solo accessoriamente, con notizie politiche, nel resto, con relazioni di storia, di viaggi, con discussioni di scienza, di morale, ecc. Fra le prime si contano gli *acta eruditorum* di Lipsia (1682). Sono specialmente in buon numero gli *annali* o *annuarî* nelle *scienze naturali.* I più antichi sono gli *Annales de Chimie* di Gay Lussac (1789), quei di fisica e chimica del Gilbert in Germania (1798). Attualmente ogni ramo della pedagogia, dell'insegnamento, ogni diversità di religione, di filosofia, ecc., ha i suoi speciali organi.

Secondariamente le riviste *d'arte* e di *letteratura.* Della loro origine in Italia fu accennato. All'estero, già nel 1724 sorse un giornale d'arte a Vienna (V. *Osterreichischen Kunstkronik,* 1878), altro di letteratura nel 1785 in Germania, *Allg. Literaturzeitung,* ed uno nel 1786 col titolo *Journal des Luxus und der Moden.* Anche in questo campo si è resa necessaria, ai nostri tempi, una divisione della materia, e così diverse riviste sono apparse per le diverse parti della letteratura, ad esempio sulla letteratura economica, pedagogica, estera, ecc.

Infine le riviste *industriali.* Sono un portato dei nostri tempi, e fioriscono specialmente negli Stati a capo del progresso. In Germania, ad esempio, dove lo sviluppo intellettuale è al massimo grado, il loro numero supera quello delle francesi, inglesi e americane. L'esistenza di riviste per le stesse più semplici industrie di spazzacamini e conciatetti prova come la coltura del popolo abbia colà raggiunta grande estensione.

Appartengono a questa classe i *fogli* destinati *esclusivamente* agli *annunci,* oggigiorno così generalizzati da avere sviluppata una letteratura loro propria (Schmoelder, *Das inseratenwesen*, ecc., 1879; — Wehle, *Die Reclamen*, 1880; — Cronau, *id.*, 1887). È in Germania dove se ne trovano le prime origini.

Nell'interesse del commercio già nel 1727 sorgeva colà il giornale d'annunzî *Intelligenzblatt,* che, qual impresa di Stato, perdurò fino al 1849, e nel 1731 il *Dresdener Anzeiger*. Formano poi una novità dei tempi moderni i giornali aventi per precipuo compito l'industria degli annunci matrimoniali. Fin dal 1868 prosperavano in Inghilterra i *Matrimonial News* (Sampson, *History of advertising,* 1875; — Biedermann, *Zeitungswesen sonst und jetzt,* 1882, p. 72).

III.

8. — Dei paesi europei è la Germania quella che offre il maggiore sviluppo librario e la più ferace attività di scrittori e giornalisti. Già ben prima che l'antagonismo fra capitale e lavoro compenetrasse il campo dell'industria in tutti i suoi rami, era ivi non insignificante la produzione letteraria. Da quel tempo in poi nessun periodo fu più fecondo : è un segno del tempo la vasta partecipazione delle donne. Pochi anni fa si annoveravano in Germania oltre a 12 000 scrittori e scrittrici, ed una produzione di 14 000 opere: più di 3000 a Lipsia, più di 2600 a Berlino. Una produzione libraria come quella francese e inglese insieme riunite. Ma ben più ricca è la letteratura dei giornali e riviste. Nel 1848 si contavanò appena 2000 giornali; in un ventennio si duplicarono; dieci anni fa salivano a 6416, · ora ad oltre 8000.

In Italia, secondo un calcolo della Direzione Generale di Statistica del 31 dicembre 1895, si pubblicano 1901 giornali e pubblicazioni periodiche; ed anzi, secondo l'*Annuario della stampa italiana* del 1897, la cifra sarebbe di circa 2500. Di tali periodici, 617 sono settimanali, 458 mensili, 128 quotidiani. A Roma sono 254, a Milano 227, a Torino 134, a Firenze 103, a Napoli 94, a Genova 48, a Palermo 41.

In Francia, il 1.° giugno 1897 vi erano, solo a Parigi, 2291 periodici, di cui 163 giornali politici; nei dipartimenti e nelle colonie 3566.

In Austria, al gennajo 1897, i periodici erano 2255, di cui 622 giornali politici e i rimanenti riviste speciali.

Nella Svizzera i periodici erano, nel 1896, 974, mentre nell'intervallo dal 1860 al 1870 non superavano i 119.

In Inghilterra si hanno circa 2500 giornali. Il solo numero dei periodici illustrati, comprese le riviste trimestrali, raggiunge la cifra di 1773.

In Russia si avevano, nel 1893, 763 periodici, e, nel 1894, 802, di cui 642 in lingua russa, e 160 in lingue estere.

Ma spetta agli Stati Uniti d'America il vanto del maggior numero. Mentre i giornali erano, nel 1850, 2526; nel 1860, 4051; nel 1870, 5871, attualmente raggiungono la cifra di 2200 quotidiani e di 15000 settimanali, dei quali 10 000 politici. Lo Stato solo di New York pubblica circa 2000 giornali.

Tutte le principali lingue, oltre l'inglese, vi sono rappresentate. Gli Italiani hanno due giornali quotidiani a New York e due a Chicago; i giornali francesi sono numerosi al Canadà, a New York, nella Luisiana. V'è un solo giornale russo, ma quattro polacchi che escono ogni giorno e sette ebdomadarî. Dodici giornali spagnuoli escono a Nuova Messico.

Cinque sono i giornali portoghesi, tutti settimanali. New York possiede un giornale armeno; San Francisco due chinesi; cinque ve ne sono di filandesi, tre di boemi e quattro danesi. La Svezia ne ha trenta, e undici la Norvegia, tutti quanti settimanali. Gli Olandesi, numerosi sopratutto nello Stato del Michigan, dispongono ivi di nove giornali, ed altrettanti ne hanno nel rimanente degli Stati Uniti. La Germania infine possiede un giornale in ogni grande città dell'Unione e circa cinquecento in tutto il territorio di essa.

Accertare poi in modo assolutamente esatto il numero di tutti i giornali del mondo riuscirebbe assai difficile per la loro incessante variazione. Secondo la *Kölnische Zeitung* sarebbero 34 374, con tiratura quotidiana superiore ai dieci milioni di esemplari: un torrente di idee che invade l'universo, l'umanità posta sotto il giogo della stampa.

Oltre agli Stati Uniti sonvi altri paesi con una letteratura giornalistica poliglotta; così in Russia si pubblicano giornali in dodici e più lingue; a Costantinopoli, qual punto di passaggio fra il Mezzogiorno ed il levante, escono giornali in Lingua turca, francese, araba, greca, armena, bulgara, inglese, ecc. Dove s'accentrano estesi commerci si hanno eziandio giornali col testo in più lingue. Questo è dell'*Internationale Anzeiger* a Danzica (in russo, polacco, tedesco, francese e inglese), e di varî giornali d'Oriente, che recano, accanto al loro, il testo francese e inglese.

9. — Coll'aumento dal *numero dei giornali* sono andati di pari passo crescendo lo *spaccio* e la *estensione d'ogni singolo di essi*. Una statistica dello smercio dei varî periodici non potrebbe con sicurezza tentarsi; però, per la maggior parte dei grandi giornali e riviste, si può ritener di certo che l'aumento di spaccio vada sempre più affermandosi ad onta del crescere innumerevole dei fogli concorrenti e del rilevante aumento di spese che in questi

anni sono divenute inevitabili per l'esercizio d'una
impresa giornalistica.

Una misura di questo accrescimento è fornita dal-
l'aumentato numero delle *quotidiane edizioni* dei
giornali. Mentre non tanti anni fa i più autorevoli
giornali si contentavano di uscire due o tre volte la
settimana, quelli invece attuali, se sono di carattere
politico, non possono far a meno d' uscir quotidianamente. Ma a ciò non si fermano: non pochi d'essi,
specie in Germania, appajono regolarmente due, tre
ed anche quattro volte al dì, oltre poi ad incessanti
e crescenti *appendici*, massime di inserzioni. Di più,
ed a tempo opportuno, però ogni una o due dome-
niche almeno, pubblicano *supplementi* letterarî, e,
nel corso della settimana, supplementi che contengono rassegne economiche, industriali, tecniche, ag-
giungendovi anche, se è il caso, fogli umoristici,
satirici, ecc. Che poi i *romanzi* d'appendice, in passato apparenti solo eccezionalmente, non debbano
più per veruna ragione mancare, che le *notizie di
borsa*, dei *mercati*, i *resoconti parlamentari* e *giudiziarî*, i *fatti di cronaca* e le *notizie diverse* debbano nel modo più comprensivo ed esteso riferirsi,
si scorge di per sè. E, per correr di pari passo colle
esigenze dei lettori, non si tralascia di opportunamente aggiungere *ricette mediche, giuochi di passatempo, sciarade, scacchi, estrazioni del lotto*, ecc.
Editori e redattori, i quali tengono a far molti e
lucrosi affari, curano diligentemente questa favorita
suddivisione del giornale, giovando essa alla sua
diffusione tanto quanto gli articoli di fondo anche
pensatamente scritti. Bisogna infatti che il giornale
dia pascolo a tutte le intelligenze, ed è perciò che gli
editori s'interessano di aprir nuove rubriche per
soddisfare alla varietà di coltura dei lettori.

IV.

10. — Ma non è solo nel campo del giornalismo politico che si è verificato così rapido incremento. Per quanto i giornali attuali tendano a render superfluo ai loro lettori l'uso di altri mezzi d'istruzione e d'insegnamento, cresce tuttavia gradatamente pure il numero delle *riviste* e dei *giornali non politici*. Nei tempi trascorsi trovar in uno Stato due o tre periodici illustrati, altrettanti fogli umoristici ed un maggiore, sì, ma sempre limitato numero di riviste, sembrava già molto; ora le produzioni di tali specie si contano dovunque a centinaja, e nondimeno la loro quantità và sempre più progredendo. Non v'è alcun ben trovato titolo che non venga in una od altra forma usufruito; nessuna utile letteraria speculazione che non venga subito intrapresa da un pugno di collaboratori pronti a seguirne le buone come le cattive vicissitudini, e cader con essa; nessun sesso, età o stato, niun politico, religioso o sociale partito e niuna industria o campo d'insegnamento al cui servizio non sia creato un certo numero di fogli periodici. Che anzi nella trattazione di tali particolari materie non mancano persino giornali quotidiani, specie commerciali, religiosi e via. Scrivere e leggere giornali è pur qui l'occupazione prediletta del pubblico, anche nei paesi di fondata coltura, di seria scienza. È in Germania, infatti, dove l'intenso sviluppo della speculazione e concorrenza giornalistica e libraria e la democratizzazione delle idee in modo ben più forte influirono eziandio sulla produzione delle riviste di quanto non sia avvenuto in Francia, in Inghilterra e nei rimanenti paesi, fatta eccezione pegli Stati Uniti.

11. — Lo *sviluppo* delle *riviste* si effettuò poi in *condizioni* senza dubbio *migliori* che non i giornali. Esse, nella favorevole posizione di non dover fare

uso di telegrammi, di liste di borsa, di relazioni
parlamentari, di fatti di cronaca, di notizie del
giorno, e solo in limitata misura delle inserzioni,
parteciparono dei vantaggi dei più perfezionati
mezzi di commercio e dei progressi sociali senza
trovarsi esposte agli inconvenienti da questi inseparabili e proprî dei giornali (n. 18 e seg.). I redattori e collaboratori di riviste sono in grado di
trattar cogli editori senza pregiudizio della loro libertà e tendenza di studî: da loro solo dipende lo
schierarsi, ed in qual misura, a servizio del concetto di partito; ma pur fuori di tal campo non è
ad essi tolta la possibilità d'esistenza. Le riviste,
non essendo, a diversità dei giornali, andate incontro a nessun rilevante aumento di spese, trovano
già un introito netto negli utili dell'impresa d'inserzioni. La differenza puramente relativa che nei
precedenti tempi esisteva fra giornali e riviste
quanto al loro compito ed esercizio (n. 19), è, in
tal guisa, diventata assoluta; la rivista è sotten-
trata nel posto altre volte occupato dai giornali.
Pei redattori e collaboratori di giornali è ora assai
difficile rimanere scrittori nel vero senso della parola; facilmente è invece concepibile il contrario:
mentre pei redattori di riviste questo è il solo ca-
rattére loro.

V.

12. — Dopochè la lettura dei giornali è divenuta
un bisogno generale, tutti gli editori vanno a gara
per offrire gli stessi al più *buon mercato* possibile.
Prescindendo da alcuni grandi giornali, come il
Times, il *Figaro*, il *Temps*, la *New York Tribune*,
il *New York Herald*, si danno i fogli italiani, francesi, tedeschi, ecc. ad un prezzo assai limitato.
In Italia la *Gazzetta del Popolo* costa L. 1,60 al
mese, la *Tribuna* L. 18 all'anno, il *Don Chisciotte*
L. 20, il *Secolo* L. 24 con diritto a premî, altret-

tanto è del *Corriere della Sera*, la *Gazzetta di Venezia* si acquista a L. 18, la *Perseveranza* a L. 25, il *Secolo XIX* ed il *Caffaro* a L. 12, e via dicendo.

In Francia, il *Journal des Débats* costa fr. 40 all'anno, il *Sémaphore* 50, il *Temps* 68, il *Figaro* 75, ma tutti i rimanenti giornali si danno a tenue prezzo. Il *Correspondant*, l'*Autorité*, l'*Éclair*, la *Justice*, la *Libre Parole*, la *Paix*, il *Petit Marsellais*, la *Republique*, il *Soleil* costano in media 25 o 26 franchi, e se ne può aver da noi l'abbonamento a mezzo della posta con 34 o 35 lire. La *Presse*, il *Reveil*, il *Matin*, la *France* non eccedono i 35 fr.

In Belgio il *Courrier belge*, l'*Étoile belge*, il *Peuple* si vendono da 12 a 15 fr. ; l'*Indépendance belge* ed il *Journal de Bruxelles* a 24 fr.

I giornali viennesi *Deutsche Zeitung*, *Fremdenblatt* e *Neue Freie Presse*, che escono dodici volte alla settimana, e sono i più importanti d'Austria, si danno a meno di 40 fr.

In Germania la *Kölnische Zeitung*, l'*Hamburgischer Korrespondent* e la *Frankfurter Zeitung*, che si pubblicano ben diciotto volte le prime due, e diciannove la terza, per settimana, costano 36 o 37 fr. ; un po' minore è l'annuo prezzo dell'*Allgemeine Zeitung* e della *National Zeitung* che escono dodici volte la settimana; ed ancor più basso è il costo della *Weserzeitung* e della *Schlesische Zeitung* che pur vedono la luce diciotto volte la settimana. Il *Berliner lokalenzeiger*, le *Münchener neueste Nachrichten* e la *Volks Zeitung*, per dodici numeri la settimana, costano all'anno appena da 12,50 a 15 fr.

In Isvizzera la *Neue Zürcher Zeitung*, il *Bund* e il *Journal de Genève*, che escono rispettivamente diciotto, dodici e sei volte la settimana, si acquistano per 20 o 24 fr.

Nell'Inghilterra i quotidiani *Daily Chronicle*, *Daily Graphic*, *Daily News*, *Daily Telegraph*, *Morning Post*, *Pall Mall Gazette*, *St. Iames' Gazette* e *Standard* costano circa 30 fr. Solo il *Times*, a sei fitte colonne, e con otto grandi pagine, costa il doppio se senza annunzî, e quasi il triplo se con essi.

Agli Stati Uniti il *New York Herald*, la *New York Tribune* ed il *New York Times*, i più costosi, sono di molto inferiori al prezzo del *Times* inglese. La *Tribune* poi, il *Times*, il *Progresso italo-americano*, ecc., si danno a meno di 40 fr.

Se in Russia i giornali costano assai cari, ad.es. la *Russ St. Petersburger Zeitung*, la *Nowoie Wremia*, a circa 60 fr., la causa è dovuta alla scarsità del pubblico dei lettori, il quale è composto quasi esclusivamente delle alte classi sociali.

Sempre infatti decide la massa dei lettori. Son questi che traggono seco l'aumento delle inserzioni, e sono le inserzioni che a lor volta accrescono il numero degli interessati lettori e con essi la facilità d'acquisto dei giornali.

13. — La storia del *prezzo* dei *giornali* può ritenersi la storia del cresciuto *spirito democratico della stampa*. La democratizzazione del giornalismo coincide invero colla diminuzione dei prezzi. Questa s'effettuò, per certi giornali, tenendo inalterato il prezzo ed aumentando la materia ed il formato, per altri ribassando direttamente il costo. Il secondo modo fu praticato specialmente in Francia ed Inghilterra. Fino al 1836 il prezzo dei più grandi giornali di Parigi era di 80 fr. In tale anno Girardin, fondatore della *Presse*, stabiliva il prezzo suo in 40 fr., acquistando così un numero straordinario di lettori e di abbonati. L'innovazione fece sì che tutta la stampa francese adottasse quell'esempio.

Venti anni più tardi avveniva lo stesso in Inghilterra, dove, per iniziativa del *Daily Telegraph*, il prezzo d'ogni numero dei grandi giornali veniva da 5 *pence* (centesimi 50) ribassato a 4, poi a 3, ed anche ad un *penny* (12 cent.), e più tardi a mezzo *penny*.

Anche in *Italia* si adottò, da quasi un ventennio, la riduzione del prezzo da 10 a 5 centesimi per numero, oltre al graduale ribasso del prezzo annuo.

In Germania, ad onta dell'abolizione del bollo nel 1872, la diretta diminuzione del prezzo si verificò solo eccezionalmente; per contro non vi fu alcun grande giornale il quale, tenendo immutato o quasi il prezzo, non abbia cresciuto straordinariamente il suo formato, il numero delle quotidiane rubriche, le appendici di romanzi, o introdotto supplementi settimanali o mensili, ecc. Questa stessa indiretta diminuzione di prezzo è già per sè di rilevante peso in quanto l'uso della rubrica telegrafica e il generale aumento di onorario delle redazioni, dei correttori, stampatori, ecc., ha da alcuni anni causato anche là uno smisurato aggravamento delle spese d'esercizio.

14. — Il *costo attuale dei giornali* è, segnatamente in Germania, Belgio e Svizzera, a così basso prezzo commisurato, da dover ritenere che gli *introiti* dello *spaccio* e degli *abbonamenti non bastino* di per sè, e senza il lucroso concorso delle inserzioni, a sopperire alle più urgenti *spese di carta, tipi, stampa,* e *correzione.* Facilmente si rileva la sproporzione fra le somme risultanti dalle vendite e dagli abbonamenti e le spese dell'impresa dei grandi giornali. Ad esempio, buona parte degli influenti giornali di Germania, sebbene di grosso formato ed apparenti due o tre volte al giorno, non eccedono il prezzo annuo di 35 fr. Di tale somma o di una anche minore si contentano altri importanti giornali quotidiani. Incomparabilmente inferiori sono i prezzi di certi giornali diretti alla propagazione della coltura nel popolo : la berlinese *Freisinnige Zeitung* ed il *Reichsbote* costano 10 o 12 fr. Il prezzo medio dei giornali locali di Prussia varia tra i 5 e i 10 fr. : il quotidiano *Berliner Morgen Zeitung* costa 6 fr.

Fin dal primo sguardo si scorge che tali prezzi rimangon sensibilmente al disotto della somma occorrente per le spese di fondazione e d'esercizio : in molti casi possono appena coprir l'importo della carta e della stampa. Lo prova la *Neue Freie Presse*. Nel 1873 per 35 000 copie spendeva annualmente un milione in tali spese, mentre il totale suo introito sommava ad un milione e 300 mila lire. Per 18 fiorini annui veniva all'abbonato rimessa tanta carta del valore di oltre 14. Le spese di stampa poi si elevavano a 250 000 lire. Ora se avesse dovuto l'editore far solo affidamento sul ricavo dagli abbonamenti senza possibilità di utili da inserzioni, avrebbe pur dovuto, quanto alle altre spese d'esercizio, pagamento di onorarî al personale di redazione e di amministrazione, per fitti, riscaldamento, illuminazione, trasporti, sconti ai rivenditori o strilloni (uno o due centesimi per numero), compensi alle agenzie telegrafiche, dispacci, fattorini, oggetti di cancelleria e tasse, valersi di quanto rimaneva che poteva anche esser nulla. La smisurata somma dei soli onorarî della redazione è presto imaginata sapendo che quel giornale aveva, pochi anni fa, quasi 500 persone ai suoi stipendî; 50 redattori e collaboratori ordinarî, 120 corrispondenti nello Stato, 120 all'estero, 150 redattori straordinarî.

Valga pure l'esempio del *Times*. Esso, prima che fosse abolita in Inghilterra la tassa sulla carta, pagava annualmente, per questa sola, indipendentemente dal costo, un milione di lire. La carta poi che esso pur ora prepara nelle sue officine, gli vien oltre a 5 cent. per ciascun numero. Gli altri grandi giornali pertanto, che si vendono più a buon mercato, se non si valessero di carta di gran lunga inferiore, ricaverebbero dalla vendita appena o poco più di quanto la medesima vien loro a costare. Nè va taciuta la spesa enorme che il *Times* incontra per valersi di mezzi proprî (fili telegrafici, battelli a vapore, treni *express*, corrispondenti in tutto il mondo, ecc.). Ai tempi delle discordie fra l'Inghilterra e gli Stati Uniti, retti questi dal generale Andrew Jackson, per avere primo il testo del messaggio del presidente americano, da cui dipendevano le sorti della pace e della guerra, sborsò 12 500 fr. Citiamo infine il *New York Herald*, un giornale che ha cento e più colonne, metà per articoli e notizie, il resto per inserzioni a pagamento. Il prezzo della sua stampa è costosissimo chè tutto si rinnova giornalmente, fin le inserzioni: ha elevate spese di redazione, un intero corpo di pubblicisti, economisti, uomini d'affari, *reporters* d'ogni sorta; enormi dispendî per telegrafo, e così, ad es., fu primo ad annunciare in America la battaglia di Sadowa e la pace fra Prussia ed Austria con un dispaccio che costò 7000 sterline; sistemi di espressi per terra e per mare. Nè scarsa è la spesa per fatti d'interesse pubblico. Per es., nel 1870 mandò lo Stanley alla ricerca di Livingstone nel centro dell'Africa; nel 1871 organizzò una spedizione per ricerca delle sorgenti del Nilo; nel 1879 altra sulla *Jeannette* per esplorazione al polo nord. Creò, e sostiene da anni, il famoso osservatorio meteorologico con cui si conosce quotidianamente e con esattezza il tempo che ci verrà dall'America.

Può quindi ben dirsi che ogni giornale il quale di introiti di abbonamenti vivesse, quando voglia passabilmente offrir ai suoi lettori una mediocre materia di lettura, verrebbe a lavorare con sicura perdita.

VI.

15. — Uno dei caratteri dell'attuale stampa, che dimostra l'estensione d'influenza da essa ottenuta in tutta la coltura sociale, è il suo *cosmopolitismo*. Fa a ciò adatto riscontro la potenza della chiesa nel medioevo, la quale si esercitava in ogni relazione della vita. Un segno principale della chiesa medioevale era pure l'universalità sua, chè essa estendeva il suo dominio su quasi tutte le nazioni. Questa qualità forma in prima linea la nota e tendenza del giornalismo attuale.

Il più essenziale e prevalente *contenuto* del giornale, le notizie telegrafiche sopra i più importanti avvenimenti, appare su tutti i fogli del mondo nell'identica maniera. Le agenzie telegrafiche, che costituiscono il più efficace ajuto dell'industria giornalistica, sono collegate fra di loro in tutti i paesi e forniscono ai diversi giornali la stessa materia. Poichè ora le trattazioni dei giornali, e gli stessi articoli di fondo, si riconnettono, per natura delle cose, preferibilmente ai dispacci, così deriva che negli innumerevoli fogli del mondo appare nello stesso giorno presso a poco il medesimo articolo. Per quanto l'aggruppamento dei fatti e delle circostanze conferisca necessariamente ai giornali diverso colorito e indirizzo, secondo la diversità di vedute soggettive, tuttavia, anche differendo la tendenza della dialettica trattazione, vien sempre tutta l'attività giornalistica dei varî paesi occupata contemporaneamente sullo stesso oggetto. È come un concerto che quotidianamente risuona per opera di tutti i giornali sulla faccia della terra.

Ma il corso cosmopolitico del giornalismo, oltre che sul contenuto, si manifesta pur nel *personale dei giornali*, per quanto concerne le proprie corrispondenze, ed in quella specie di internazionalismo che lega fra loro tutti i giornalisti del mondo ed il quale, stante il loro reciproco commercio, tien lontano ogni esclusivo od esagerato concetto di nazionalità.

16. — Il compito della educazione nostra è tuttora quasi espressamente diretto a mantener fermo, se non ad accrescere, il distacco fra le classi colte e quelle diseredate. La questione della coltura primaria, fino ad oggi dimenticata dagli uomini di governo, rimane ancora campo esclusivo e predominante dei pedagoghi. Epperò sempre opportuna è la domanda perchè le classi della nazione che vengono istruite nella coltura scientifica, anzichè essere guida e direzione delle masse, perdano sempre più, invece di aumentare, la loro influenza e rapporti sui cosidetti bassi strati sociali. Orbene, la ragione dipende dall'indirizzo dell'istruzione e della scienza che tiene maggiormente estranei alla vita e toglie ogni intellettuale contatto col popolo. In tal modo s'infiltra il dispregio della realtà, e le giovani menti, quanto s'arricchiscono nella disciplina dello spirito e nella ginnastica dell'intelletto, altrettanto scarseggiano di civile educazione. Con simili metodi di preparazione non possono certo crescere persone in libero accordo ed in reciproco scambio di idee colle altre classi popolari; invece si coopera al loro isolamento. Di qui il triste non infrequente spettacolo di pubblici ufficiali il cui sguardo è rigidamente attaccato agli atti, ed i quali degli umani rapporti che sotto vi stanno nessuna conoscenza prendono, e nessun cuore quindi hanno. Così trovano spiegazione gli eccessi di certe giudiziali condanne, di sorprendenti assoluzioni, di persecuzioni politiche e di altri consimili incauti provvedimenti.

Ma qui appunto viene in buon ajuto la stampa, la cui autorevole potenza maggiormente si afferma e rinforza, tendendo, secondo il suo vero compito, a rimuovere tali disuguaglianze di coltura, a promuovere l'aumento della comunità nazionale ed a rendere più umani, più trattabili e più vivi i rapporti fra le classi dirigenti o l'autorità e le masse popolari.

17. — Transitoria nelle sue condizioni e tendenze è, più d'ogni altra, la professione del giornalista. Rapidamente si mutano le ragioni che servono di guida e criterio a chi scrive giorno per giorno.

Cambiamenti poi così pronti e radicali quali i nostri tempi hanno apportato nel giornalismo, potevano, in passato, appena concepirsi.

È poco più di un quarto di secolo che i giornali pretendevano scrivere, non pel popolo in genere, ma unicamente pegli uomini di Stato e pei dotti.

Attualmente la cosa è talmente impossibile che niun giornale si avventurerebbe in una simile via o semplicemente in un giudizio in quel senso. Chi scrive nei giornali sa oramai che egli non può più rivolgersi ad uno scelto ed istruitissimo pubblico, ma soltanto alla parte comune di esso, che è la più numerosa, e quindi la meno intelligente. Ora contribuire all'*aumento* della *generale coltura* ed essere utili a tutto il mondo sociale forma il compito della maggior parte dei giornali dei nostri tempi. Limitarsi ad uno scopo esclusivo, dopo che il diritto di concorrere alla cosa pubblica e di decidere dell'indirizzo dei governi è passato, specie dove vige il suffragio universale in mano della massa, e dopo la conseguente democratizzazione della società, sarebbe, per la stampa, del tutto impossibile. Dopochè numerose e fiduciose falangi di uomini appartenenti ai bassi strati possono, nei riguardi del voto, farsi valere, per quanto non innanzi nella coltura ed oscuri per nascita, deve la stampa far gran conto della loro forza e delle loro opinioni. Sa la stampa che la sociale convivenza unicamente all'omogeneità della vita esteriore è condizionata, e che quindi torna fuor di luogo far appello ad una coltura superiore.

Le stesse aristocratiche classi hanno del pari abbassato il loro tono e cambiato il piano di loro coltura. Non diverso è dell'indirizzo pubblico, specialmente di quello riguardante le arti e l'istruzione.

18. — La democratizzazione della stampa fu pur conseguenza delle cambiate condizioni d'esercizio dei giornali, e cioè dell'aumento di spese per telegrammi, onorarî, stampa, ecc., in misura tale da poter appena essere coperte coll'introito degli abbonamenti. Ne derivò la tendenza dell'impresa ad accrescere il numero dei lettori e le inserzioni a pagamento. Indi altro passo per render popolare ed utilizzar meglio il giornale, di guisa che esso appena alcuna idea ha conservato del compito e concetto letterario posseduto in origine.

Lo *scopo d'aumentar la quantità dei lettori* e di sostituire al limitato numero di persone colte un *pubblico a larga base*, produsse rilevanti *effetti* nello sviluppo del giornale. Apportò un' *abbondante nuova materia* di altissimo valore e di utilità per tutto il popolo; rese più modesto e semplice il *tono* delle pubblicistiche trattazioni; pose la stampa maggiormente alla dipendenza dei voti del giorno, dei programmi dei *partiti*, della pubblica opinione, diversamente da quello che per lo innanzi era considerato il compito del giornale (Walther, *Deutsch. Zeitungswesen*, 1888, p. 17).

Il *primo punto*, l'accoglimento di materia esclusivamente destinata alla varietà ed al trattenimento, è stato il più importante effetto, chè spostò i rapporti della stampa periodica coi lettori, assegnando al passatempo un campo di sviluppo uguale, se non superiore, a quello dell'istruzione.

In modo caratteristico ha coinciso, coll'accennato ribasso del prezzo dei giornali e col diverso atteggiamento da questi preso, il sorgere del romanzo d'appendice, il *romans feuilleton.*

I due giornali di Parigi la *Presse* e il *Siècle*, che pei primi adottarono questa novità allettatrice, fecero così lucrosi affari da indurre tutti gli altri giornali francesi ed esteri a seguirne ben presto l'esempio, stampando nelle loro colonne romanzi o novelle, originali o tradotte da altre lingue. L'ammissione, infatti, di materie ricreative divenne tosto indispensabile dopochè i giornali furono costretti ad estendere in più vasto campo le loro relazioni seguendo la presa via di dirigersi specialmente alle classi popolari.

Dell'influsso che il predominio delle masse esercita sul *tono della stampa* fa testimonianza il raffronto tra le antiche e le recenti trattazioni dei più noti giornali. Al tono elevato, reciso e indipendente degli antichi pubblicisti porta serio ostacolo il fatto che, accanto ad un lettore di coltura elevata, stanno dieci di media istruzione, che gli interessi e le esigenze di partito e le tendenze della moda hanno invaso tutti gli strati della società, sicchè anche all'attuale scrittore di giornali, chiunque esso sia, torna difficile far valere concetti e punti di vista contrastanti coi principî del suo partito, ed, in genere, andar contro corrente.

Non impunemente potrebbe adunque il giornalista agire contro lo spirito pubblico e considerare come non esistente l'attuale dominio dell'opinione pubblica, che pur è il portato delle classi medie e non dei dotti.

L'azione infine che i *partiti* esercitano sulla stampa e l'atteggiamento per virtù loro a questa impresso troveranno svolgimento tra breve. Ma si ritenga intanto che con grande precauzione si cimentano ora i giornali fuori del campo delle idee dei loro lettori: di essi e del loro partito debbono anzitutto rispettare le tradizioni. Spesso quindi la trattazione conserva qualche cosa di burocratico e convenzionale; raramente, o quasi mai, vengon nuovi fondamentali svolgimenti a trovar posto nel giornale.

VII.

19. — La mutata composizione del pubblico ha reso corrispondentemente diverse le tendenze dei giornali e delle riviste.

Il *giornale dei tempi passati rappresentava*, in maggiore o minore estensione, *un' impresa letteraria;* il suo impulso partiva dagli scrittori, e da questi riceveva la sua impronta. Erano essi, unitamente all'editore, che determinavano la scelta e la trattazione della materia e che contenevan il giornale nel campo maggiormente preferito dalle più elevate classi sociali: nei primi tempi del secolo erano quindi prescelte la letteratura, l'arte, la scienza (*l'articolo scientifico*); dopo la rivoluzione di luglio, e specialmente dopo il 1848, le questioni politiche e sociali (l'*articolo politico*).Onde il giornale si dirigeva agli uomini di Stato, ai diplomatici, ai dotti. ai quali tutti molto interessavano le notizie del mondo in mezzo al quale vivevano, nulla quelle del piccolo.

In conformità a tali rapporti. anche il compito dei redattori era assai semplice, e pure facilmente conseguibile diveniva l'esercizio dell'impresa anche da editori di mediocre sostanza. Un pajo di ben istruiti corrispondenti, uno scrittore che gli avvenimenti del giorno in sufficiente forma una o due volte la settimana riferisse, un adatto recensore ed alcuni occasionali collaboratori bastavano a far la fortuna di un giornale. In quel ristretto campo, il direttore avea a far con limitato personale a lui ben noto, con non sovrabbondante materia ch'ei poteva rivedere, correggere e ridurre a unità ; l'editore poi stampava gli annunzî inviati a lui direttamente senza attribuir a questo primordiale ramo dell'esercizio soverchia importanza. Anche dopo il 1848 rimase predominante il concetto che i giornali fossero in primo luogo imprese letterarie, e solo secondariamente imprese di commercio.

Ma questo non è più ora il caso. L'importante *compito del giornalismo* dei nostri tempi va sempre più avanzandosi dal campo delle critiche considerazioni. delle ragionate trattazioni, dei sapienti studî a quello della *comunicazione di fatti ;* quei giornali vengono ora preferiti. i quali più ricchi di notizie sono, che maggiori telegrammi recano, che hanno più pronti e scelti resoconti, maggiore copia di cronaca locale, di movimento dei partiti, e via via, e quel personale di redazione è più accetto il quale sia in prima linea più ammaestrato in conformità di tali esigenze, e solo accessoriamente presenti attitudini letterarie (Walther, *Zeitungswesen,* 1888, p. 16 ; — Antikalamoboas, *Das moderne Zeitungswesen, seine wissensch. begriffbestimmung,* 1897, p. 13).

Anche qui si disegna lo stretto vincolo di rapporti fra la vita ed il giornale. L'attività scientifica dei nostri tempi è diretta alla conoscenza di ciò che è, all'accertamento di sicuri fatti. La registrazione degli avvenimenti assume, sotto l'azione dei giornali, sempre più efficaci risultati, e procaccia, nel loro confronto ed avvicinamento, nuovi e geniali punti di vista: frutto del nostro tempo che sempre più scettico sta di fronte ai problemi filosofici e religiosi.

I rapporti giornalistici sono ora talmente mutati che i redattori soltanto in casi eccezionali sono ancora padroni dei fogli in cui scrivono. Non la prima pagina, nè l'articolo di fondo, ma la quarta pagina colle inserzioni a pagamento è attualmente la più importante. Ad essa segue la terza colle notizie sui corsi di borsa o dei mercati, ecc., e sol dopo il compimento di questi capitali punti vengono in considerazione le restanti pagine.

20. — La *mutazione* è più particolarmente a ricondursi a *tre distinte cause :* 1.ª all'introduzione di *nuove rubriche* le quali nulla di comune hanno colla parte letteraria del giornale; 2.ª allo smisurato *accrescimento delle spese d'esercizio dell'impresa ;* 3.ª all'aumentato *predominio dei partiti* su tutta la vita pubblica.

1.º Coll'adozione delle *rubriche di notizie telegrafiche* hanno perduta importanza le ragionate e studiate corrispondenze nell'antico senso della parola. Assicurata la possibilità di immediate relazioni su tutti i più importanti avvenimenti del mondo, ben poco valore occorre omai assegnare alle previsioni ed ai giudizî degli uomini illustri ed esperimentati. Dopo lo sviluppo delle grandi agenzie telegrafiche, non solo il contenuto, ma anche la forma stessa delle loro comunicazioni hanno perduto ogni rapporto colle esigenze letterarie, tutto riducendosi a questione di spese, ed ognuno, sia privata persona o redazione di giornale, potendo, se in grado di pagare, aver dalle prime quelle identiche notizie già ad altri trasmesse.

Pur le *rubriche* dedicate al *commercio*, all'*industria*, ecc., provengano da comunicazioni telegrafiche o da altra fonte, sono opera di persone di pratica commerciale, e scevre quindi da concetti letterarî. Il loro contenuto è infatti equivalente nella maggior parte dei giornali, e pur esso ha pertanto rilevantemente contribuito a modificare la base, l'indirizzo e l'attività della redazione giornalistica.

Lo stesso carattere presentano i *resoconti* d'ogni specie. Che tale compito sia difficile e pieno di responsabilità, e richiegga non poca abilità, intelletto e precisione, non vi può esser dubbio; ma non può tuttavia ritenersi che in essi spicchi e si designi il concetto di una vera produzione letteraria. Predomina ivi più l'opera del *reporter* che del redattore, tantochè gli appunti vengono generalmente presi dai primi e spesso pubblicati senza cooperazione dei secondi, e gli stessi resocontisti, comunemente al servizio di più giornali, curano che il loro lavoro appaja conforme ed uguale per tutti.

Ora se si considera che tali rubriche occupano più della metà dello spazio del giornale, che esse poco o nulla han che fare colla letteraria produzione, che in fine il loro contenuto è in gran parte comune ai varî giornali quotidiani, non farà meraviglia l'asserzione dell'attuale prevalente carattere mercantile della massima parte dei giornali.

2.° Che poi le nuove non letterarie rubriche abbiano sommamente aumentato le *spese dell'impresa giornalistica* appare a prima vista quando si tenga conto del rilevante dispendio per procurar la nuova costosa materia pel giornale, dell'accresciuta sua estensione e formato, dell'aumentato costo di macchinario, stampa ed onorarî pel più numeroso personale di redazione, correzione, ecc. Per soddisfare adunque alla misura media dei lettori, e per poter, secondo i loro evidenti desiderî, raggiungere il più che sia possibile la compiutezza e la celerità di notizie, occorre agli editori degli attuali giornali di mediocre importanza incontrare tante spese che per poco rimangono al disotto delle spese dei più grandi giornali di quarant'anni fa.

3.º Dell'*influenza dei partiti* sulla vita pubblica attuale, e del diverso atteggiamento e indirizzo dai medesimi imposto al giornalismo, discorreremo fra breve (n. 25 e seg.).

21. — Sotto l'influenza che lo sviluppo ed il particolare carattere del giornalismo hanno esercitato sulla vita intellettuale dei popoli moderni ne è derivato che la stampa periodica ha fatto proporzionatamente diminuire la *produzione della letteratura ordinaria*, e che delle sue tendenze e qualità si risentono tutte le pubblicazioni contemporanee.

Che *teoricamente* il giornalismo non faccia al commercio librario seria concorrenza può apparir vero, quello anzi facilita questo rendendo avvertito il pubblico delle opere apparse, ed in tal guisa cooperando alla loro divulgazione. Soltanto i critici giornalistici parziali od affrettati possono sfavorevolmente influire sulle produzioni librarie: però, nel complesso, anche la loro influenza non deve giudicarsi pregiudizievole.

Ma, posta la questione sul terreno *pratico*, se cioè il lettore, che ricava dal giornale, su tutti i più importanti e interessanti soggetti, quasi un enciclopedico insegnamento, venga distolto dall'acquisto di libri che trattino tali materie, in quanto ne ritenga superflua la lettura, deve rispondersi che questo appunto si verifica, e che nel più dei casi quel lettore non sarà compratore di libri. Chi, del resto, si contenta della superficie, non si spinge nell'intimo delle cose per approfondire la materia. Soltanto nel caso di romanzi, novelle, drammi o poesie pubblicate da prima nei giornali, si può facilmente accertare che nè gli autori nè gli editori risentono pregiudizio da tale concorrenza, che anzi di frequente tali produzioni si raccolgono poi in forma di libro con uno spaccio vivissimo agevolato dalla precedente pubblicazione.

Pei càsi ordinarî adunque sta il fatto che il numero dei giornali va man mano crescendo in misura superiore a quella dei libri, e ne è prova una statistica compiuta agli Stati Uniti accertante che l'aumento delle produzioni periodiche si verificò, nel 1889, in proporzione del 13,7 %, mentre la classe dei libri si limitò all'8,17 %; che le edizioni dei giornali superano d'assai il numero di tiratura dei libri (questi da 1000 a 2000; quelli da 10 a 20, 30, 50 o 100 mila e più quotidianamente); che le nuove sopravvenute classi sociali ben raramente leggono libri e invece regolarmente giornali, poichè l'aumento, pur nel campo intellettuale, della divisione di lavoro e la necessità di perfezionarsi ognuno nella propria professione, han fatto sì che giovani e vecchî meno tempo ora trovino da dedicare al loro armonico sviluppo, per cui, delle sempre più scarse ore disponibili per_la propria coltura, la più gran parte consumano nella lettura di giornali.

22. — La diversità di rapporti fra la nostra letteraria coltura e quella delle precedenti generazioni può ritenersi stata determinata dall'illimitato *predominio* ed influenza che, a preferenza dei classici della nostra letteratura, la *stampa* quotidiana esercitò sull'*orale* e *scritto linguaggio* degli attuali tempi. Le improprie locuzioni di dire, le straniere parole, espressioni o frasi, anche quando vi sono equipollenti nella nostra lingua, e delle quali pur costantemente s'infiorano i discorsi e gli scritti, debbono in gran parte attribuirsi al mero esempio degli scrittori di giornali ed all'estensione da questi acquistata su tutto il mondo letterario.

Fino a che le schiette tradizioni della letteratura vennero rispettate e queste determinarono il contenuto e l'indirizzo della vita intellettuale e ne fissarono in certo modo la misura, era impossibile quel gran numero di insensate e vuote produzioni cui molti giornali d'ora hanno aperto la porta e che formano il gusto comune e ordinario, anche quando per lingua, stile e concetto, diventino irriconoscibili. Senonchè, non più l'incoraggiamento o l'approvazione dei pochi, che soli sanno il meglio ed il buono apprezzare, formano la guida e l'indirizzo degli innumerevoli scrittori di giornali, bensì gli applausi e la ricerca dei molti; ben sapendo i primi che i prodotti e gli utili della loro penna dipendono esclusivamente dal giudizio del pubblico, cioè da una somma di persone di mediocre portata, di criterio assai limitato, ma che costituiscono la maggioranza dei lettori dei periodici.

VIII.

23. — Una rilevante influenza su tutto l'esercizio dell'impresa giornalistica apportarono la mutata posizione ed il cresciuto *sviluppo delle inserzioni*. La quarta pagina, da noi, *l'inserzione a pagamento*, là dove il giornale ha maggior numero di pagine, formano la principale risorsa del giornale moderno.

Per molto tempo le inserzioni si limitarono agli annunci ufficiali, tennero dietro quelle commerciali su novità librarie per sottoscrizioni a pubblicazioni di editori, e poi altre riguardanti oggetti di consumo. Sorse poi l'uso di comunicare con inserzioni, anzichè con lettere, le notizie private di famiglia, nascite, matrimonî, decessi. Si passò alle inserzioni per domande di matrimonio, in fine agli annunci delle imprese di trasporti per terra e per mare, degli stabilimenti d'istruzione, alle offerte per iscuoprimento di reati, per trovar oggetti perduti, rintracciare ragazzi, allogar domestici, ecc.

Fu in Inghilterra dove apparvero i primi annunzî d'interesse privato. Il primo che s'incontra è del 1652, ha per oggetto la pubblicazione d'un libro, ed è inserto nel *Mercurius politicus*. Nel 1659 si trova in altro giornale l'annuncio d'un opuscolo di Milton; nel 1695 si comunica, a mezzo del *Morning*

Post, l'apertura d'un negozio di modista; nel 1712 il *Daily Courant* contiene la *réclame* per una fabbricazione di calzature (Biedermann, *Zeitungswesen sonst und ietzt,* 1882, p. 29; — Kronau. *Buch der reklame,* 1887, p. 55).

La peste del 1665 aveva già, dal canto suo, introdotto l'annuncio degli specifici, chè di ciarlatani v'era dovizia anche allora.

Le notizie di famiglia comparvero, al dire del Wuttke, già nel 1790, nella *Leipziger Zeitung,* e nel 1792 si ebbe, almeno in Germania, la prima domanda di matrimonio, in quattro colonne, subito seguìta da altre numerose, e quindi più brevemente redatte.

L'arte del disegno venne in ajuto delle inserzioni. Si usò illustrare l'annuncio con incisioni di carri, cavalli, battelli, uomini, ecc., insomma colla infinita moltitudine di oggetti che possono formarne materia.

Nello scorcio del secolo passato le inserzioni erano così bene avviate che l'*Hamburgische Korrespondent* portava numeri con più spazio di inserzioni che di testo. Però fu solo nella metà del secolo presente che l'industria delle inserzioni si è estesa a tutto il campo della vita. Oggidì l'annuncio nei giornali è divenuto un affare, un grande affare industriale. commerciale, individuale; niuno più v'è che non ricorra a tale risorsa per metter in mostra sè e le cose sue. Lo sviluppo delle inserzioni è a tale grado giunto che certi grandi giornali degli Stati Uniti, come il *New York Herald,* contenente talvolta più di cento colonne d'annunci, poterono addurre il movimento di questo ramo quale fondato criterio sull'andamento degli affari in quello Stato.

Causa di tale rapido incremento furono lo slancio della moderna industria, lo stimolo della concorrenza, l'aumento, dal 1848 in poi, del numero dei giornali, la generalizzata abitudine della loro lettura, e conseguentemente il cresciuto commerciale valore delle inserzioni. Poichè la contemporanea introduzione delle rubriche telegrafiche elevò le spese d'esercizio, e, in causa della concorrenza, non potè facilmente elevarsi il prezzo del giornale, la massima cura si destinò quindi alla ricerca delle inserzioni.

24. — Da prima tale incarico si affidò a dipendenti del giornale, che fecero pur da esattori, con certi utili sulle inserzioni procurate. Ma, stante l'abilità spiegata nella caccia degli annunzî, essi divennero ben presto ausiliarî indispensabili, per quanto poco stimati, dell'editore. Esonerando poi, a poco a poco, lo stesso dalle cure di questo ramo d'amministrazione, acquistarono i più grandi intermediarî ed agenti una particolare importanza ed una propria posizione, fondando *agenzie* e uffici che esercitarono per proprio conto, trattando liberamente e con piena indipendenza dalle imprese giornalistiche.

Il primo di questi *stabilimenti di pubblicità* fu creato da Haasenstein e Vogler a Francoforte, i quali apersero in brevi anni numerose figliali nelle principali città di Germania e d'Europa per mettersi in relazione coi più importanti giornali. Seguì quello di Hübners, di Forts e Mosses, pure in Germania, di Manzoni a Milano, Obblieght a Roma, Manfredi a Torino, poi la Stefani, oltre infine a diverse agenzie internazionali, di cui taluna, ad es. l'*Havas*, collegata con varie società telegrafiche, dispiega la sua influenza in tutto il mondo.

In tal modo il giornalismo entrò in una nuova fase. Editori e redattori non ebbero più esclusivamente a fare con piccole richieste, ma con grossi interessi che subito cominciarono ad esercitare una certa influenza sulla commerciale e redazionale produzione giornalistica. I giornali locali poterono per lungo tempo mantener in ciò la loro indipendenza, chè in ogni città è solito il pubblico ricercare in determinati fogli del luogo gli annunci di ogni genere, e a questi direttamente e fedelmente passar le sue commissioni senza riguardo alla loro speciale qualità. Ma ai grandi e più divulgati giornali, cui affluiscono più estese periodiche inserzioni interessanti diverse città e paesi, divengono necessarî i rapporti colle agenzie. Però è appunto per questo che i giornali onorati da sì grossi committenti, per nulla affatto, o solo in determinata guisa, accennano, per loro riguardo, a certe cose, e che per particolari interessi, all'occorrenza, s'inducono a patrocinare od a sopprimere le pubblicazioni di avversarî o concorrenti dell'agenzia.

Quello che è delle *agenzie* avvien pure riguardo agli altri grandi *committenti di inserzioni*, società, banche ed altre imprese, le quali, nel più dei casi, esigono che la cessione delle loro richieste d'annunci sia dipendente dall'adempimento di date condizioni per parte del giornale. Onde è che di certi affari specialmente lucrativi eseguir sollecita inserzione con benevolo cenno od anche con articoli di redazione che li raccomandino, di altri dar annuncio con promessa di silenzio su certi lati deboli, in ogni caso mai suscitar il dispetto dei grossi committenti ed agenzie, questi e simili principî fondamentali in materia d'affari hanno dovuto da qualche tempo trovar nei giornali estesa applicazione. Tutto ciò, oltre al caso speciale di taluni giornali addirittura passati in proprietà delle agenzie, o la cui quarta pagina sia loro senz'altro e permanentemente appaltata dietro un convenuto compenso, come è di buona parte dei giornali italiani.

Gli inconvenienti e gli abusi derivanti da tale dipendenza della stampa appajono a prima vista. Onde è che i giornali che possono, cercano sottrarvisi. Così fece, ad es., il *New York Herald*, che, respingendo quella intermediazione, ha da tempo stabilito diversi uffici, tanto in New York che in altre città degli Stati Uniti, cui rivolgersi il pubblico che desidera valersi della sua pubblicità.

IX.

25. — I materiali ed economici risultati dell'impresa giornalistica rappresentano la condizione più essenziale per l'*indipendenza* sua. Un giornale non potrebbe vivere un istante se fatto a proprie spese, coi soli mezzi di cui l'editore dispone; neanco una ricchissima persona riuscirebbe a sostener il peso del capitale impiegato in quell'esercizio. Se vengono poi i capitali necessarî al mantenimento d'un giornale forniti da terzi, uomini politici o finanziarî, sieno pur delle stesse idee del periodico, ovvero da una impresa sociale, allora dell' indipendenza del giornale resta poco più che l'apparenza, poichè certi determinati riguardi ai soci concorrenti al sostegno economico del giornale s'impongono di per sè, prescindendo da ogni loro colore di parte o da consimili altre qualità dei soci stessi, le quali potrebbero del pari reclamare un favorevole trattamento.

Si rileva adunque che la pretesa indipendenza della periodica stampa e la possibilità sua di far a meno di considerazioni degli altrui interessi ben più difficilmente può ora verificarsi che non prima quando nessuna telegrafica notizia, nessun resoconto parlamentare, nè romanzi od altro a caro prezzo si avevano, e le spese d'esercizio del giornale più agevolmente potevano essere sostenute, e le inserzioni costituivano un utile netto.

L'aumento della concorrenza ha impedito di elevare il prezzo dei giornali ad una misura che possa coprir almeno le spese d'esercizio: gli editori hanno quindi dovuto, per accrescere i loro introiti, fare ricorso a mezzi sui quali, nei tempi passati, solo in casi eccezionali poteva farsi assegnamento. L'aumentata estensione delle inserzioni e della *réclame*, e la sopravvenuta inevitabile dipendenza del giornale dall'influsso della borsa e del capitalismo, si elevarono di tanto quanto crebbe la materia del gior-

nale che forma oggetto delle rubriche non letterarie. Così la quarta pagina diventò la più importante, chè dedicata alle inserzioni e destinata a fornire i mezzi per far fronte alle spese delle pagine
rimanenti.

Ma per questo non potevano i riguardi economici
diretti ad aver numerosi e ben pagati annunci non
influire sull'indirizzo e natura del contenuto di quella
parte del giornale che non valeva a far ricavare
tanto quanto basta alle spese d'esercizio. Dovevano
pertanto gli editori del periodico, oltre al debito
calcolo delle esigenze e interessi di quei che inseriscono, volger ben più, o differentemente di prima,
le cure loro all'aumento di divulgazione del giornale e cioè a procurarne la popolarità. È infatti il
numero dei lettori ed abbonati che decide dell'importanza d'un giornale rimpetto a quei che inseriscono.

Senonchè i lettori si ottengono, non tanto colla
moltiplicità di trattazione di diverse materie e col-
l'adattamento del giornale alla corrente del giorno,
quanto col metter capo ad un *partito* ed appoggiarlo.
La maggior parte dei lettori sono infatti ascritti a
qualche partito, e questo trova sostegno od origine
in frazioni parlamentari. Di qui, pel giornale, la
probabilità di smercio e di fautori tanto per la parte
redazionale quanto per quella delle inserzioni. O con
pagamenti a contanti, o con comunicazione di notizie, avvisi, corrispondenze, trova una impresa la
sua fortuna. I fogli veramente indipendenti anda-
rono sempre, quasi tutti, tranne rarissime eccezioni,
in rovina.

A questo è da attribuirsi sostanzialmente la profonda mutazione sopravvenuta in questi ultimi tempi
nel giornalismo, il quale, messo da banda il suo
carattere letterario, si è dato alla caccia degli affari,
alla creazione di nuove rubriche che di quello non
portano più veruna impronta. Per conseguenza, alle
influenze, sul giornale, degli uomini di lettere sono

sottentrate quelle degli uomini d'affari e di borsa, e pure l'altra dei partiti politici, i cui interessi vengono oramai a star a cuore al giornale maggiormente delle esigenze letterarie.

26. — L'*influenza del partito* si esplica pur nel campo delle *inserzioni*. Governo, tribunali, amministrazioni, società hanno bisogno di inserzioni le quali possono venir considerate fonte di vita e prosperità del giornale.

Di un rilevante numero di piccoli giornali si può dire che essi non riuscirebbero a durar a lungo se non trovassero economico appoggio nella commissione di annunci, specialmente giudiziarî, che sono i più profittevoli in causa della loro periodica riproduzione. Ora è conforme alla natura delle cose che tali incarichi vengano dati a giornali degli stessi principî e tendenze degli uffici, amministrazioni ed associazioni richiedenti.

Certo lo spirito e la posizione dei partiti non dovrebbero su questo punto esercitare alcuna differenza. In tale materia il sentimento dovrebbe altrettanto lontano stare quanto lo è negli affari commerciali, specialmente poi in quelle inserzioni che in nulla rientrano nel campo politico. Senonchè i contrasti dei partiti sono così profondamente radicati nella vita pubblica, che molte cose le quali nessun rapporto hanno con essa e colle varie divisioni dei partiti vengono di spesso trattate secondo i diversi punti di vista politici. In tal modo si spiega come fra le amministrazioni stesse dello Stato, i magistrati e l'esercito, ad es., si appoggino preferibilmente alla stampa conservatrice o liberale temperata, ed il corpo degli insegnanti assecondi invece la stampa con tendenze democratiche. Questioni le più neutrali si trattano e si risolvono assai di spesso secondo le considerazioni di partito, il che è pur nel campo dell'arte, della scuola, della scienza.

Dagli esposti concetti si vede come possa facilmente avvenire che giornali abilmente diretti e di considerevole spaccio trascinino una vita stentata, non potendo conseguire quelle abbondanti inserzioni occorrenti al loro mantenimento, mentre altri malamente redatti e ripieni di insulse trattazioni si trovino carichi di denari. Tocca senza dubbio la prima sorte ai giornali con programma libero di idee, non legati a interessi di partiti, che si ribellano anzi alle esigenze di questi: rientrano nel secondo caso i giornali mantenuti appunto da un partito ed a cui il partito detta la politica da seguire.

27. — L'atteggiamento della stampa in ordine ai *partiti* non ha soltanto base nelle considerazioni economiche, ma pure nei *riguardi sociali e politici*.

Nessuno Stato oramai più vi è senza un suo organo che le sue aspirazioni rappresenti. L'operajo ha il suo giornale del lavoro; l'impiegato, il professionista, quello corrispondente alla loro condizione; il reddituario il suo giornale di borsa, e così via.

Anche i grandi fogli appartengono, per regola, a grandi società e lavorano quindi nell'interesse del grande capitale. Questi fogli, ad es., danno addosso senza tregua a tutto ciò che può esser di peso, di ostacolo al grande capitale, chè il grande capitale si considera oggi come il fattore quasi esclusivo della società, ed il *noli me tangere* è la sua divisa.

Ma pur nei rapporti *politici* i giornali, che non sono al servizio d'un governo, sia questo liberale o reazionario, sono al soldo di qualche *partito*, epperò non sono più indipendenti di quanto lo siano i giornali ufficiosi. È quindi fatto costante che ogni partito politico ha nella stampa il proprio organo, la rappresentanza dei proprî principî.

Se anche le circostanze, i fatti da riferire sieno gli stessi, pure, generalmente, in causa di tale politica divisione, ognuno compra il giornale colle cui idee pubbliche personalmente concorda. Può altra parte del pubblico diffidare volentieri della stampa di partito, della sincerità e giustizia dei suoi giudizî e della purezza delle sue intenzioni, ma, oltre

che agendo diversamente perde la stampa di energia,
si è pur certi che il cerchio dei lettori suoi verrebbe diminuendo.

I contrasti di principî dei partiti politici si sono
oramai talmente estesi, che niun campo della vita
più vi è nel quale il giornalista trovi una libera
via da percorrere. Dopochè liberali, clericali, conservatori e socialisti hanno, in materia di religione,
d'amministrazione, d'arte, ecc., sviluppati e concre-
tati i loro programmi, è costretto il giornalista,
ascritto ad uno di tali partiti, ad uniformarsi alle
considerazioni, sentimenti e tendenze che ne formano la divisa: tanto più che egli non parla in
proprio nome, ma in quello del grande anonimo. In
tal caso, sostenere un'opinione che si discosti dalla
via comune, farsi una propria strada frammezzo ai
partiti, trarre conseguenze, anche ineluttabili, ma
in contraddizione colle ragioni del partito, sarebbe
assai pericoloso. In Italia stessa chi avesse voluto
pochi anni fa mettere anche puramente in dubbio
l'opportunità della politica africana, caldeggiata, ad
occhî chiusi, dai varî governi succedutisi, sarebbe
stato ritenuto persona senza patriotismo; chi avesse
osato soltanto toccare di certe leggi eccezionali, in
definitiva dirette, almeno nell'applicazione loro, a
freno del pensiero e dei partiti avanzati, il meno
che poteva attendersi era il domicilio coatto.

Certo il dominio dei partiti è sempre e dovunque
esistito, ma non così stretto come ora, dopochè il
numero di quei che partecipano alla pubblica discussione si è straordinariamente accresciuto e l'influenza dei molti ha anche ottenuta una giuridica
sanzione.

Questo però deve riconoscersi che il partito politico, sia esso quello al governo o quello di opposizione, si differenzia, nella maggioranza dei casi,
dai rapporti di dipendenza derivanti da una pura
e nuda impresa commerciale.

E nel concetto del partito di perseguire non privati, ma pubblici scopi, e di operar così che il suo giudizio coincida, almeno *in abstracto,* con quello dello Stato o di tutta la nazione.

Infine va ancor soggiunto che per pochi grandi giornali sono le considerazioni suesposte meno determinanti, chè se un giornale valga a metter ferma base fra ' suoi lettori, giunge a poco a poco ad una indipendenza di idee che in certi riguardi rispecchia, non più solo i concetti della redazione e del proprietario, ma quello dei lettori in genere, del sentimento generale che è felice di ritrovarsi in esso come dinanzi ad uno specchio, in guisa da far ritenere che il giornale rappresenti qui veramente la pubblica opinione, nel qual caso non gli verrà più a mancare un circolo esteso di lettori. In tal senso si fanno alcuni dei più grandi fogli degli Stati Uniti. Ivi sonvi molti giornali di partito vincolati ad uomini parlamentari; ma i giornali più potenti e fortunati appartengono alla *independent press,* la stampa che prende gli avvenimenti giorno per giorno, li narra e li giudica senza riguardi.

PARTE II.

La struttura del giornale.

I.

28. — Nello stato del moderno giornalismo il motto *multum non multa* è eretto invariabilmente a criterio per la formazione dei giornali, tanto che non pochi dei più grandi fogli esteri, primi su tutti quei di Germania, pubblicano quotidianamente due o persino tre diverse edizioni.

Quanto al *contenuto* della trattazione, l'esame di pochi numeri di qualsiasi giornale dimostra che vi sono, di regola, uno, ma talvolta anche due *articoli di fondo*, sulle importanti questioni politiche, economiche, religiose o sociali di attualità, o su qualche nuovo rilevante progetto di legge, o su qualche crisi ministeriale interna o di Stato estero, e via dicendo; numerose *corrispondenze* da altri paesi o città, specie dalle capitali; corrispondenze o brevi cenni sugli avvenimenti politici e sulle discussioni dei parlamenti stranieri; *notizie* statistiche; notizie dalle colonie; varie colonne di *telegrammi*; *relazioni* di corse, ecc.; *fatti di cronaca* ed altre notizie locali sui più svariati oggetti; *resoconti* teatrali, giudiziarî; notizie di borsa e dei mercati; notizie alla rinfusa; *appendici* di romanzi o novelle; avvisi, annunci od *inserzioni* d'ogni genere, ecc.

E così, per un giornale di almeno due edizioni quotidiane, un complesso da 8 a 12 o 16 pagine al giorno, comprendenti ognuna 4, 5, 6 o 7 colonne, e così, in totale, una somma di 35, 40 o più colonne al giorno; e per giornali con una sola edizione, quando 4 o 6, quando 8 pagine, ed almeno con 6 o 7 ampie e fitte colonne (esempio il *Sémaphore* con 7 grosse colonne, il *Journal des Débats*, il *Figaro*, il *Temps*, il *Journal de Genève* con 6 larghe colonne, il *Times* con 6, ma 8 pagine, il *Secolo*, la *Tribuna*, la *Perseveranza* con 6 colonne, il *Corriere della Sera* con 5, ecc.), e quindi sempre un complesso di 24, 30, 40 od anche più colonne: tutta questa straordinaria materia per 365 giorni all'anno, senza contar i supplementi, e per una somma che ordinariamente varia da 15 a 20, 30 o al più 40 lire all'anno.

29. — Ciò non di meno se dall'accurato esame di un giornale si riconosce che il suo contenuto soddisfa, in media, a tutti gli interessi, si vede però che una parte è, per certe condizioni di persone, come se non esistesse, e che altre parti invece non sono tali da rappresentare e soddisfare il nostro particolare interesse.

L'estensione delle *materie* trattate nei grandi giornali, a parte le inserzioni, può ritenersi complessivamente nelle proporzioni seguenti: 1⁄3 alla grande politica; 1⁄3 alla politica economica e sociale e al mercato monetario; 1⁄10 ai ragguagli ed alle relazioni di amministrazione; 1⁄10 ai diversi romanzi e novelle; 1⁄15 agli avvenimenti locali; 1⁄30 al teatro; 1⁄30 alla cronaca giudiziaria.

Senonchè, pur con ciò, non è, ad esempio, l'interesse letterario del tutto soddisfatto; la parte letteraria, scientifica, ecc., ha ivi troppo poco spazio; le appendici vengono prese in considerazione più occasionalmente che sistematicamente, ed i romanzi, di cui ben di raro un giornale manca, possono quasi riputarsi, in quello specchio, roba da riempimento di spazio, tanto che talvolta vengono relegati perfino nella parte delle inserzioni.

I giornali dovrebbero tuttavia discorrere convenientemente di letteratura, d'arte e di scienza, chè quanto nei giornali si pubblica diventa accessibile a più vasto campo di lettori, a diversità delle riviste destinate a limitato numero di persone.

I giornali hanno pure un compito istruttivo: influiscono insegnando quasi come la scuola, certo più d'ogni altro fattore qualsiasi; a questo più alto ed importante campo dovrebbe indirizzarsi pure il giornale, e non aver in vista soltanto il politico insegnamento.

Qual giornale dà, per esempio, una sufficiente rassegna di quanto nella letteratura si produce?

Alle notizie e cognizioni letterarie breve spazio si lascia, di esse si tratta appena di passaggio, senza conveniente svolgimento, mentre se venisse tale materia con ugual cura ed abnegazione coltivata come la politica e gli affari, maggior influenza ne ricaverebbe il giornale sulla cultura ed istruzione generale.

II.

30. — Delle varie principali rubriche componenti la materia del giornale, viene l'articolo posto in capo del giornale, in prima pagina, il cosidetto *articolo di fondo*, considerato costantemente come il più importante, e come decisivo della fama e posizione del giornale. Gli è per questo che negli annunci periodici dei più autorevoli giornali si è soliti promettere ai lettori originali articoli di fondo, cioè trattazioni politiche concepite dalla redazione stessa.

Il carattere dell'articolo di fondo si concreta in una trattazione di per sè stante, e con certa solennità condotta, nella quale si sviluppano politici, sociali ed economici argomenti, e se ne deducono determinate conclusioni.

Tali pubblicazioni, da prima riservate a speciali importanti occasioni, compiute con cura e lette con quell'attenzione che si dedica ai libri, chè considerate quali piccoli avvenimenti, sono da alcuni anni a questa parte completamente mutate e divenute invece quotidiane nei grandi giornali, tantochè niun discreto fatto succede il quale passi senza spiegazione o commenti. Anzi certi periodici, massime i francesi e gli inglesi, stampano regolarmente due od anche tre articoli di tale specie.

In sè e per sè, e quando si abbia una redazione di elevata coltura, e pure sufficiente, per numero, a svolgere, col necessario studio e freschezza di concetti, i diversi argomenti, nulla vi sarebbe a ridire, chè, per quanto limitata sia di regola la quantità dei lettori che hanno tempo e volontà di dedicarsi alla lettura di due o tre di tali articoli che si seguono, è per altro verosimile che chi molto pubblica agevoli ai lettori la scelta di quella materia che loro sia più adatta e pure più gradita. Se non che, di fronte a tali vantaggi derivanti dalla copia di articoli di fondo contemporanei, sussistono inconvenienti non pochi, specialmente nel caso, assai frequente, dell'uso di una forma di trattazione con molta abbondanza di parole. In tale evenienza, due o tre articoli di fondo, tirati giù da giornalisti di professione, fatti a servizio delle stesse idee e dello stesso campo di interessi, nello stesso giorno stampati, e che si incalzano l'un l'altro, vengono a crearsi ordinariamente reciproco imbarazzo ed a togliersi vicendevolmente efficacia o ad affievolirsi.

31. — In Italia sonvi giornali, ma non molti, che hanno quasi ogni giorno un buon articolo di fondo. Però questo deve essere ordinariamente fatto dàllo stesso scrittore, mentre i giornali esteri hanno numerosi e valenti redattori, non obbligati tutti i giorni a scrivere articoli e ad esaurirsi. Quasi nessun giornale ha più articoli di fondo sui varî argomenti di vitale importanza che possono contemporaneamente occorrere; tanto più che in certuni, anche noti, il direttore è costretto a trattar egli ad un tempo fatti di politica, di rassegna e di critica; con quanta serietà e competenza è facile imaginare. E per vero gli articoli non sono talvolta formulati in modo preciso, ma mediante espressioni appositamente vaghe e generiche, ossia mediante frasi.

Nei paesi di *Germania* una prodigiosa massa di spirito, di scienza e conoscenza e di esatti giudizî si profonde negli articoli di fondo; ma di questi, appena avvenuta la lettura, non si serba quasi più memoria, nè i loro autori ne ricavano riconoscenza od onore.

Ciò però dipende essenzialmente dall'abbondante quantità di produzione nel giornalismo di tale Stato. Altra causa si rinviene in ciò che l'arte del giornalista si sa concepire, quanto al suo buon risultato, meno esattamente di quanto avvenga nel giornalismo di certi altri paesi, specie la *Francia*. Ulteriori ragioni ancora si affacciano. Dapprima sta il fatto che l'arte di scrivere articoli e di valersi a tempo debito e acconciamente dei mezzi pubblicistici, con maggior cura è coltivata in Francia ed in Inghilterra, che non in Germania. Quel così semplice segreto d'arte che forma il metodo con cui i giornali dei primi paesi preparano la loro campagna letteraria onde persuader il lettore che i suoi giudizî, i suoi sentimenti e le sue tendenze sono un'eco dei giudizî, idee e tendenze del giornale, non sono altrove guari in uso. Uno dei più grandi maestri nell'arte di far credere ai lettori che i loro pensieri sono prodotti della propria mente anzichè di quella dello scrittore fu Emilio di Girardin, giornalista francese.

Adattare alla materia la sua conveniente forma, sfuggire le scolastiche trattazioni e declamazioni, trovar nuove forme, secondo la diversa natura dell'argomento che si esamina, usare rapida esposizione senza ricchezza di frasi, ovvero procedere con solenne andamento facendo appello ora alla mente, ora alla fantasia od alla passione del lettore, e le proprie vedute così nascondere che questi venga portato all'illusione di aver egli stesso eguali sentimenti e concetti, tutto ciò è cosa di grande momento e valore per gli articoli di fondo.

È poi a considerare che i più autorevoli giornali portano speciali importanti articoli, compilati, non dai membri ordinarî della redazione, ma da eminenti scrittori e da uomini sperimentati, i quali, oltre all'autorità del nome, apportano al giornale una riconosciuta competenza nella trattazione dei più importanti argomenti.

Ma tale concorso di dotti nella trattazione di articoli di fondo si addimostra, in certi Stati, pur liberali e democratici, assai raro; il che ha relazione, fino ad un certo grado, colla diversa considerazione in cui vengono tenuti i giornalisti.

Mentre il redattore d'un grande giornale di Londra o di Parigi è socialmente messo al paro d'un insegnante universitario o d'un membro dell'istituto, in Germania, Italia ed altri paesi, il direttore d'un giornale qualunquesia gode una posizione socialmente e politicamente poco elevata. Onde è pure che in Francia ed in Inghilterra possono articoli di giornali decidere della fama scientifica e politica di una persona, mentre altrove gli stessi vengono considerati quali frivolezze, quando non sieno firmati dal nome di qualche celebre scrittore o politico; nè, senza tale intervento, sarebbero letti tanto facilmente.

Evidentemente da tale circostanza deriva il fatto che le trattazioni dei giornali francesi od inglesi, i quali formano autorità in materia, molto più spesso facciano il giro in giornali di altri Stati, che non le produzioni dei giornalisti germanici e segnatamente degli scrittori italiani.

32. — Ma sopra ogni altro è meritevole di esame il carattere di trattazione del giornalismo americano.

Il suo scopo non è il lusso, la delicatezza e quanto orna la vita, ma l'utilità attuale: non lo studio, ma l'azione è la. sua divisa, il saper fare e non soltanto il sapere. L'americano è l'uomo più pratico del mondo ; suo elemento è l'azione, suo metodo la rapidità: sebbene meno intelligente del giornalista inglese, francese o tedesco, è però più svariato e versatile. I migliori giornali europei sentono la necessità d'uno o più articoli di fondo attentamente e gravemente trattati ed in uno stile che contrasta col rapido movimento della vita.

Il giornalista americano non cerca invece di far cose elaborate e scrivere periodi eleganti, non perde tempo a tornire il periodo ; ha troppi argomenti da discutere per soffermarsi a ciò ; preferisce quindi brevi e vivaci articoletti agli articoli di fondo, dei quali non sente l'assoluta necessità. Soltanto gli preme aver notizie fresche che accompagna con acconci commenti. Alla limpidezza e freschezza dello stile, proprie del giornalista francese, egli accoppia la sollecitudine di pronte e diffuse notizie.

È poi ben raro il caso, da noi invece comune, pel quale riesce difficile capir addentro il significato delle parole d'un giornale se non sia letto sempre, o di frequente, e se non si conosce il partito suo e le sue chiesuole. Là si scrive in modo che chiunque, anche il primo venuto, lo capisce, e da saper poi adattare ad ogni circostanza la forma conveniente. Questo fu il segreto e la fortuna, fin dal suo nascere, del *New York Herald*.

33. — Quanto *all'estensione di contenuto dell'articolo di fondo* non fu sempre seguìto uno stesso sistema.

Così di certe materie si pensava, nei tempi passati, non dovesse il giornale occuparsi.

Ad esempio: trattar, nei giornali politici, anche nella sola appendice, di *quistioni filosofiche* e *teologiche*, si riteneva, precedentemente, impossibile e non conforme al loro scopo. Ma, dopo i tempi di Renan e Taine, il giornalismo ha preso un serio interesse allo sviluppo di quelle materie nel più colti paesi d'Europa. Le opere di Renan sulla *Storia di Gesù* e sull'*Avvenire della scienza*, veri tesori per la filosofia e per la psicologia delle religioni, hanno trovato nella stampa estese discussioni. L'opera del viaggiatore russo Notowitsch sull'affinità della dottrina cristiana con quella buddistica, e sull'induzione che il fondatore del cristianesimo abbia divulgata in persona la sua dottrina nell'India, fu a suo tempo oggetto di vivo esame nei giornali. La religione è, del resto, mescolata in molte questioni della vita pubblica: ad esempio i problemi dell'insegnamento e della cosidetta questione sociale si collegano intimamente col campo della religione (Eckard, *Volksparteiliche Presse und religion*, 1897, p. 69). Lunga enumerazione potrebbe poi farsi di scrittori di scienze, di filosofia, ecc., usi ad inserir le loro trattazioni nei periodici, in testimonianza dell'interessamento generale al progresso su tale campo e dell'estensione sempre più ampia conseguita nel giornalismo.

Alle materie *etiche* destina la pubblicistica stampa uno speciale interesse, massime quanto alla pedagogia e ai suoi nuovi fondamenti, alle basi della morale ed ai rapporti suoi colla religione.

Sempre maggiore sviluppo hanno ottenuto le discussioni *psicologiche* e di *scienza naturale*, intorno all'origine e svolgimento del sentimento, al genio e follia, agli stati anormali del cervello ed alla fisica sua conformazione rapporto alla delinquenza, in relazione agli studî del Lombroso che son oggetto di esame dovunque, intorno alle molteplici forme e manifestazioni dell'ipnotismo e sonnambulismo e suggestione, ecc.

Per quanto lontane dal rumore e dalle discussioni del giorno, sono del pari assai in fiore le *trattazioni storiche,* le memorie, sebbene preferibilmente nelle rubriche d'appendice; venendo così ad offrir nuovo appoggio all'affermazione di Macaulay che « la sola vera storia di un paese può ricavarsi dai suoi giornali ».

Anche le *tecniche relazioni* traggono il loro materiale dalle invenzioni e scoperte, dagli esperimenti e mostre. Ogni recente esposizione, particolarmente in materia elettrotecnica, ha sempre una quantità di comunicazioni sulla luce elettrica, sulle varie scoperte di Edison, sul telefono, fonografo, sulla trasmissione di forze, ecc. e su altre novità attuate oggigiorno nella vita pratica.

Delle quistioni *sociali,* discusse con grande apparato di *dottrina* e con ardente fede, ci limitiamo ad accennare, tra le più importanti, quella sul lavoro delle donne, sui diritti e sull'emancipazione loro, sull'insegnamento ed educazione di esse, e poi quella sulle dottrine del socialismo.

Le relazioni *coloniali* forniscono al giornale, specie negli Stati ove la colonizzazione è assai progredita, come in Francia, Inghilterra, Germania, quanto, e forse più d'ogni altra materia, occasione a serie di vedute e suggerimenti e studî d'interesse anche pratico.

34. — Ma è la *materia politica* il *dominio* prevalente dell'*articolo di fondo.*

Specialmente nel campo della *finanza,* dell'*economia politica* e della *legislazione sociale,* si sono in questi ultimi tempi conseguiti nella stampa rilevanti progressi. Si è oramai persuasi che, non più con generali ed armoniche formole possono risolversi gli intricati problemi che gravano le società e gli Stati, ma coll'esame positivo delle cose nel loro svolgimento e nella loro vita. Una salutare influenza hanno esercitato in proposito i lavori legislativi di certi Stati intorno alla disciplina delle assicurazioni, all'assistenza pel caso di vecchiaja o malattia, alle norme di polizia sulle industrie ed esercizî professionali, ecc.

Dalla considerazione delle multiformi relazioni della vita si può trarre almeno la convinzione che queste non sieno così semplici come l'antico catechismo della scuola di Manchester aveva affermato. Non si può più pensare di veder in tutto l'armonia degli interessi, e tutto ad essa ridurre; che anzi, della necessità d'una revisione di tali divulgati concetti nessuno più, ben diversamente dal passato, osa muover contrasto.

Nuovi punti di vista si sono eziandio imposti e numerosi preconcetti dileguati in materia di formazione di tariffe doganali, di dazî, gabelle, ecc.

Considerevoli sono pure i progressi del giornalismo nell' intelligenza e trattazione della *politica estera*. Si è oramai convinti che la maggior parte delle quistioni di politica internazionale sono, da prima e anzitutto, quistioni di potenza, e che perduta ha ogni ragione di parlarne quello Stato che dei mezzi di forza esistenti a sua disposizione liberamente si spoglia o che gli stessi diminuisce.

Si comprende pure che i giornali una certa misura di tatto, di senso e di veduta politica debbono possedere e adoperare prima di discutere, senza perfetta conoscenza, dei rapporti esteri. Il riprovevole uso di leggiermente e facilmente trattare, come cosa possibile, d'ogni materia attinente all'interesse del giornale, e dir cose insulse anzichè coprir, col silenzio, la propria ignoranza, porta certi giornalisti ad una facilità di giudizio che grave danno reca alla loro riputazione.

Chi per poco tenga dietro ai grandi giornali francesi, inglesi e tedeschi non può non acquistar la convinzione che tale parte di grande politica è da essi generalmente con più abilità e più coscienziosamente trattata che non da noi dove la stampa o enfatica è, o piena di congetturali formole in tal punto, chè ignara della vita estera, nuova in tal campo e composta in gran quantità di sole mezze intelligenze.

35. — Dapprima si conoscevano le *trattazioni politiche* soltanto nella *forma* degli *articoli di fondo*, i quali potevano essere tanto relazioni di fatti o avvenimenti desunti dai dispacci, resoconti, ecc., quanto esposizione di considerazioni, voti, ecc. Attualmente però le trattazioni o rassegne politiche hanno invaso eziandio le *appendici* o i *feuilleton* dei giornali.

Ma pur nelle riviste si ha omai cura di sviluppare siffatta materia.

Questo si pratica segnatamente in Germania ad opera della *Deutsche Rundschau, Deutsche Revue, Neue Zeit, Gegenwart, Grenzboten, Zukunft*, ed in Francia per parte della *Revue Bleue, Revue des deux Mondes, La Nouvelle Revue*, ecc., ed in Italia dalla *Nuova Antologia*, dalla *Rassegna Nazionale*, dal *Giornale· degli Economisti*, ecc.

Vi si lavora con grande scientifico apparato, colle armi del dotto, per quanto spesso con diversità di principî, e cioè da taluni con concetti conservatori, da altri invece con programma democratico o socialista.

Quanto poi al metodo di trattazione degli articoli, primeggia qui vigorosamente la personalità dello scrittore, la quale nell'articolo di fondo dovrebbe rimanere in sottordine. La materia è di regola così dottamente svolta che al lettore riesce facile conoscere che copia di cognizioni e forza di studio e che arte di tratteggiamento occorrano per poter i fatti e gli avvenimenti acconciamente ordinare, i pensieri essenziali non trascurare, le gravi conseguenze dedotte tener distinte, con plastica chiara forma, da quelle effimere e passeggiere, in guisa che il lavoro si presenti con determinato risalto ed in un suo ben definito campo.

III.

36. — Oltre l'*articolo di fondo* è meritevole di esame la cosidetta *rassegna politica*. Nei più grandi giornali che si pubblicano varie volte al giorno si ha cura di alternare l'articolo di fondo colla rassegna, e così che il numero del mattino porti l'una di tali rubriche ed il numero della sera l'altra. Certi giornali, anche di una sola edizione, ad esempio in Italia la *Perseveranza,* la *Tribuna,* scelgono talvolta la rassegna o rivista politica per offrire un cambio dell'articolo di fondo, e procurare così un compenso per la mancanza di adatti speciali svolgimenti.

Nella Francia e nel Belgio si considerano le rassegne, destinate a riassumere lo stato generale della politica, quali concezioni ancor più gravi dell'articolo di fondo, e meritevoli di speciale cura ed accorgimento.

L'*Independance Belge,* che ordinariamente porta questa rubrica, deve a tal uopo destinare uno speciale redattore col difficile compito di curare un'abile scelta della materia, ingegnosamente accomodandola pel passaggio da uno ad altro soggetto.

La preferenza per tale rubrica è suggerita dall'occasione di poter offrire al lettore notizie dell'interno e dei paesi esteri, le une disposte presso le altre ed acconciamente congegnate in una stretta e rigorosa subordinazione al giudizio del redattore, il quale così riesce a porre dinanzi al lettore il mondo secondo un determinato esame dipendente da uno speciale punto di vista. Poichè diverse materie vengono nella rassegna trattate, torna sufficiente, per ognuna di esse, un sommario e possibilmente esatto giudizio; solo che tale identità di vedute più volte ripetute ogni giorno ed applicate a diverse materie fa sì che i giudizî formino poi una tela le cui estese fila poco spazio e libertà di movimento possono lasciare al pensiero altrui. L'opinione e gli apprez-

zamenti del lettore, predisposti quotidianamente secondo dati concetti, vengono a formare per lui un
alimento necessario, tanto più che la strettezza del
tempo non gli lascia un minuto per meditar ulteriormente su quanto ha letto.

Sotto la rubrica designata col nome di *rassegna*
cadono eziandio certe politiche corrispondenze, certe
anticipate e congetturali deduzioni in sè e per sè
ineluttabili ; ma pure vi si comprendono certi pro-
nostici di situazioni, le quali mai sono state, nè sono
possibili, e certe combinazioni a cui nessun uomo
di Stato ha mai pensato o creduto.

Per altro la fretta con cui le cose debbono inevitabilmente trattarsi pone pur qui ostacoli insor-
montabili alla seria compenetrazione della materia.
In ispecie nei giornali che appajono più volte al
giorno non è facile divulgar subito, e con freschezza
di esposizione, le notizie avute, e di sagacemente
apprezzarle e opportunamente adattarle alle circostanze onde l'impressione loro ottenga, secondo le
esigenze, risalto maggiore, ovvero acconcia attenua-
zione.

37. — Non vi è alcun piccolo giornale il quale
negli annunci o programmi d'abbonamento non
faccia ripetutamente promessa di recar originali articoli di fondo.

Però l'intelligente e avveduto lettore non tarda
ad accorgersi che esso reca ben di soventi *articoli
di fondo presi a prestito*. La maggior parte dei giornali di limitata estensione, specie locali, non potrebbe concedersi il lusso di trattazioni scritte dal-
l'editore o dai redattori, le quali possano reggere
alla lettura. Come supplirvi? Si fa venir quest'articolo fisso e già pronto dalla sede centrale o re-
gionale della stampa del partito, lo si riveste con
un pajo di frasi al principio o nella conclusione, e
questa raffazzonata e stampata trattazione si fa passar quale merce originale del periodico (Biedermann, *Zeitungswesen*, 1882, p. 37). Talvolta invece,

giovandosi delle favorevoli concessioni dei varî Stati sulla libera riproduzione di articoli di giornali, si fanno spedire, da corrispondenti all'estero o della capitale, articoli intieri comparsi nei giornali di tali lontane località, riuscendo, con una pronta stampa, a riprodurre ancor in tempo sollecito, e far passare come proprî, articoli d'altrui spettanza.

IV.

38. — Già varî anni sono decorsi da che il telegrafo fu assunto a servizio dei giornali, esercitando su essi una decisiva influenza. Nei primi tempi le comunicazioni telegrafiche erano limitate a speciali importanti avvenimenti, ed il loro uso era ristretto a poche imprese in possesso di grossi mezzi di fortuna.

Ma oggigiorno ogni foglio, anche di piccola estensione, porta una *rubrica telegrafica ;* i grandi giornali poi hanno, oltre ai *telegrammi generali* accessibili a tutto il pubblico, anche *telegrammi particolari* solo per essi destinati ; tutto questo specialmente grazie alla creazione delle grandi agenzie telegrafiche mondiali (come quella *Reuter* a Londra, *Havas,* che è la più antica, a Parigi), oltre a quelle meno importanti dei varî singoli Stati.

Si sa che il giornale raccoglie le sue notizie a mezzo dei corrispondenti, stabiliti, d'ordinario ed in modo permanente, negli importanti centri d'affari. Il giornale che voglia che i suoi interessi non vengano tosto messi in serio pericolo deve tenersi coi primi continuamente in rapporto non interrotto. Nei precedenti tempi, in cui il concetto del giornalismo non era gran che sviluppato, questo vincolo si manteneva costante ad opera della posta e dei successivi mezzi di trasporto, dai messaggi a piedi alle vetture e, più tardi, alle ferrovie.

Ma coll'invenzione ed incremento dei telegrafi, e colla rivoluzione seguita nel metodo di trasmissione

delle notizie, il giornale potè meglio porsi, a mezzo
dei fili telegrafici, in rapido collegamento coi suoi
corrispondenti, ed averne così esatte e fedeli relazioni sugli avvenimenti quotidiani. Quanto maggiore
è il grado di sviluppo del giornale, e maggiore
è la concorrenza fra i diversi editori di periodici e
raccoglitori di novità, e quanto ancora maggiore è
e più viva si fa la domanda o il desiderio di novità
dei lettori, tanto più è il telegrafo un valido, indispensabile strumento e cooperatore nell'esercizio del
giornalismo.

In niun paese del mondo ha lo sviluppo del telegrafo raggiunto un così elevato grado come in
America, dove una potente società, composta dei
più importanti giornali, permette l'invio, in qualsiasi istante, di notizie telegrafiche da tutte le parti
del mondo. È un'organizzazione che presenta, non
soltanto complete relazioni da tutti gli angoli del
nuovo mondo, ma regolari e dettagliati ragguagli
pur sugli avvenimenti d'Europa.

Nel suo dominio rientrano eziandio l'Asia e le
varie isole, con cui la società comunica a mezzo di
cavi marini e di navi. Nessuna spesa viene rispar-
miata pel conseguimento del suo scopo, e se le esigenze che regolano il giornalismo quotidiano son
tali da esigere anche due o tre o più colonne di
lunghe telegrafiche relazioni da qualche importante
Stato d'Europa o da lontani paesi di altri continenti,
vien subito il corrispondente di giornali a ciò autorizzato, ed egli, con sorprendente rapidità e spirito e giornalistica intelligenza, agisce di conformità
a tali istruzioni.

È adunque il telegrafo un indispensabile fattore
nella creazione e sviluppo dei giornali in tutti i
paesi civili dove questi esistono, e tanto più cresce
di influenza quanto gli interessi di una nazione vengono maggiormente e strettamente a collegarsi con
quelli di un'altra.

L'invenzione del *telefono* e l'estensione del suo

esercizio non ha invece apportata alcuna rilevante mutazione nel metodo di recar notizie. Tale modo di corrispondenza non agisce, per regola, più sollecitamente del telegrafo; e soltanto, secondo la varietà dei rapporti, vien il giornale, dall'uso dell'uno o dell'altro o di ambedue, a raccogliere quanto le esigenze dei suoi particolari interessi possono richiedere.

39. — Dopo che l'uso dei nuovi mezzi di commercio divenne generale e sopratutto indispensabile al giornalismo, apparve impossibile che le singole notizie telegrafiche occorrenti alle redazioni, case bancarie, borse e governi, dovessero da questi essere procacciate con proprî agenti spediti nei varî luoghi. Onde è che si formarono grandi società, le quali, facendo loro esclusivo oggetto la raccolta e distribuzione di notizie a mezzo telegrafico, poterono, coi grossi capitali esistenti a loro disposizione, fornir le stesse agli interessati a più buon mercato, più sicuramente e normalmente di quanto essi non avrebbero fatto.

Appoggiate poi tali agenzie dai proprî governi e collegate anche con fili telegrafici dello Stato, presero un carattere più o meno ufficiale che le pose in grado di scacciar dal campo i concorrenti ed acquistare un effettivo monopolio. Oramai in tutte le capitali d'Europa funzionano *agenzie telegrafiche,* le quali trasmettono ai giornali del paese le notizie che loro pervengono da ogni dove. Hanno rappresentanti serî ed esperti che sanno compiere sagacemente i loro incarichi nei rapporti col giornale ed il commercio, ed i quali sono da tempo accreditati presso i governi.

Ordinariamente tutte le agenzie vengono rappresentate da una sola persona in ognuna delle grandi città. Così, messi in comune gli interessi, è più facile aver i mezzi per essere esattamente informati. La grande agenzia fa, nella capitale, gli interessi di tutti i giornali di provincia, sia per quanto si riferisce alle notizie mondiali che essa loro trasmette, sia per procurar ai medesimi annunzî, *réclames*, articoli, ecc.

Le agenzie hanno pure il vantaggio di poter, mediante corrispondenze telegrafiche convenzionalmente determinate e combinate, trasmettere con poca spesa notizie particolareggiate, fornendo ancora, per le parole che rimangono disponibili, dispacci privati nell'interesse di negozianti.

Certune di tali agenzie hanno un dominio mondiale; così segnatamente l'*Havas*, creata a Parigi nel 1830, e che fin da quel tempo, pel difetto di ferrovie e telegrafi, procurava, a mezzo di segnali, pedoni, piccioni viaggiatori, di far avere ai giornali di Parigi notizie delle provincie e pure di Stati esteri: seguono la *Reuter*, la *Wolff*, e, da noi, la *Stefani*, che è in assai stretti rapporti coll'agenzia *Havas*.

Certo da tale stato di cose sono inseparabili alcuni inconvenienti; specialmente è a temere l'influenza dei governi sul contenuto delle telegrafiche corrispondenze anche in causa della potenza che sulla telegrafia giornalistica possono esercitare tali agenzie; ora, poichè queste stanno in rapporti strettissimi col Governo, ed il più delle volte si reggono o prosperano grazie al suo appoggio, potrà avvenire che le notizie vengano adattate ai suoi intendimenti e cioè, secondo i bisogni, soppresse, ovvero sfrondate o colorite, per pubblicarle colle introdotte modificazioni.

A mezzo di tali agenzie viene pertanto il Governo, specie nei gravi momenti, insinuando i suoi apprezzamenti, comunicando ancora sunti di lettere ed articoli che sono polemica bella e buona.

Al proprietario di giornali può anche tornar incomodo, secondo i casi, di vedersi imporre certe condizioni da parte delle agenzie, e specialmente di dover da esse ricevere quasi tutto il materiale che forma il contenuto del periodico.

Tutti inconvenienti, ma però sempre minori di quei che deriverebbero ad ogni singolo giornale qualora l'esercizio della telegrafia fosse lasciato esposto alla concorrenza, chè il pagamento delle spese che potrebbe derivarne verrebbe ad aumentare in modo smisurato. Sarebbe anche utile, coll'abolizione delle agenzie, e cioè dei loro privilegi, crear un'associazione fra tutti i giornali pel maggior comodo generale, come si verifica in America. Ma questo equivarrebbe alla morte dei giornali minori, contro i quali si troverebbe interessata troppo la stampa delle grandi città, la stampa di speculazione.

Non resta adunque che insistere perchè i governi curino, per parte loro, di rispettar le opinioni politiche altrui, delle quali ognuno è padrone, e, per parte delle agenzie, che queste non bandiscano notizie false, mentre i giornali le pagano un tanto al mese, e non diano alle notizie estere, che più di tutte influiscono sui grandi mercati finanziarî, una esagerata importanza in confronto alle interne, come se il mondo sia composto di banchieri, di possessori di rendita e non di altri molto prevalenti elementi e non meno rispettabili, e come se soltanto i primi abbiano diritto ad essere serviti a puntino. Infine bisognerebbe, almeno da noi, che lo Stato vegliasse perchè gli agenti dell'agenzia *Stefani* sappiano leggere e scrivere bene, per evitar frequenti errori nelle comunicazioni, specie di geografia.

Per quanto il numero delle telegrafiche notizie comunicate indistintamente dalle grandi agenzie a tutti i giornali vada di anno in anno crescendo, non bastano più le stesse alle esigenze della stampa periodica. Per presentare ragguagli più prontamente di altri competitori, e pure per mantenersi, in una certa misura, indipendenti dalle agenzie, si fanno i grandi giornali arrivare privati telegrammi, le cui spese non di rado si elevano a centinaja o migliaja di lire, specialmente nei casi di guerra, di rivoluzioni, di gravi crisi.

V.

40. — Facilmente riesce a comprendersi quanto le comunicazioni trasmesse coll'uso del telegrafo abbiano influito sul concetto della importante rubrica delle *corrispondenze* e sullo sviluppo di quel ramo giornalistico assegnato ai *corrispondenti*.

I ragguagli su quelle località di cui occorrevano immediate notizie erano, da prima, forniti da viaggiatori e letterati, i quali accettavano, in compenso, quel dato onorario che loro offriva l'editore pel disimpegno, in momenti d'ozio, del loro letterario compito. Le comunicazioni loro, anzichè lettere o relazioni d'affari, si presentavano quali piccoli prodotti letterarî, con certa cura concepiti ed inviati al giornale.

Se però interessanti e quasi sempre ricche d'insegnamenti riuscivano le relazioni di tali antichi corrispondenti d'occasione, era però principale loro difetto quello di non recar frequenti resoconti parlamentari e cenni sui lavori legislativi esteri, tanto che essi doveano faticosamente compiersi, o tradursi da altri giornali, ad opera dei redattori stessi ordinarî.

Ma dopo il 1850 questo stato di cose, che, se offriva vantaggi, non era però esente dagli inconvenienti proprî delle libere e spontanee trattazioni, andò incontro a radicale mutamento. In luogo del libero esercizio, sottentrò un operoso e responsabile permanente incarico. Dopo l'esempio primieramente fornito dai francesi Granier ed Havas-Bullier, ebbero i due profughi austriaci Max Schlesinger e Giacobbe Kaufmann a fondare, a loro imitazione, una giornaliera telegrafica corrispondenza da Londra, il quale uso, adottato generalmente dai giornali di Germania, entrò poi in tutto il mondo giornalistico, facendo assumere al concetto della rubrica *corrispondenze* una forma del tutto diversa.

Trattandosi di fedeli riassunti dei grandi giornali di Londra e delle sedute parlamentari, le quali vennero, per la loro accuratezza, a costituire il contenuto principale della rubrica « Inghilterra », ne derivò rilevante vantaggio dalla pubblicazione di tali corrispondenze; per cui l'esempio trovò imitazione in quasi tutti gli importanti centri delle capitali europee, tranne Pietroburgo, in cui nessun regolare ed organizzato ufficio di corrispondenza potè fondarsi a causa delle relazioni locali e dei principî della legislazione russa che mantiene ancora la censura.

D'allora in poi numerosi uffici si stabilirono nelle grandi città ed in continua concorrenza fra loro, allo scopo di compilare quotidiane rassegne dei giornali locali e pronte relazioni parlamentari che vengono poi spedite, litografate o scritte, e pel cui acquisto gli editori sufficientemente provvedono. Oramai il corrispondere per giornale è divenuto una speciale vocazione, ufficio o stato che viene esercitato secondo criterî e norme bene stabilite (Walther, *Zeitungswesen*, 1888, p. 75).

Tutti i giorni gli ordinarî corrispondenti dei giornali di tutte le lingue si uniscono nelle tribune parlamentari o nei prossimi luoghi di caffè per raccogliere le relative discussioni, fare lo spoglio dei giornali, scambiarsi le notizie e informazioni relative agli affari di borsa, dei mercati, ecc., e spedirle tosto, o per lettera o per telegrafo, ai rispettivi giornali.

Oltre a queste normali e ordinarie corrispondenze, scrivono i più attivi ed intelligenti corrispondenti eziandio speciali lettere.

Anche dalle piccole e medie città si mandano ai grandi giornali relazioni compilate da redattori e collaboratori di giornali locali, cioè da giornalisti di professione, alcuni dei quali compilano riviste d'arte, o lettere teatrali, o trattano argomenti di storica coltura e via.

Pure in Italia abbiamo i *corrispondenti romani*, che tengono dietro alla politica giornaliera e costituiscono i corrispondenti dei giornali italiani dalla capitale. La tribuna della Camera è il luogo del loro ritrovo, dove, mercè il loro reciproco contatto, attenuano quanto di personale e di troppo assoluto è nei loro scritti. Dalle loro lettere, meglio che dai giornali di Roma, vittime spesso dell'ambiente e trattenuti per certe esigenze riguardose, si raccoglie la fisionomia vera della politica nostra.

Ma è specialmente la scuola giornalistica di Vienna e di Berlino che ha acquistato in tale genere una particolare abilità.

41. — Per quanto le corrispondenze sieno di diverso valore, nè un giudizio generale e dello stesso grado possa per tutte presentarsi, tuttavia, nella maggioranza dei casi, appare abbastanza, all'intelligente lettore, che le stesse non vengono scritte a libera scelta e secondo i proprî particolari criterî, ma nell'adempimento d'una regolata professione. E veramente i corrispondenti per professione, sì come meglio informati alle tecniche e speciali esigenze del compito giornalistico, vanno sempre più sostituendosi ai corrispondenti d'occasione.

Ma se maggior quantità di notizie vengono attualmente ad averne i lettori, essi per altro rimangono, più ora che non prima, facilmente estranei alla vita reale di una città e paese cui le corrispondenze si riferiscono, mentre la persona che non sia giornalista di professione si trova più in grado di riprodurre esatte e sincere impressioni in tutti i campi della vita.

È inutile contestarlo, ma, dappertutto, dominano ora, sui pubblici, i privati interessi; gli avvenimenti della vita sociale e industriale esercitano una grande influenza sui voti del Parlamento e sugli atti e deliberazioni del Governo. Ora i resoconti e le relazioni dei soliti giornalisti di professione travisano ben di spesso e snaturano tali impressioni, chè essi più facilmente e con maggior predilezione ed attenzione studiano i movimenti dei partiti per lasciar da banda quanto invece forma la vita essenziale delle grandi città.

Ben essi curano, assecondando l'abitudine della maggior parte dei giornali, di fornir le abbondanti notizie che a questi necessitano e che vengono dagli editori pagate, e così specialmente di bene istruire i lettori sui lavori legislativi di quasi tutti gli Stati d'Europa e di molti Stati d'oltremare, e di informarli sui principali risultati conseguiti in materia economica e sociale; ma le esposizioni riguardo a tali argomenti sono presentate sotto un punto di vista troppo unilaterale e condizionate poi alle influenze ed esigenze del partito cui i corrispondenti appartengono, in modo da contribuire alla conferma di preconcette opinioni anzichè concorrere ad accrescere il campo di vedute del lettore.

Esaminando poi gli articoli di corrispondenze attuali e raffrontandoli con quelli d'altri tempi si scorge ancora che, mentre nei primi prevale lo sforzo di tenersi alquanto sulle generali onde nascondere l'imperfetta conoscenza delle cose sotto la vaga locuzione del discorso, tanto che essi nascono e muojono nello stesso tempo, avendo il fuggevole valore del momento in cui sono scritti, nei secondi invece, e per causa della molteplicità del contenuto e in ragione della libertà e indipendenza della loro trattazione, si ravvisano dei preziosi contributi per la storia del tempo in cui apparivano, talvolta di valore duraturo.

Molta poi, anzi troppa colpa è da attribuirsi all'uso attualmente invalso di pagar le corrispondenze secondo la loro estensione, e così di tormentar gli scrittori di corrispondenze col pagamento di un tanto alla linea. Se una buona volta si seguissero i criterî della logica, del buon senso e della dignità, e venisse definitivamente abbandonata la questione dell'onorario a tempo od a spazio, dovrebbe allora di conseguenza abolirsi l'onorario a linea che è, in gran parte, causa del poco valore delle ordinarie attuali corrispondenze.

VI.

42. — Una rubrica del tutto nuova, che ha rapidamente assunta una propria conformazione, per quanto non ancor pervenuta al massimo suo sviluppo, è fornita dall'*intervista (interwiew)* e dall'*inchiesta (enquête)*.

I nomi stessi dicono che questi giornalistici modi di produzione provengono dall'estero, e cioè dall'America e dalla Francia.

In mano degli anglo-americani *reporters*, avidi di guadagno e amanti di sensazionali novità, non era da prima l'intervista altro che una produzione bene spesso appropriata, ma pur talvolta tirata giù senza garbo, al solo intento di ciarla e per recar in dominio del pubblico la nullità di certi personaggi, e offrir in tal modo un ambìto alimento per la comune curiosità. Niuna meraviglia adunque che i primi letterati, o si prendessero giuoco e divertissero del singolare atteggiamento delle interviste, od invece un diverso apprezzamento concepissero sotto il punto di vista estetico o morale.

Il lato artistico delle interviste fu primieramente coltivato dal giornalismo francese. Dai giornali di Parigi in ispecie è la via delle interviste seguìta con retto senso e buon gusto. Nella stampa parigina tale rubrica ha, da oltre mezzo secolo, apportato rilevanti cambiamenti, rendendo più perfetta la trattazione del giornale ed ampliandone l'orizzonte.

Max Nordau metteva già in mostra il *cronista* di Parigi pei seguenti distintivi: Il suo importante merito sta in una certa abilità nel rimaneggiamento di incolori e dimenticati aneddoti, tratti da antichi giornali o da conversazioni dei *salons*, e nel metterli in mostra con garbo. Il suo spirito si limita al facile uso di quel gergo che il linguaggio dell'uomo assennato confinò nelle quinte dei teatri, nella *maison dorée*, o abbandonò alle *petites femmes*. Infinitamente più limitato che un cinese, del quale pur si fa giuoco, non conosce il poveretto quanto accade fuori della cinta di Parigi.

Ma questo tipo, così da Nordau descritto, non potrebbe più attualmente con sì limitato criterio giudicarsi, dopo che in fatto è avvenuto che una folla di intelligenze viva e collabori nei giornali, e si è quindi giunti a questo che le interviste poterono assumere un più elevato compito.

Su questa piccante forma già osservava Maurizio Barrès « Ben so che nessun'altra arte così delicata è come l'intervista. In cento o duecento linee rappresentare l'indirizzo dell'intelligenza d'un uomo tutto diretto a mantenersi riservato, se non a nascondere affatto le sue idee, richiede una elevata capacità di giudizio.

« Molti hanno quest'arte tentata, ma presto dovettero abbandonarla appena poterono fino a sazietà provare la suscettibilità delle persone prese ad oggetto delle loro interviste. »

Dell'utilità dell'intervista non può certamente dubitarsi, come quella che serve a fotografar in certo modo l'uomo durante l'esposizione di quei pensieri ch'egli crede di non dover tenere celati. Anzi la stessa autorità ricorre di spesso all'opera dei corrispondenti per render noti certi fatti, e gli uomini di Stato accordano sovehti colloquî ai giornalisti facendosi anzi intervistare per divulgar rivelazioni talvolta utili a dissipar dubbî o sospetti.

Onde valga in genere un'intervista a recar un nuovo intellettuale profitto per chi la fa e per coloro che del contenuto del discorso avranno a prender notizia, occorre anzitutto che il giornalista non si lasci sfuggir il filo che deve portar al punto finale del desiderato dialogo.

Esempî d'interviste d'apprezzato valore si rinvengono nella letteratura giornalistica tedesca. Tale fu quella di Paolo Goldmann con Emilio Zola, che, elevandosi sui comuni usitati sistemi, riprodusse con chiarezza di idee e precisione di forma il pensiero di questo celebre romanziere sul movimento attuale della letteratura tedesca.

Sommamente originale è il modo con cui Ermanno Bahr intervistò le grandi e piccole celebrità per averne indizî sulla quistione dell' antisemitismo, così viva da alcuni anni.

In questi termini si esprime Zerswalt nella *Neue Deutsche Rundschau:* « Bahr è uno dei moderni intervistatori, il quale non soltanto avidamente cerca e riporta comunicazioni e impressioni, ma ad un tempo scruta e comprende le personalità intervistate. Egli rappresenta le persone visitate così fedelmente come se esse ci stessero vive dinanzi. Ei scolpisce le vie che attraversa, le scale per cui sale, le stanze coi mobili, quadri e libri. I suoi squisitissimi nervi ricevono sensazioni che poi mantengono e fedelmente riproducono in modo tale da suscitar in altri l'accordo negli stessi svariati sentimenti. »

VII.

43. — Una certa affinità colla intervista ha l'*inchiesta (enquête),* solo che essa è impersonale, in quanto vi si riproducono soltanto le singole vedute, non gli individui nella loro totale manifestazione. Il reale e ideale vantaggio dell'*enquête* fu talor contestato, ed in molti casi a ragione. A qual utile risultato si può infatti pervenire quando ad un centinajo di personalità si proponga, ad esempio, la quistione qual libro esse ritengano il migliore? Le diversissime risposte che se ne avrebbero formerebbero uno svariato mosaico senza offrir il più piccolo concepibile risultato.

Con ben altro carattere invece si presentano le inchieste seriamente concepite. Questo è, per citar un esempio, il caso del redattore dell'*Echo de Paris*, Guret, quando concepì l'idea e propose il problema sul punto se il naturalismo sia tramontato, e se e in quale campo abbiano a ricercarsi le scuole ad esso succedute. È interessante vedere come gli antichi e i nuovi scienziati, i naturalisti e gli antinaturalisti, questi ultimi reclutati fra i simbolisti, gli intuitivisti, ecc., ebbero vivamente a cogliere l'occasione per fare la loro letteraria confessione di fede.

Pure in Germania è divenuto, da più anni, frequente l'uso di spedir nel mondo domande, le quali, dal punto di vista personale degli interrogati, offrono spesso molto interesse, presentando grandi o piccole, ma sempre nuove vedute su di un dato preciso argomento. Così il berlinese Grottewitz ebbe ad iniziare un'inchiesta sull'avvenire della letteratura tedesca, su ciò interessando, non soltanto i viventi poeti e letterati dell'antica generazione, ma pur gli scrittori che abbracciarono i nuovi indirizzi. Ed è di fatti sempre interessante esperimentare come una forma di letteratura venga a rispecchiarsi negli stessi suoi attuali rappresentanti. In ciò stava, non fosse altro, il vantaggio ed il valore dell'esame di Grottewitz. Ad un definitivo scioglimento della proposta quistione non poteva certo portare quell'inchiesta: però essa, col riavvicinamento di diversissimi ed in parte anche contraddicentisi giudizî, veniva, non soltanto a procurar un'istruzione al lettore, ma anche a spingerlo a dare sviluppo ai proprî concetti.

Anche la redazione della *Neue Deutsche Rundschau* ha proposto, nel campo della quistione delle donne, un'inchiesta sull'istruzione femminile, e molte appendici di donne ebbe a ricevere. Un'altra *enquête* fu pur eseguita a proposito dell'erezione a Magonza del monumento ad Heine.

Questo nuovo ed assai educativo compito della stampa conferma la verità di quanto il romanziere inglese Bulwer dichiarava che essa non soltanto è una valvola di sicurezza per le passioni d'ogni partito, ma anche un gran libro per gli esperimenti d'ogni ora.

VIII.

44. — In Francia, e specialmente a Parigi, verso il 1830 prese per la prima volta nei giornali una vera importanza una forma piccante, curiosa, con certi punti di contatto colle interviste, la rubrica « Cronaca » o « fatti diversi », che ora non manca in alcun giornale. Si narrò anzi, in occasione della morte, venti anni fa, della Esther Guimont, donna della bella vita parigina, che fosse stata essa l'iniziatrice o ispiratrice di quella rubrica.

Era infatti amica di letterati, giornalisti ed uomini politici del tempo, i quali le ricorrevano per consigli, per notizie, ecc.; e fu infatti nell'epoca del suo massimo splendore che gli scrittori i quali maggiormente la frequentavano presero ad annunciar i duelli, i balli, le serate, gli scandali e le indiscrezioni intorno a questo o quello.

IX.

45. — Un'importante *influenza* ha l'attuale forma del *giornalismo* esercitata sulla *letteratura*. Questa oggigiorno può, per mezzo della stampa, essere resa accessibile alla grande maggioranza del popolo. Non v'è ora alcun mediocre giornale di provincia il quale non abbia il suo romanzo in appendice, oltre a poesie od altri piccoli lavori letterarî, e che più o meno distesamente non porti qualche relazione sul mercato librario. In tal guisa è divenuta la letteratura essenzialmente popolare (Mackie, *Modern Journalism*, 1894).

Un'opera, la quale non venga in qualche modo resa nota al pubblico a mezzo della stampa, non potrebbe sperare di attirar a sè la generale attenzione. Sono questi assai importanti vantaggi derivanti dal nuovo modo di essere del giornalismo. Il poeta, il letterato parla oggi, ciò che precedentemente non avveniva, a tutto il popolo.

Pure la *scienza* ne ha ricavato profitto, chè essa, sotto l'influsso del giornalismo, è stata costretta ad usar linguaggio e concetti accessibili alla generalità dei lettori, e perciò ad essere umana e chiara ad ogni mente.

Le gravi trattazioni condensate in libri difficili restano chiuse alle comuni intelligenze. Certamente sonvi studî che è impossibile universalizzare ; per cui l'esagerato desiderio di popolarità, di una illuminata democrazia, finirebbe per ridurli ad un informe riassunto di nozioni elementari.

Ma, fra i due sistemi, sta una affatto recente forma di scientifica letteratura, scritta particolarmente pei lettori di riviste e nella quale uomini come Helmholtz poterono raccogliere i risultati delle loro profonde ricerche. Onde è che scienziati, artisti, filosofi più non ritengono offesa la loro dignità affidando i loro pensieri e trattazioni a giornali.

D'altra parte non possono tacersi gli *inconvenienti* che lo sviluppo del giornalismo ha in questo campo originati (Antikalamoboas, *Das moderne Zeitungswesen, seine wissensch. begriffbestimmung*, ecc., 1897).

Anzitutto la letteratura è entrata a poco a poco in tale rapporto di dipendenza dal giornale da non corrispondere più alla sua importanza. Per la molteplicità delle generali occupazioni vien il bisogno di lettura ad essere completamente soddisfatto col mezzo dei giornali. Diminuisce così lo smercio dei libri (n. 21).

Gli scrittori tutti, o gran parte d'essi, bisognosi di trovar un pubblico che ne legga le opere, sono costretti, se intendono vivere, chè per loro si tratta veramente di quistione di vita, a porsi in istretto rapporto colla stampa quotidiana. Se vuol un romanziere, a parte rare eccezioni, aver adeguati compensi, deve pubblicar da prima ogni suo romanzo o novella nei giornali e soltanto dopo dar loro la forma di libro.

Ora una pubblicazione siffatta, con frazionamento in 20, 50 o più pezzi, che offre quotidianamente in appendice porzioni le quali, secondo lo spazio disponibile, devono anche interrompersi in mezzo ad una scena o dialogo, arreca evidentemente al merito del lavoro notevole pregiudizio. Sopratutto riesce impossibile un objettivo apprezzamento del suo valore letterario colla inyalsa quotidiana somministrazione di minime dosi dopo tutte le altre giornaliere notizie. Tutto ciò a prescindere ancora dal fatto che la deficienza di spazio rende frequentemente necessarie omissioni e riduzioni nocive alla potenza di pensiero ed efficacia di narrazione.

Queste stesse ragioni, e specialmente quella di non istancare il lettore, spingono lo scrittore a sottrarsi ad ogni riflessione, ad ogni psicologica analisi, offrendo invece produzioni meschinamente elaborate, con iscarso sviluppo d'accessorî, e ricche soltanto di circostanze sensazionali e di frasi ad effetto.

Quanti romanzi non vengono respinti dietro l'assicurazione che gli stessi eccedono pur troppo l'intelligenza del medio pubblico per cui è composto il giornale! Deve quindi l'autore di tali imperiose esigenze e del limitato spazio assegnatogli tener esatto conto, nè trascurar il gusto del pubblico, il quale, allo sviluppo di profondi problemi, di psicologici contrasti, preferisce trattazioni piacevoli e divertenti, anche col pericolo di cader in una vuota esteriorità.

Quanto alla tirannia dello spazio, la cosa sta così, che romanzi, i quali non possano contenersi nelle 70 od 80 appendici d'un trimestre, salvi ancora gli eventuali tagli, non hanno, per regola, probabilità d'essere presi in considerazione: certi giornali richiedono quasi esattamente tale estensione; continue

sono poi le richieste di altri giornali per appendici
con un prescritto numero di linee.

Altro non occorre soggiungere a prova dei non
naturali rapporti nei quali la letteratura sta rimpetto al giornalismo. Essa ne è divenuta compia-
cevole serva, e quanto ciò riesca di scapito al
valore letterario dell'opera, non v'è chi nol vegga.

X.

46. — Dal letterario articolo che nei tempi trascorsi veniva con cura trattato, specialmente dai
grandi giornali, e che allora esercitava una non indifferente influenza nelle letterarie discussioni, trae
origine il moderno *romanzo di appendice*, il *feuilleton;* rubrica questa che ha tratto il nome dal giornalismo francese, perchè le trattazioni non relative
nè a politiche nè a commerciali questioni, ma unicamente al trattenimento del lettore, furono per
prima adottate dai giornali di Parigi come parte
principale del periodico e rinviate nell'appendice di
esso (Ecksteln, *Geschichte d. feuilletons*, 1876).

L'originario uso di assegnar questo preferito posto
alle *critiche teatrali* e di procurar in tal modo ai
giornali un più esteso campo, dette luogo, nel decorso del tempo, all'altro uso di concedere ai *romanzi* uguale preferenza e lo stesso posto di inserzione.

Qualche articolo di *critica teatrale* in forma di
appendice era già apparso in Francia nel *Moniteur*,
al tempo della rivoluzione, ed in seguito nel *Journal
des Débats* ad opera del Geoffroy, che può considerarsi il vero iniziatore di tale genere di articoli.

Quanto ai *romanzi*, fu verso il 1830 che un certo
numero di giornali di Parigi adottava, colla riduzione del prezzo d'abbonamento, anche la stampa
di romanzi sensazionali, valendosi specialmente della
celebre collaborazione dei romanzieri A. Dumas, Sue
ed altri. Nei tempi reazionarî di Luigi Filippo, il

pubblico prese maggior interessamento ai lavori letterarî e romanzi di giornali, confermando ancora una volta il principio che, mentre la stampa politica prospera nei tempi di libertà, quella letteraria trova maggiore sviluppo nell'assolutismo.

Quel sistema, favorevolmente accolto dal giornalismo francese, trovò ben presto seguito nei giornali inglesi, germanici e così via.

Fu pur in Italia, e dopo repressi i moti politici del 1821, che presero maggior incremento non solo i *giornali teatrali* propriamente detti, ma eziandio la *letteratura teatrale* dei *giornali* di *notizie politiche*, l'appendice, il *feuilleton*. E fra il 1815 ed il 1848 si contano appendicisti quali il Locatelli, il Romani, il Rovani, che meritano di stare a fronte ai migliori di Francia pei loro articoli, veri studî d'arte, e che formano la storia graduale della nostra grande arte musicale.

47. — Il fatto ora è che *novelle e romanzi* ha ogni giornale il quale possa pagarli. Vengono ordinati e consegnati secondo certe massime che fanno intravedere dei veri *lavori di commissione*. L'estensione, l'oggetto e la tendenza delle storiche, giudiziarie, sociali novelle o romanzi, da consegnarsi entro dato termine, sono esattamente indicati; non di rado è condizione di loro accettazione la permissione di ritocchi e adattamenti. Una rilevante parte di tale produzione si compie da donne, bene spesso con prezzi d'onorario assai bassi. Se il lavoro abbia trovata nel pubblico favorevole accoglienza e lo scrittore sia riuscito ad acquistarsi una certa fama, viene di frequenti accordata dagli editori la facoltà di pubblicarlo contemporaneamente in più giornali, quando questi escano in diversi e distanti luoghi, in guisa da non esser possibile fra loro seria concorrenza. Non può poi esservi dubbio quanto all'ulteriore diritto di pubblicar la produzione in forma di libro, e contestazioni potrebbero soltanto in casi eccezionali farsi valere. — Talvolta la redazione o l'editore committenti si contentano della sola prima inserzione del lavoro, concedendo ulteriori pubblicazioni delle appendici ai piccoli giornali che del pari non possano muovere una concorrenza notevole. Nel caso infine di romanzi di scrittori di riputazione è artificio del giornale di adattare alle esigenze del giornale il corso della pubblicazione, e, ad esempio, lasciar interrotti certi capitoli nel punto più interessante, riprendendo il lavoro o l'inizio di un nuovo capitolo dopo qualche tempo, ecc.: astuzie queste da tempo usate (Walther, *Zeitungswesen*, p. 82.)

48. — La poesia, e specialmente la parte novellistica ed i romanzi contenuti nel giornale, sono oramai, per l'abbondanza loro nei periodici e riviste, scesi generalmente ad un basso livello. Segnatamente i *romanzi* e le *novelle* di *appendice* rappresentano oggigiorno un *articolo industriale* alla cui produzione donne e giovani di preferenza contribuiscono. Notevole è tuttavia questo che, mentre la scienza si è, nei nostri tempi, rinvigorita in quanto ha cercato rendersi accessibile ed intelligibile, col suo chiaro linguaggio, alla mente comune di un semplice *reporter*, la creazione invece dei romanzi ha dovuto abbandonare la via della reale osservazione della vita per compiere, nel più dei casi, a servizio del giornale, produzioni di fantasia, onde arrecare svago e passatempo al lettore. A questo risultato contribuiscono pur le condizioni di vita dei tempi attuali, i quali costringono dovunque gli scrittori a scrivere molto, obbligandoli così ad un continuato strazio della propria intelligenza: donde offerte di meschine ed affrettate produzioni, le quali passano nella scorsa impaziente e distratta del lettore.

Compito peraltro dei grandi giornali dovrebbe essere di procurare, segnatamente al romanzo, una posizione indipendente in modo da non dover sottostare incondizionatamente al gusto ed alle aspi-

razioni, talvolta poco giudiziose, della grande massa
del pubblico, ma abbia ad educare i lettori in una
letteratura soltanto commisurata al suo contenuto
artistico, nè vincolata ad esteriori riguardi che con-
traddicono alla sua dignità e possono contrastare
in modo eccessivo al suo sviluppo,

XI.

49. — La *biografia*, i *ritratti* sono una nuova ed
accurata rubrica specialmente dei *feuilletons* o *appendici*. Forniscono materia per essi gli avvenimenti di nascite, giubilei, morti ecc. Di spesso il
giornalista, secondo le sue tendenze e disposizioni
naturali, cerca pur di concretarvi letterarî concetti,
ed a vece di accontentarsi della vita momentanea
che l'occasione dà al lavoro, cerca, appoggiato a
frettolosa scelta di citazioni e brani, di elevar un
bozzetto di circostanza al grado d'una piccola memoria letteraria.

L'introduzione di tale novità è dovuta a Ferdi-
nando Gross che nel 1883 pubblicò un'appendice
sul poeta Federico di Schack. Ma il più importante
ritratto giornalistico fu dettato poi da Eugenio Zabel,
il quale, nella ricorrenza del 70.° anno di nascita
dello stesso personaggio (2 agosto 1885), acconciamente tratteggiava, con studio dal vero, il carattere dell'uomo e la sua letteraria importanza. E poi
più tardi, in occasione della morte, dovea la sua vita
trovar estesa e fedele trattazione particolarmente
colla· creazione d'un giornale commemorativo ad
opera di Telmann a Roma e dello Stern a Vienna.

Tale rubrica viene trattata, ora in modo fram-
mentario, aneddotico, ora con tendenza a produzioni
complete. Il primo metodo fa cader facilmente nelle
vaghe insinuazioni e nei pettegolezzi e trascende
allora nel piccolo scandalo che, specie in caso di
trapassati, dov'è pur difficile la difesa ed il controllo dei fatti riferiti, deve evitarsi. Non già

che sulla vita privata d'una persona non possano esprimersi giudizî e trattarsi stimolanti argomenti, anche per dar rilievo a nuovi punti di vista, ma gli è che soltanto gli scrittori di spirito e di fine tatto possono su simile tema intrattenersi senza pericolo di sollevar nella morale atmosfera velenosi miasmi.

XII.

50. — Largo spazio, specialmente nella parte delle appendici, hanno assunto in questi ultimi tempi le *descrizioni di viaggi*, i *resoconti di spedizioni*, le *notizie di paesi*, i *saggi su popoli e città* di lontane contrade.

L'origine loro risale a molti anni addietro. Avevano da prima carattere didattico o tendenze satiriche, ma negli Stati più avanti nei commerci furono ben presto diretti alla divulgazione di positive cognizioni e trattati quale importante ramo della statistica generale. Specialmente in Inghilterra i politici ed economici rapporti intercedenti tra essa e le sue ricche colonie procurarono subito a questa istruttiva rubrica la più favorevole accoglienza.

Innumerevoli sono nei giornali le relazioni di viaggi ed esplorazioni in Asia ed in Africa, od ai poli, o nei paesi d'Europa.

Ma anche il nuovo mondo ha trovato i suoi coscienziosi *reporters,* dotati di molteplici cognizioni.

Nel grande slancio assunto dal giornalismo inglese e americano non è più ora necessario, come avveniva in passato, che tali notizie e descrizioni vengan portate al pubblico a mezzo della letteratura libraria : provvedono invece i giornali per una più pronta divulgazione e con maggiore popolarità. Quest'ultima via è anche seguita in Germania e Francia, e comincia a farsi strada da noi, per quanto la forma di sviluppo di tali geografiche e topografiche comunicazioni segni altri corsi e indirizzi, dipendenti da ciò che, rispetto alle prime, la nostra letteratura si addimostra, in questa parte, ancor troppo giovane.

Varie cause favoriscono tale rubrica, ad esempio le esposizioni. Così avvenne, pochi anni fa, in occasione dell'esposizione mondiale di Chicago, la quale offrì, a grandi imprese, propizia occasione per invadere, con profitto e come un oceano, il continente europeo di lettere, schizzi, descrizioni ecc., in cui giornalisti d'ogni paese incessantemente riferivano, istruivano e dilettavano ad un tempo, sulle origini e incremento meraviglioso di quella grande nazione, sulle forme di vita, di coltura e di commercio, ricavando utili insegnamenti e benefici dal raffronto loro cogli Stati europei.

Pur altri avvenimenti (viaggi di sovrani o principi, spedizioni coloniali, esplorazioni scientifiche ecc.) danno materia a questa rubrica, e per opera di giornalisti che coraggiosamente anche nei casi di pericolo sono soliti parteciparvi. La disgraziata nostra spedizione all'Eritrea servì per qualche tempo di doloroso argomento a tale specie di corrispondenza.

Però, anche in ordine a ragguagli dalle città dello Stato stesso nel quale i giornali si pubblicano, ha la presente rubrica acquistato ricca propaganda ed estensione, in taluni di essi.

Non sono poi soltanto i giornalisti di professione che curano le relazioni di viaggi. In questo campo lavorano soventi, e con gusto e criterio, gli amatori, e sono numerosi gli studî e le osservazioni che i giornali dei diversi paesi pubblicano ad opera loro.

Il merito di queste produzioni consiste nel pronto e sicuro sguardo con cui si giungono a caratterizzare le manifestazioni della vita pubblica d'una regione o città, e nella circostanza che l'osservatore sa opportunamente rivolgere la sua attenzione, non solo alle fastose città dove spesso si vive di vita artificiosa, ma pur alle città di provincia, lungi dalle metropoli, le quali offrono sempre utili insegnamenti.

51. — La maggior parte degli scrittori di corrispondenze sui paesi, città o popoli descritti, si mantiene generalmente estranea alle *etiche* o *teologiche* osservazioni, avendo per suo precipuo intento di rimaner attaccata essenzialmente a pratici interessi : ragione per cui nella letteratura di tal genere ha vita e prevalenza l'esposizione di fatti e avvenimenti.

Invece serie ed importanti *economiche* vedute si rinvengono in questa rubrica. Questo è ad esempio delle relazioni del Dernburg sulle ferrovie tedesche nell'Asia minore. Sul fondamento delle notizie e giudizî ivi contenuti altri giornalisti esaminarono il problema nel lato pratico e positivista, se alla Germania possa mai recar immediata utilità l'avviamento dell'annua sua esuberanza di forze verso l'oriente anzichè verso l'occidente, in vista specialmente delle difficoltà esteriori e della distanza. Lo stesso Dernburg ha schizzi sul popolo russo, nè soltanto rivolti al trattenimento ed allo svago, chè, in prima linea, vi si discutono punti di vista economici. Altro pubblicista, il danese Giorgio Brandes, scrisse articoli sull'originalità russa, studiando in brevi ma acconcie trattazioni il carattere di quel paese. Anche l'italiano Carletti ebbe, però in libro (*La Russia contemporanea*), a svolgere simile argomento, ma con vedute troppo rosee per l'impero dello czar, e coll'intento di sottrarre gli Italiani all'influenza francese e germanica per avviarli alla coltura russa. E pur vibranti corrispondenze sulla vita moderna delle città russe ha Max Nordau, il cui piacevole stile e le acute osservazioni lo pongono fra i principali indagatori e analizzatori della coltura dei varî paesi.

Per lo svolgimento adeguato di tale rubrica occorrono, secondo lo stesso Nordau, chiare vedute, intelletto aperto, un giovane cuore pieno di vita, sufficiente cognizione della lingua d'un popolo, indulgente e simpatica famigliarità cogli usi e consuetudini sue, chè son queste le chiavi che schiudono le porte della vita sociale d'altro popolo. Ciò che impedisce infatti di arrivar a conoscere a fondo la vita d'un paese straniero è la diversità delle manifestazioni esteriori ed interiori della vita. Meschine frivolezze contrastano sovente l'importante corrente di simpatia fra i popoli, e la mancanza di vincoli e di domestichezza coi loro diversi costumi rende le relazioni dei viaggiatori e corrispondenti tali da risvegliar nel pubblico gli stessi sentimentali o ributtanti errori o le stesse ingannatrici idee, mantenendolo nella piena ignoranza sui movimenti della vita e coltura di esteri popoli.

XIII.

52. — Altra rubrica importante di carattere letterario è quella della *critica* nelle sue varie specie. Questa, di quando in quando, viene coltivata anche dai meno esperti, dimenticando pur qui il principio: *multi sunt vocati, pauci electi*. In materia di gusto pensa ben ognuno di aver il diritto di starsene al proprio giudizio e di poter questo porre a fondamento delle proprie opinioni. Ma, pur quando la base della critica abbia sussistenza, perde però essa facilmente la sua giusta misura. Ora si pretende, infatti, con una teoria che serva di modello e di criterio per ogni caso, discorrere di materia d'arte e di letteratura ed, alla stregua sua, tutto comprimere in un letto di Procuste, e tutto informare ad un immutabile principio; ora invece si vuole, con una sfrontata vacuità, discutere dell'opera, di cui pur si pasce il pubblico, con una mezza dozzina di frasi, senza addentrarsi nel nodo dell'argomento.

Ma la superficialità di simile schema di critica giornalistica fa sì che questa si limiti ben volentieri alla stampa della *réclame* di editori, e di mala voglia si spinga fino al riassunto del libro. L'editore di giornali non trova ragione alcuna per applicare a questa parte del periodico, su cui il pubblico facilmente sorvola, speciali cure e spese. Per esso si tratta del sommario adempimento d'un mezzo dimenticato dovere. Una critica la quale s'informi a simili principî fondamentali non può certo svilupparsi in ossequio a grandi e degni punti di vista, nè conseguir, in tale materia, una efficace e vantaggiosa influenza. Mentre per acquistare e conservare il suo buon nome dovrebbe un giornale considerar come cosa d'onore non soltanto l'evitare ogni morale mancanza, ma, secondo le sue forze, il contribuir all'aumento del nazionale capitale di cognizioni e di istruzioni ed all'accrescimento degli intellettuali orizzonti, si constata invece una generale straordinaria noncuranza di questi compiti.

La conoscenza della pubblicazione di una nuova opera più specialmente mediante il giornale può giungere alla maggior parte dei lettori e del pubblico. Se ora tale notizia viene dalla stampa intorbidata, non può far subito la sua strada, ma deve sottostare a sfavorevoli o maligni giudizî, e così, secondo le circostanze, incontrar censura anche quando non ancor letta sia stata l'opera. D'altra parte possono certi libri privi di valore giungere facilmente a conseguire, con raccomandate critiche, quel buon esito che in altra guisa non avrebbero potuto ottenere.

Perciò ben a ragione si proclama e riconosce la potenza del giornalismo pur nella letteratura. E quale responsabilità esso incontri nell'esercizio della critica letteraria è altrettanto chiaro quanto è riconosciuto che la stampa, di fronte agli altri compiti di cui è sovraccarica ed alla annuale apparizione di più migliaja di libri, non può trovarsi ben in grado di tener dietro alla letteratura in tanta estensione e far una giusta scelta e disamina delle opere stesse su cui riferire. Mancano a ciò il tempo, lo spazio ed anche i mezzi. Poichè il giornale avrebbe

d'uopo, in tal caso, d'un completo concorso di uomini di molte, varie e profonde cognizioni, completamente indipendenti e di spirito e sentimenti ele-
vati, i quali esclusivamente avessero a dedicarsi al
ramo della critica giornalistica. Ma il compenso loro
verrebbe a superare di molto le condizioni economiche d'ogni giornale. Deriva pertanto che, pur colla
migliore volontà, deve ogni critica di giornali rimaner incompleta, e che essa, nè per la totalità
delle letterarie produzioni, nè per ogni singola loro
parte, può, come sarebbe desiderabile, presentarsi
del tutto giusta, anche a prescindere da talune par-
zialità che, per sè stesse, pur in un leale esercizio
della critica, e dal letterario, morale o politico punto
di vista del critico, vengono sempre ad influire
nel di lui giudizio. Si tace ancora delle così dette
cortesi e riconoscenti linee, per le quali ogni redattore vien incessantemente interessato, ed alle
quali pertanto ben poco valore è da attribuire, e
niun riguardo avuto alle tristi conseguenze della
venalità del giudizio in certi singoli casi.

53. — Chi può essere chiamato, secondo la natura delle cose, a discorrere di opere letterarie?
Veramente il dotto, colui che sia giunto all'età vi-
rile e sia persona ben pensante. Ma chi invece effettivamente ne parla? Ognuno il quale abbia tanto
imparato a leggere e scrivere da essere appena in
grado di fornir ad un giornale un sufficientemente
abbozzato resoconto. Ogni giornale ha oggi il suo
critico; molti di essi ne hanno due o tre. Anche
gli stimati critici sono assai rari; d'altra parte quel
bisogno del pubblico deve essere convenientemente
soddisfatto; di qui la necessità di ricorrere alla
classe media. Avvien pertanto che un numero di
vane e minuscole personalità sorrette dal grave atteggiamento e dalla qualche autorità del loro giornale,
e da questo sommamente gonfiate, si elevino a giudici su opere ed autori ai quali esse non avrebbero
diritto di estendersi. E si noti ancora un uso, in

vero assai tipico. Nei precedenti tempi il critico scriveva, in questa materia, in plurale, mentre oggi, a diversità di quanto è nelle materie politiche, dà il suo giudizio al singolare ed in suo particolare nome. Tale cambiamento dalla maestà del plurale a quella singolare della personalità potrebbe dapprima apparir segno di modestia, ma, in fatto, è il contrario. Nel primo caso il critico manifesta che egli si considera quale rappresentante della generalità dei lettori, ed anzi della pubblica opinione, dalla quale trae il diritto suo di parlar pubblicamente. Ma nel secondo caso, che è quello di oggigiorno, il critico non ritien più necessario appoggiarsi a tale argomento, la propria personalità appare a lui titolo sufficiente da conferirgli il diritto di giudicare; alla personalità dell'autore crede poter contrapporre altra di egual valore, che è la sua.

54. — Di qui un singolar modo di comportarsi del critico, tanto rispetto alla massa dei *lettori*, quanto rispetto agli *scrittori* ed *artisti*.

Riguardo ai *primi*, ogni giorno presenta il periodico un ben forbito annuncio delle nuove produzioni letterarie. Se ne vien a conoscere subito il titolo, se ne legge ad un tempo un giudizio, magari completo, del contenuto; che altro vuolsi? Si conosce l'opera e si apprende qual valore ha. Il libro non è, pur troppo, stato ancora letto, ma un giudizio fu espresso e si ritiene sufficiente. Così nasce e si radica nei lettori l'abitudine di rinunziare a formarsi un proprio giudizio, un'indolenza di pensieri il cui principale effetto è di rendere quello sempre più dipendente da un modo di vedere che non è prodotto della propria mente, ma proviene dal sentenziare altrui. Di qui, come nota Wildenbruch, una crescente sosta nello sviluppo intellettuale nei rapporti col giornalismo.

Rispetto alla ingiustificata *posizione* che da tale critica deriva allo *scrittore*, si osserva che la personalità del critico di giornali non è effettivamente, e nel più dei casi, di valore uguale a quella dell'autore. Ne segue che la maggior parte degli ordinarî critici attuali pensi e scriva sotto l'influsso di certe determinate scuole letterarie. Ora quale critico prodotto sia da attendersi quando il poeta e lo scrittore malauguratamente si discostino dalle individuali forme e vedute di determinati sistemi si può ogni giorno facilmente constatare.

Mediante la posizione personale che il critico assume rispetto all'autore, viene a sua volta spostato del tutto il rapporto di quest'ultimo rimpetto al mondo dei lettori. Il poeta, per legge dell'arte d'ogni tempo e d'ogni luogo, crea produzioni per tutti e non per uno solo. Ma a questa giustificata tendenza il critico contrappone la sua pretensiosa esigenza che il valore della produzione corrisponda al suo individuale criterio di pensare e di giudicare. La maggior parte delle recensioni lascia chiaramente vedere che la critica è giunta al punto di scambiare i proprî personali sentimenti e giudizî colle leggi generali dell'arte.

È evidente il grave danno che la produzione della letteratura vien a risentire da questo deplorevole stato di cose. La conseguenza di ciò è un vivo turbamento dello spirito artistico e creatore, poichè l'autore, se dovesse corrispondere a tali esigenze, dovrebbe rinunziare alla propria individualità ; in luogo di percorrere quella via che la sua ispirazione gli ha additata, dovrebbe abbandonarsi in tutto e per tutto all'accordo e suggerimento altrui. Donde un pericoloso stato di cose per la posizione dell'arte creatrice e per lo sviluppo di tutta la vita letteraria.

55. — Fra le rubriche giornalistiche le quali trattano di produzioni d'arte, trovano il primo posto, per antica origine ed uso, quelle *teatrali*.

La critica teatrale porta impresso, nei suoi primi scarsi tentativi, lo stampo del dilettantismo. I primi critici si reclutavano fra i poeti e gli autori teatrali,

che dedicavano alla scena e critica teatrale il tempo
che sopravvanzava alla loro ordinaria attività. Questo fece segnatamente Heine, sebben dettasse anche
appendici politiche e filosofiche. In altri casi fu facile e diretto il passaggio dalla politica al teatro.

Sembrerebbe che nulla di meglio potesse essere
del caso di uno scrittore o poeta che coltivava quel
genere di critica teatrale dove egli sviluppava, colle
sue produzioni, un estetico ideale. Ma l'esperienza
ha dimostrato che i risultati derivatine non contri-
buirono nè al vantaggio dell'autore nè a quello della
critica. Vi si trovano infatti talvolta certe vedute
piene di spirito e qualche raggio di pensiero; ma,
nel loro complesso, le critiche si presentano assai
ristrette e paradossali. Ad esempio Weber potè essere qualificato, con tale critica, per un raccoglitore
di melodie.

Nè migliori frutti si avevano nel caso di critica
teatrale fatta da compositori, specialmente nella materia propria della loro arte. Schumann e Wagner
son prova sufficiente di tale affermazione.

Ma oggigiorno, specialmente a Vienna, Berlino
e Parigi, vi sono proprî critici di teatro, i quali
coltivano, per professione, tale compito, e possono
seriamente ed in modo abbastanza esauriente e positivo esporre le loro vedute e i loro giudizî nelle
appendici giornalistiche.

La critica teatrale è tuttavia strettamente collegata, nel suo sviluppo, colla letteratura e la scena.
Nuovi orizzonti che fanno epoca in queste, portano
ordinariamente a nuove fasi la prima. Ad esempio le
recenti affermazioni e conoscenze dei lavori di Ibsen
e del nordico dramma, la creazione della libera
scena, le esposizioni teatrali e musicali, l'influenza
luminosa di certi artisti, ad esempio la Bernhardt e
la Duse, son tali avvenimenti da determinar la critica
all'introduzione di nuovi principî ed al tentativo di
nuove strade all'infuori del dramma classico, ed alla
riforma del teatro.

Il tentativo di sviluppo del dramma popolare ha pur provocata una serie di studî sul teatro di lusso e su quello privo di sfarzo, sulla convenienza dell'arredamento e della decorazione delle scene, sul punto sino a quale limite debbano gli accessorî andar accompagnati all'arte drammatica.

Anche l'apparizione di artistiche figure, quale ad esempio la Duse, reclama nuovi studî ed esigenze dalla critica teatrale, chè simili drammatici fenomeni porgono l'occasione per distinguer un vero artista da quello falso e pieno di artificî, per trarne paralleli, per indurne vedute pel futuro.

In tutti tali casi, e in presenza di nuove e giovani forze, di nuove correnti, una critica che si limitasse a deplorar la corruzione di gusto, ad elevar sconsideratamente a modello soltanto l'antico, adempirebbe in modo assai male inteso al compito che ha rispetto al pubblico, alla letteratura ed all'arte. Non basta che un critico teatrale abbia in capo dei principî fondamentali; gli occorrono anche idee e un cervello che lo metta in grado di comprendere il nuovo, e da avvenimenti teatrali e letterarî capaci di recar positivi vantaggi, trarne estetici risultati.

56. — La sopravvenuta modificazione degli attuali rapporti della vita sociale ha tuttavia attenuata l'importanza di quella rubrica, tanto che l'uso suo potrebbe facilmente porsi fra le materie il·cui abbandono premerebbe a molti giornali assai più che non il tenerle in vita. Dove mai ha oggi il teatro, in alcuna parte del mondo, quel posto che in altri tempi occupava, tanto da essere ritenuto uno dei principali fattori della vita pubblica? Dove più avviene che la classe stessa più colta del pubblico tratti le nuove produzioni come un avvenimento, che ministri e uomini di Stato prendano attiva parte nella letteratura teatrale e che filosofi o giuristi, come fecero rispettivamente in Germania Hegel e Gans, si prestino oramai a fare recensioni sulle produzioni teatrali? Da per tutto ha preso il sopravvento la cura dei bisogni di Stato, sociali o individuali. Il pubblico de' nostri tempi agitati e pieni d'affari è così fondamentalmente diverso dal pubblico allegro di altri tempi, da non poter la parte di esso che frequenta i teatri rappresentar la massa prevalente del popolo. È cosa ben fuori dell'usato se vien ancora di poter considerare la scena quale cosa d'interesse nazionale, una istituzione pubblica di moralità. Non ne è più compito principale l'istruzione, la morale, l'educazione, ma bensì il trattenimento, il divertimento degli spettatori; le esigenze sensazionali hanno scacciato l'opera d'arte, e tra pubblico generale e pubblico particolare dei teatri si forma un sempre più profondo distacco. La maggior parte di coloro che assistono alle rappresentazioni non vi cerca l'allettamento dello spirito, bensì le vive emozioni; nè s'aspetta di trovarvi un'opera letteraria, ma uno spettacolo; si cerca pertanto che i personaggi risveglino la curiosità e la simpatia, e tutti sono contenti.

Ora una critica che voglia conformarsi alle effettive esigenze dei tempi dovrebbe adottar quei punti di vista che principalmente valgano al migliore sviluppo e progresso della vita pubblica, combattere le morbose allucinazioni, la scettica indifferenza o i volgari concetti di mestiere, onde il teatro possa costituirsi su quanto di più puro, di più alto, di più sano l'arte drammatica presenta. Il suo intento e la sua guida deve essere di bandir dalla scena quelle opere di questi ultimi tempi che, con volgare offesa all'arte, hanno assalito la scena con una invereconda frenesia di scipitaggini e di sconcezze; cooperar a che la scelta del repertorio antico e moderno sia sottratta a qualsiasi pregiudizio, e che l'autore provetto ed il giovane che muove i primi passi siano con pari trattamento artistico e finanziario accolti, se veramente nell'opera loro splende la purissima luce dell'arte; che in fine gli attori, gli interpreti, se buoni artisti, intelligenti, compresi del loro dovere, dell'importanza dell'arte, del concetto ispiratore di essa e della necessità sua di essere utile alle diverse espressioni della scena, possano senza preoccupazione di facili applausi, ma pur senza timore di immeritate cadute, presentarsi fiduciosi, come in campo di lotta, sulla scena dei teatri.

Tale compito della critica teatrale più facilmente si adempie coll'uso dei ben diretti giornali di applicar, anche qui, il principio della divisione del lavoro. Molti di essi hanno infatti cura di riservar soltanto ad un redattore speciale il giudizio sulle più importanti e specialmente nuove produzioni teatrali, destinando i resoconti sugli spettacoli dei piccoli teatri ai *patribus minorum gentium*, ed assegnando infine ai *reporters* l'incarico delle relazioni su rappresentazioni di prestidigitatori, atleti, ginnasti, marionette, e così via.

Concorre eziandio alla buona e seria critica teatrale la regola di non dar subito dopo la prima rappresentazione un resoconto esteso dell'opera, e di limitarsi invece ad una esposizione del contenuto, rinviando in seguito la trattazione ed esame suo, chè un'objettiva e sotto tutti i punti di vista completa critica, al giorno successivo alla *première* o nella notte istessa appena finito lo spettacolo, è assolutamente impossibile.

57. — La *critica musicale* è al più alto grado delle critiche d'arte, e la più difficile. La gravità della sua trattazione dipende dal fatto che il proprio campo dell'opera in musica è tutto immateriale, chè questa si radica esclusivamente nella vita del sentimento senza che possa il critico sperare di vederla concretata nelle semplici note, o di riuscir a procurarne una caratteristica espressione parlata.

Nei primi tempi era esercitata in gran parte da artisti di professione, e per ciò solo in rari casi si giungeva a trarre dall'opera stessa d'arte, dal concetto del suo creatore, la misura del pregio suo; sempre invece si giudicava e commisurava il presente coi criterî e preconcetti del passato. Così è che in Haydn potè il suo fresco e originale umore, sino allora sconosciuto nella musica, essere riputato, da critici di professione, quale mancanza di gusto, mentre la libertà che con superiori vedute e contro le regole predominanti introdusse nelle sue opere venne considerata grave difetto. Mozart dovette veder preferire dai suoi contemporanei, alle sue produzioni, gli effimeri lavori di un Martin e di Salieri, e sentirsi muovere il rimprovero che qualcuna di esse fosse di difficile intelligenza. Anche al Weber fu rivolta uguale objezione dalla critica di Berlino. Tutto era frutto di una cieca fede nell'assoluta, stabile e invariabile forma dell'arte d'allora.

Ma dal momento in cui le aumentate conoscenze musicali cominciarono a creare una professione speciale di scrittori di musica, il campo di questa critica si estese e diresse ad altri punti di vista. Il pubblico pure è oramai sazio delle orgogliose ripulse come delle compiacenti accondiscendenze, desiderando dalla critica coscienziosi resoconti. Anche i critici si veggono obbligati a lor volta ad orientarsi essi stessi nel caso di nuove produzioni prima di far alcuna recensione a servizio dei lettori del giornale. Sempre più si convincono che, oggigiorno, non con frasi comuni e con critiche generiche o preconcette si può reagire contro le novità dell'arte. Onde è che Mascagni, Leoncavallo, Giordano, ecc. poterono ai nostri tempi trovare più equi e intelligenti critici di quanto non capitò, ad esempio, all'autore del Lohengrin.

58. — Non mancano però tuttora i critici inesperti e pure i partigiani giudizî. Sono per conseguenza frequenti le accuse degli artisti contro il predominio di tale critica ed i falsi criterî che spesso la informano: si muove pur l'accusa che il corpo dei critici giornalistici sia preferibilmente reclutato fra il numero dei caduti, degli incapaci nell'esercizio dell'arte, o fra svogliati frequentatori dei conservatorî musicali, e che la consuetudine di criticar senza posa e schierarsi sempre contro le altrui produzioni corrompa i migliori ingegni ed ottunda le più fini penne. Sempre riman vero che le appendici sulla musica principalmente dovrebbero essere scritte da persone le quali abbiano fatto in questo campo singolari studî ed abbiano quindi acquistato un certo grado di conoscenza. E per soddisfare a tale compito occorrono persone le quali conoscano lo spirito della musica, che si sollevino un po' sulla *routine* e che abbiano acquistata una certa pratica almeno sui principî fondamentali della dottrina d'armonia, sulla tecnica dei più importanti istrumenti.

L' *educazione musicale* comprende due parti distinte: la conoscenza pratica, *manouvrière* (secondo l'espressione di Liszt) d'un istrumento, conoscenza il cui acquisto richiede lunghi anni di studio, nè si conserva se non con un lavoro assiduo e quotidiano; l'educazione musicale propriamente detta, cioè l'intelligenza delle pagine scritte dai maestri e la possibilità di produrre, a sua volta, se non dei capolavori, almeno delle opere sane, ben fatte, degne d'uno spirito colto. Per creare un pezzo musicale, anche semplice, l'autore ha seguito un'idea, un metodo; or è di questa costruzione che bisogna cercare gli elementi per ricostrurla una seconda volta per l'esecuzione. È la parte interessante ed intelligente del lavoro dell'artista: ma è pur la condizione necessaria per una critica illuminata.

Sono pure indispensabili conoscenze sull'origine dell'arte musicale, sulle sue trasformazioni, sulla storia dell'opera in Italia, Germania e Francia, sulla storia pure delle diverse scuole della musica strumentale, dell'armonia, del ritmo, ecc.

Il conoscere l'epoca e la nazione a cui appartiene un autore è cosa importantissima, specialmente per intenderlo meglio e meglio giudicar gli artisti che lo interpretano.

59. — Anche nel campo della *critica delle arti*

una perfetta conoscenza si acquista con una lunga
e profonda occupazione in tale materia, specialmente
in quegli Stati dove da tempo si sia venuta formando
una scuola, un'arte nazionale. Se difatti si con-
frontano le relazioni artistiche di tali Stati con quelle
riguardanti gli Stati con un'arte ancora poco sviluppata si scorge, qui, il predominio di più o meno
discutibili teorie e di preconcette opinioni, là invece
la prevalenza di osservazioni ad ognuno intelligibili,
semplici e senza impaccio.

Quale è la base costitutiva delle diverse arti belle?

Le arti plastiche (architettura, pittura e scultura)
si dirigono a noi per mezzo della vista; tutte ricor-
rono, ma in proporzioni variabili, al disegno ed al
colore, alle linee, alle forme. L'*architettura* impiega
sopratutto linee e forme geometriche, la *scoltura*
invece riproduce le forme stesse degli oggetti, tutte
e due si esprimono sotto forme palpabili, e tengon
del pari conto degli effetti delle ombre; varia poi
l'aspetto delle loro opere a seconda del colore naturale dei materiali e dei toni artificiali ch'esse vi
applicano. La *pittura* invece, le cui linee al par che
i toni non sono sensibili che all'occhio, per le risorse della prospettiva, della varietà dei colori e
sfumature, dà spesso l'illusione della vita e della
realtà al più alto grado. Ciascuna di tali arti varia
senza posa i suoi procedimenti, secondo le epoche,
i caratteri dell'opera: è così che nella scoltura si
distingue la statuaria, l'alto rilievo, il basso rilievo, ecc.; nella pittura, la pittura murale, in ta-
vole, su vasi, ecc.

Le stesse arti industriali cui spesso si assegna un
dominio separato, rientrano in quella divisione generale; così un bel mobile si riattacca ad un tempo
all'architettura per le sue linee, alla scoltura pe'suoi
ornamenti.

60. — Nei buoni giornali le appendici sulla critica d'arte hanno, da un decennio a questa parte,
conseguito favorevole incremento. Parigi è sempre

la culla di questa letteraria produzione. I resoconti sulle esposizioni del *Paris Salon* hanno influito sempre sugli scritti giornalistici degli esteri giornali.

Quanto al suo svolgimento, la critica d'arte seguì le stesse fasi della critica teatrale. Nei suoi inizî era opera di dilettanti, ora è giunta ad un grado elevato grazie all'attività e intelligenza di appendicisti di professione. Non si poteva infatti commisurare il valore della critica al giudizio del pittore, scultore, ecc., ed esigere che la prima sottostasse ai loro criterî.

Pure nei tempi passati avveniva non solo che dovesse la persona esercitare unitamente, ad esempio, la critica sulla scoltura e sulla poesia, ma eziandio che chi s'occupava della rubrica *letteratura* e *teatro* dovesse anche curare la *critica d'arte*. Così Federico Spielhagen narra, nelle sue memorie, come egli per la prima volta ad Annover, dove dirigeva le appendici d'un giornale politico, avesse avuta richiesta di compier resoconti su esposizioni d'arte, egli che niuno sguardo avea ancora rivolto ad uno studio qualsiasi di scultore o pittore, nè agio alcuno aveva ancor trovato per lo studio della storia dell'arte plastica.

Oramai tale materia è così regolata e trattata che alla domanda se dal complesso delle critiche annualmente apparenti sulle colonne dei giornali si desuma un chiaro e distinto concetto sullo stato e sviluppo dell'arte moderna, devesi senz'altro rispondere affermativamente, potendosi da ognuno rilevare, almeno in ordine ai grandi giornali, l'importanza delle informazioni sulle nuove produzioni artistiche e il perfezionamento e la precisione loro. Contribuiscono a tale utile risultato, là dove maggiore è lo sviluppo dell'arte, le numerose riviste speciali, come è in Germania che possiede molteplici periodici puramente d'arte destinati ad accrescere l'interesse alle produzioni dell'arte plastica e a far loro acquistare sempre più vasto campo.

Le esposizioni nelle grandi città offrono annualmente una ricca messe perchè il critico possa rendersi famigliari le rassegne d'arte e compier trattazioni pur sotto generali punti di vista.

Così la dibattuta quistione del realismo nell'arte è pure stata vivamente discussa nel campo dell'arte plastica, sebbene la giustificazione di quell'indirizzo sia qui stata facilmente riconosciuta, perchè certi timori i quali ostacolavano l'introduzione di quella novità nella letteratura, non avevano nella specie ragione di sussistere.

Un importante esame comincia ad aver nelle appendici eziandio l'industria artistica e quanto ad essa si riconnette. Si verifica tale applicazione particolarmente in Germania dove si dettarono già numerosi saggi sulle pitture nei vasi della rinascenza, sull'arte della *réclame* e delle insegne, ecc.

Pure l'architettura, quale una delle arti plastiche, entra nel campo delle trattazioni d'appendice ai giornali. Possono citarsi gli studî di appendicisti tedeschi sull'Apollo del Belvedere, sulla Venere di Milo, sui monumenti antichi di Ravenna, e così via.

61. — La critica di un'opera d'arte deve tener distinte la *tecnica*, la *composizione*, *l'espressione* e *l'esecuzione.*

La *tecnica* è la scienza dei materiali e dei procedimenti che loro convengono. L'architetto non costruisce allo stesso modo con legno e con pietre, lo scultore non lavorerà in ugual guisa il bronzo ed il marmo. La diversità dei materiali influisce sulla concezione stessa dell'opera e sullo stile.

La composizione è il coordinamento degli elementi dell'opera al fine di adattarla ai bisogni che deve soddisfare, alle idee ed ai sentimenti ch'essa deve esprimere. L'architettura gotica costruisce cogli stessi materiali e secondo gli stessi procedimenti una cattedrale, una casa, ma ogni volta, per le necessità e attitudini diverse, adotta nuove disposizioni, arrivando a tradurre i sentimenti più opposti od a tradurre gli stessi sentimenti sotto forme differenti. Fra i tratti numerosi che l'osservazione della realtà presenta, occorre alcuni attenuare, altri accrescere in vista dell'impressione che si vuol produrre, e da tutti tali dettagli trarre un'opera che sia omogenea. Se si possono fissare alcune linee generali di composizione, tuttavia è qui che l'originalità dell'artista si rileva con maggiore efficacia.

Si possono conoscere tutti i procedimenti della tecnica, aver il senso profondo della composizione, eppur *eseguire* opere affatto imperfette. L'esecuzione dipende, è vero, dall'educazione che ha ricevuto l'artista, ma pur dalle qualità naturali ch'egli possiede, che ne formano il temperamento, ne dirigono lo spirito e l'imaginazione nel lavoro di composizione.

L'insieme di tali elementi costituisce lo stile. Ciascun popolo, ciascuna epoca ha il suo stile : ciascun artista originale ha pure il suo : co' suoi processi tecnici, concezione, mezzi d'espressione si distingue da quei che lo circondano. Lo stile adunque può rappresentar ad un tempo il carattere etnico, cronologico, personale d'un'opera d'arte.

XIV.

62. — Il commercio ha per compito di far passare una determinata cosa dalle mani del produttore a quelle del consumatore; e poichè le *cose* quali oggetto del commercio diventano *merci* ed è scopo suo di effettuarne il movimento, consegue che la prima fondamentale e naturale legge sua quella sia di rimuovere l'inerzia di tutte le cose e di renderle ugualmente mobili. Grande importanza ha in proposito il trasporto, che riesce a render le merci più vicine ai luoghi di consumo. Ma il trasporto è soltanto preparazione pel commercio, poichè un oggetto diventa merce soltanto mediante la relazione sua coll'uomo.

Ora il commerciante influisce sulla volontà altrui per contrattazione di merci, servendosi della *parola*. Chi altra lingua non conosce, non può certo commerciar con altri popoli, ed ha quindi un' attività limitata allo stretto campo del proprio paese. Inoltre la parola, se soltanto *parlata*, pur avendo lo speciale vantaggio che il suono, il tono, ecc. non possono altrimenti rimpiazzarsi, presenta una ristretta portata, non andando oltre alla cerchia delle persone con cui si può personalmente trattare. L'influsso della parola maggiormente si estende col mezzo della stampa. In questo modo vien a crescere il campo di chi ascolta; col giornale si amplia la cerchia del pubblico a cui si parla, in guisa da comprendere tutto il paese; la parola che al mattino in qualche luogo sia stata pronunciata viene alla sera letta sui giornali in città e villaggi, riprodotta nelle famiglie o nei circoli e ulteriormente divulgata.

Un potente mezzo adunque con cui l' offerta vien recata a più estesi luoghi è fornita dagli *annunzî o inserzioni nei giornali*. Tale bisogno è antichissimo. Nei tempi in cui gran parte del popolo non sapeva nè leggere nè scrivere, si usavano indicazioni figurate quali modi di pubblicità: un Bacco che versa vino formava l'insegna di un' osteria a Pompei. Quando lettori e scrittori divennero più frequenti, si adoperarono per annunzî le bianche pareti od i muri. Di lì trasse il suo uso la parola *album*. Oggi le cose sono cambiate: l'istruzione obbligatoria si è imposta, e tutti leggono, e leggono segnatamente giornali. Gli annunzî, dice Knies, non solo orientano sull'offerta e la domanda, ma rivolgono anche l'attenzione sui singoli luoghi nei quali un esistente bisogno può trovare soddisfacimento, procurando così ai richiedenti risparmio di tempo e fatica. Ravvivano consumo e produzione ad un tempo, e danno efficace impulso alla compravendita. Dove rendon manifesta qualche ricerca vengono a presentar al possessore l'occasione per alienare una data merce. Quando poi rendono nota un' offerta, provocano una compra e facilitano il consumo, portando, alle disponibili forze di questo, acconcio scopo e direzione.

63. — Quando negli annunci si unisca all' offerta una ulteriore raccomandazione quanto alla merce, e cioè una ulteriore spinta che risvegli il desiderio e dia impulso alla volontà di farne acquisto, e vi si accompagni ancora l'impiego di raffinati mezzi per eccitar il generale interesse. allora l'*annuncio* diventa *réclame* (Wehle, *Die Reclamen*, 1880, p. 17; Kronau, id., 1887, p. 2).

Inesauribili sono i mezzi da questa usati pel raggiungimento del proprio scopo. Talvolta esercita efficacia sulla vista. talvolta sull'udito, ora sull'uomo. ora sulle donne e nessuna via trascura per attrarre le brame del lettore. Dove la stampa quotidiana non fu sottoposta a nessuna limitazione e potè liberamente svilupparsi senza interni impacci. ivi ebbero le inserzioni e la *réclame* a prosperare e salire ad incredibile potenza. Così avvenne in Inghilterra e negli Stati Uniti d'America, in cui l'estensione della *réclame* e l'atteggiamento da questa assunto sono tali da non poter facilmente formarsene una idea. In questi paesi la pubblicità a mezzo dei giornali ha di molto oltrepassato la Germania, l'Austria e la Francia, e ben più ancora i rimanenti Stati. come l'Italia, la Spagna e così via. Favoriscono lo sviluppo della *réclame* non soltanto le considerazioni ed i rapporti politici. ma pur il carattere e la propria indole dei popoli e, sopratutto, l'attività del commercio e dell'industria.

64. — L'americano *Times* già vent'anni fa raggiungeva, per soli introiti d'inserzioni nello Stato di New York, oltre a venti milioni di lire; ed oggi tale somma è più del doppio o del triplo, e senza dubbio passa i 50 milioni all'anno. Anche il *Times* di Londra destinava, fin da quel tempo, 67 colonne per inserzioni, conseguendo, secondo la sua tariffa, quasi 40 000 lire al giorno, e così, in un anno, incassando 12 milioni di lire. Il *New York Herald* ha, in media, da 150 a 180 colonne quotidiane di annunci; di lì può argomentarsi l'annuo ricavo per inserzioni.

L'occasione fornisce qui un argomento di risposta alla domanda, donde i fogli mondiali, come il *Times* ed il *New York Herald*, traggano i loro profitti, e pur alla quistione come abbia potuto in quei paesi prendere il concetto del giornalismo così prodigioso slancio. Le inserzioni pagano colà la maggior parte delle spese.

Anche nei paesi del continente si ha, per quanto in piccola misura, una prova della verità che un giornale tanto maggiormente rende quanto più numerosi annunci riceve. Si sa quanta sollecitudine i grandi giornali ripongano in materia di inserzioni e come nessuna arte venga da essi omessa per richiamare l'attenzione del pubblico.

Attualmente gli annunci sono quotidianamente ordinati in rubriche regolari e ben distinte, così da rendere le pagine destinate alla pubblicità una lettura interessante perchè metodicamente classata. Per certi giornali, come il *New York Herald*, vige il sistema che una stessa inserzione non si possa fare che una sola volta; con che gli annunci sono più svariati e più leggibili; in tal modo ogni singolo inserente si può ritenere un collaboratore del giornale, il quale però paga anzichè esserne pagato. Non è tuttavia facile l'aver un'efficace *réclame*. Il pubblico diffida di tutto quanto sa di ciarlatano: le inserzioni a lor volta sono così numerose, specie nei grandi giornali, da togliere l'attenzione da ognuna di esse. L'annuncio presenta quindi una certa arte: può costar molto e rimaner senza profitto, dipendendone il risultato dalla forma e disposizione assunta. È condizione pel suo esito l'essere nè monotono nè uniforme, ma piccante e svariato onde indurre il pubblico alla sua lettura: deve poi essere breve e stringente perchè venga letto, nè portare eccessiva spesa.

Diversi sono i mezzi per rendere attraente l'inserzione. O si dà alle parole o lettere una collocazione diversa dall'ordinaria, o si ripete una parola più volte anche con differente dimensione, o si dispongono in diversa configurazione le singole lettere della parola ripetuta, o si dà all'inserzione la forma di siluetta e si traggono figure che caratterizzano l'oggetto, ad esempio, un calice, una croce, ecc.

È pur uso racchiudere l'inserzione tra punti, linee, fregi ed altri ornamenti, o vergarla in breve spazio con intorno altro maggiore in bianco, o darle risalto in grande spazio nero con iscritto in bianco; il che giova assai, fra la massa degli uniformi annunci, ad attrarre l'attenzione del lettore.

Una forma di *réclame* molto praticata è quella delle inserzioni nella parte redazionale, specie nella rubrica delle notizie politiche o locali o dei *fatti diversi*. Più oltre si va quando la redazione elogia la merce annunciata o la raccomanda nei suoi consigli pratici. In questi casi la *réclame* ha molta importanza, chè parte del pubblico, ignaro del movente di tali elogi, confida nella sincerità del giudizio della redazione, mentre questa ricava da quel servizio vantaggi in natura o in danaro proporzionati all'entità e specie della lode.

65. — *Réclame e pubblici annunzî* sono necessarî, anzi *indispensabili al commercio*, specialmente per quel commercio le cui merci servono al *quotidiano uso* e devono consumarsi da tutti gli ordini di persone. Certo, per gli spacci in piccoli limitati centri come è pei commercianti e bottegaî in borghi e villaggi, si può far a meno degli annunzî nei pubblici fogli.

Per essi sono spesso bastevoli le semplici *insegne di negozio* od i mezzi ordinarî di *affissione*. Anche i fabbricanti di un solo o di pochi articoli che producono in grande, possono rinvenire sufficiente pubblicità nelle speciali comunicazioni o circolari che

inviano ai loro clienti, o nell'opera dei viaggiatori
che mandano in cerca di case cui fare somministra-
zioni, poichè il pubblico in generale non può o non
vuole da essi comprare; non occorre quindi che
esso sappia poco o molto del commercio in tale articolo. Questo è, ad. esempio, dei laboratorî di me-
dicinali, i quali vendono a farmacisti; quale persona
del pubblico sa d'alcuna loro *réclame?* Vale lo stesso
di tutte le fabbriche le quali non s'occupano della
vendita al minuto dei loro prodotti, e lasciano ai
venditori al minuto di far principalmente nel loro
interesse le inserzioni necessarie.

Un commerciante che ad un esteso commercio
voglia dedicarsi, od il cui spaccio non abbia per
anco raggiunto i limiti della di lui capacità ed abilità, non deve spese o tempo risparmiare per la *réclame* delle sue merci e dei suoi prezzi. Si può
ritenere, diceva Orazio Greely, redattore della *New
York Tribune*, che un'accurata inserzione vada, entro
due giorni, sotto gli occhî di cinquanta o centomila
persone, e, se essa venga letta almeno in sei
giornali, cada sotto gli occhî di oltre due milioni
di lettori. Una casa antica può adunque ripromet-
tersi forse di sussistere fino a che gli antichi clienti
sieno in vita, ma una nuova casa che non abbia
ancora verun cliente, o ne conti pochi, non potrebbe trasandare la *réclame* ed i vantaggi che ad
essa sono inerenti.

Ma per ottener buoni risultati deve, alle pubblicazioni ed inserzioni, accompagnarsi la *solidità* della
merce. Questa sola può mantenere fedeli le clien-
tele in quel modo acquistate. La *réclame* fa trovar
clienti, la solidità delle merci li conserva. Onde il
principio che soltanto quei commercianti il cui nome
sia già noto, e la cui solidità abbia conseguito una
fama nel paese od all'estero, possano far a meno
di continuare la *réclame*. Chi più non voglia od
abbia possibilità di estendere i suoi affari, e così il
commerciante già arricchito, può omettere le inser-

zioni. Così è che delle conosciutissime e solidissime ditte non occorrerà mai leggere *réclame* e raramente informazioni; ma quanto alle giovani case che hanno bisogno di estendere i loro affari e di attrarre l'attenzione del pubblico, la cosa è ben diversa, tornando loro necessaria od opportuna la caccia ai clienti a mezzo della *réclame*. Occorre tuttavia che questa non si scompagni dalla buona merce; in caso diverso non molto potrà passare che vengano scoperti gli ingannevoli annunci dei giornali, il che significa l'incanto giudiziale.

La *réclame* per cattiva merce, oltre che immorale, ha in sè stessa il vizio della sua decadenza, chè l'uomo si lascia, per lo più, trarre in errore una volta, ma non due, nè può adunque la *réclame* fondar una solidità di affari. Così certe inserzioni, ad es. *vendita per liquidazione, vendita d'occasione,* e certi altri derisorî inviti, come *provare per credere, non si teme concorrenza,* ecc., sono talvolta l'ultimo soffio di vita del commerciante. Ma chi solida merce abbia posto in commercio, può estendere i limiti della sua produzione non trascurando di darsi cura della potente leva della pubblicità come mezzo per rendere noti, in più vasto campo, i prezzi e la qualità della merce. I giornali stessi, come servono di *réclame* per altrui conto, rivolgono questa pure a proprio profitto. A parte i promettenti programmi, è anzitutto assai in uso l'attrar abbonati a mezzo delle corrispondenze col pubblico. Certi fogli, specie letterarî, vi dedicano più colonne, fornendo risposta ad ogni sorta di domanda, vera o supposta, o giudizî sui manoscritti inviati alla redazione, o consigli in ogni pratico campo della vita.

Talvolta il giornale cerca aumentare lo spaccio con promessa di premî o ricompense d'ogni sorta. Si tenta anche richiamar l'attenzione del pubblico, rendendo sensibile il concetto di partito, ad esempio, stampando i giornali in carta ed inchiostro di dato colore (in rosso, i socialisti e democratici), o adottando titoli insinuanti, quale quello *Ni dieu, ni maitre*, del comunista Blanqui, o l'altro *La Revanche*, sorta a Parigi dopo il 1870, annunciata con affissioni a parole cubitali, con grida di numerosi strilloni, con programma a base di esagerato e quindi falso patriotismo.

E poi frequente veder inserzioni che un giornale è il più diffuso, il più interessante d'una città o Stato, che ha una tiratura superiore a quella di tutti gli altri dello stesso luogo uniti insieme, con rischio - magari di dover rispondere dei danni per tali mezzi costituenti anche atto di sleale concorrenza a pregiudizio d'altri periodici (Steinfeld, *Die grenzen der erlaubten reklame nach dem gesetze zur bekämpfung des unlauteren wettbewerbes*, 1896).

66. — Quale è ora la *legge* che deve frenare gli eccessi d'una falsa e menzognera *réclame*? Evidentemente è quella che la *réclame* si ponga in servizio dell'arte. In nessun caso tale regola ha raggiunto migliore attuazione che nelle grandi o piccole esposizioni regionali, nazionali o internazionali. Sono esse qualche cosa di diverso dalla *réclame*? Eppure le stesse hanno perduto affatto quanto di fastidioso avevano, conseguendo invece efficacia produttiva e vantaggiosi risultati. La *réclame* è adunque duratura e solida fino a tanto che sia applicata alla natura dell'uomo e sia inspirata ad un elevato concetto. Ogni *réclame* la quale serva come mezzo di espressione dell'arte, è, non soltanto lecita ed autorizzata, ma anche utile e profittevole.

E, in conformità a tali punti di vista, deve pur il commercio valersi della *réclame* a mezzo di giornali. Non già che la sfacciata e mendace vanterìa, la rumorosa *réclame* di certi tempi sia ancor ora raccomandabile. Così sono da riprovarsi gli annunci tante volte visti nei nostri giornali, di dottori che si impegnano a fornir i numeri con cui vincere al lotto. Se essi fanno la spesa non piccola di tale pubblicità, è pur segno che maggiore è l'introito loro proveniente dagli inesperti. Ciò a tacer di tanti altri specifici che tornano di profitto ai ciarlatani e formano la canzonatura di una parte del pubblico sempre disposta a mordere a qualunque amo. Così è pure dell'avviso della famosa *Revalenta Arabica*, che non pare essere altro che farina fatta colle lenti o con altri semi consimili di leguminose, e che pur dava mezzo alla casa che la fabbricava di sborsar milioni all'anno in sole spese d'annunzî. Però dalla maggior parte dei giornali esteri è bandita l'inserzione degli specifici ciarlataneschi, i quali da noi occupano ancora tanto spazio.

67. — Quanto ai *giornali della cui pubblicità valersi*, non è poca la cura e la difficoltà della scelta. Pur troppo i giornali sono in gran parte fogli di partiti. Ora chi invia i suoi annunci ad un giornale riconosciuto addetto ad un partito sembra voglia appoggiarne l'indirizzo e le tendenze. Onde imbarazzi e dubbî. Un conservatore non ritiene poter servirsi, pei suoi commerciali scopi, di un giornale liberale o radicale, e di appoggiarsi alla loro influenza. Viceversa, lo stesso si pensa di un liberale, al quale non si considera lecito servirsi d'un foglio reazionario. Come spesso nella vita, anche qui si presenta una inevitabile collisione di doveri, cioè tra le considerazioni utilitarie ed il proprio convincimento. Trattasi per altro di un semplice indizio, di un elemento conciliabile col commercio, segnatamente in grande. Un merciajo o piccolo negoziante, che sta in mezzo alle lotte della vita, potrebbe difficilmente negare di essere ascritto ad un partito. Ma il commercio all'ingrosso deve, secondo il suo compito ed estensione, star al di sopra dei partiti e delle loro piccole lotte.

Certamente anche il grande commercio ha una politica tendenza nelle sue grandi linee economiche e sociali, e quanto più potente questa è, tanta maggiore forza il primo viene ad acquistare; ma le piccole gare e personalità dovrebbero in tal punto bandirsi.

·PARTE III.

Il giornalismo e l'opinione pubblica.

I.

68. — Il giornalismo nelle sue esteriori espansioni fu acconciamente paragonato agli intrecci nervosi che si ramificano all'infinito nelle masse del corpo organico. Infatti, secondo le materie ed i luoghi o la qualità del pubblico, più colto o meno, secondo i circoli più ristretti od estesi, secondo infine i partiti e le lingue, sorge un intiero sistema di giornali e di riviste speciali, le quali stanno tra di loro in aperta correlazione.

Non vi è un solo degli ordini sociali, stati di persone o condizioni professionali a cui la stampa odierna non tocchi. Il campo che il giornalismo si è creato è ora così grande ed esteso come la vita.

Ogni gran giornale tratta le quistioni religiose, politiche, scientifiche, pedagogiche, estetiche, tecniche, sociali, economiche e famigliari.

Non vi è nulla di ciò che in qualche modo commuove la pubblica opinione o circoli speciali che non comparisca in qualche angolo, sia pure modesto, di questo « specchio della pubblica opinione ».

Il miglior esempio l'offrono gli Stati Uniti. Non v'è, per essi, quistione o partito che non abbia il suo giornale. Le donne stesse, che si adoperano per la propria emancipazione, già in parte conseguita, hanno giornali a centinaja, non di sole modo o di letteratura, ma di filosofia, di religione ed educazione.

Fu una donna, Elisabetta Mallet, l'editrice del primo giornale quotidiano inglese, il *Daily Courant;* altra, la Franklin, fondò, fin dai primi tempi della repubblica, un giornale settimanale. Attualmente questa parte di giornalisti è cresciuta assai per numero e potenza, ed ha articolisti, bibliografi, corrispondenti nè più nè meno dell'altro sesso, e con non minore vigoria e spiritosità di trattazione.

Egli è perciò che, per tale esteso sviluppo del giornalismo, qualsiasi futuro storico dei nostri tempi troverebbe nella stampa un ricco materiale di induzioni, potendo ben i giornali assomigliarsi agli apparati meteorologici che esattamente e spontaneamente registrano le oscillazioni della pressione atmosferica.

In questo modo il giornale diventa strumento efficace, diffuso per tutte le parti dell'organismo sociale, dell'influenza delle masse. Il corpo sociale è così percorso in ogni senso da una pubblicità grande e piccola, attuata a mezzo della stampa, con cui si determinano, da un canto, correnti di idee

nelle masse sociali, e se ne raccolgono, dall'altro,
le impressioni, Dal più piccolo foglio locale sino al
giornale mondiale, dai fogli religiosi ai fogli umoristici, la stampa quotidiana è un solo grande tes-
suto ben connesso, esercitante, secondo l'espressione
dello Schäfflhe, un'azione spiritualmente 'collettrice
e restitutrice, e come tale *organo della pubblica opinione*.

69. — Quanto all'*estensione del contenuto rispetto
al pubblico,* il giornale abbraccia tutti gli aspetti,
tutti gli ordini di attività dello spirito sociale. Esaminando davvicino il complesso delle comunicazioni
d'ogni grande giornale si scorge che esso efficacemente influisce su tutti tali oggetti e direzioni.

Così allo sviluppo dell'*intelletto* ed all'aumento
delle cognizioni sono dirette le osservazioni, relazioni e comunicati che specialmente si contengono
nelle appendici del giornale e che maggiormente
si riattaccano alla parte letteraria e scientifica di
esso.

Ma il giornale serve pur all'espressione del *sentimento* pubblico, all'elaborazione dei concetti critici
e dei giudizî con cui si manifesta e distribuisce la
lode o il biasimo, la gloria o il vituperio, Ad
esempio, influendo con articoli od annunci sulle
valutazioni e apprezzamenti del pubblico riesce il
giornale ad esercitar un peso sui corsi del mercato
facendoli anche salire a prezzi favolosi ovvero scendere a prezzi vilissimi.

Il giornale esercita infine la sua efficacia pur sulla
volontà, le tendenze e le risoluzioni e determinazioni del pubblico mediante incitamenti, provocando
agitazioni, dirigendo in certi sensi la volontà delle
masse, valendosi anche di narrazioni esagerate, di
avvisi allarmanti, di intimidazioni e via (v. specialmente Loebl nella *Deutsche Rundschau,* 1896, il
Temps del 10 gennajo 1896 sul *Le gouvernement par
la presse,* il Gneist, *Lo Stato secondo il diritto,* cap. IX).

70. — La stampa è pur un mezzo potente per

alimentare, nell'*ordine politico* e *costituzionale,* un continuo e regolare scambio di rapporti e influenzo fra l'autorità che governa ed il pubblico, il cui appoggio è tuttavia indispensabile al funzionamento della prima. L'autorità infatti non va soltanto considerata come fattore direttivo, come centro preminente che trae e tiene a sè coordinate le masse del corpo sociale, ma pur come elemento su cui queste esercitano la loro reazione ed efficacia. Un popolo in tanto ha l'ordinamento di cui abbisogna in quanto questo si adatta al suo modo di pensare e di sentire, solo a tale condizione potendo conseguire forza e vitalità. Anche il più grande legislatore o governatore di popoli sente il bisogno d'essere ajutato, rinforzato dallo spirito delle masse sociali da lui guidate: su queste deve contare chè dalle loro idee e dalla loro fiducia riceve confidenza ed energia. L'inerzia del popolo, e specie la sua resistenza alle viste, ai giudizî ed objettivi di chi lo dirige, diventa fonte di inevitabili insuccessi. Dai popoli che il dispotismo abbia corrotti, o resi senza fede e senza entusiasmo, e cioè spiritualmente morti, nulla di straordinario può aspettarsi. Ma le democrazie, feconde di latenti forze, sono capaci, di un tratto, di maravigliosi risultati. Così si spiegano gli immensi successi degli Ateniesi contro i Persiani, degli Stati Uniti d'America contro l'Inghilterra, della prima rivoluzione francese contro le invasioni.

L'energia e influenza delle masse popolari va tanto più apprezzata dai governi in vista dell'attuale estensione del commercio internazionale e della imperfezione odierna della tecnica pubblicistica, che resero possibili movimenti ed estensioni tali di idee che, or è appena una generazione, sarebbero sembrate una utopia. Ad esempio l'unione e organizzazione internazionale del quarto Stato (n. 104), la propaganda della stampa socialistica ed anarchica erano, prima d'ora, impossibili. E pur la stampa odierna ufficiale o di opposizione mostra che l'arte di eccitare e gui-

dare le reazioni delle masse ha raggiunto, nella
scelta dei veri punti d'applicazione del sentimento.
popolare, una forma in parte raffinata.

La stampa quotidiana d'ogni colore, prima d'agire positivamente in tutte le direzioni dell'attività
umana, sull'intelletto, sul sentimento, sulla volontà
del popolo, indaga le disposizioni dello spirito pub
blico, e provoca un'eco dei sentimenti e delle tendenze latenti nel corpo sociale. E questo scanda-
gliamento ha preso, nel linguaggio giornalistico, il
nome espressivo di *ballons d'essai*. Colla disposizione
del pubblico devono adunque contar tutti gli elementi influenti; ed essa sogliono accuratamente
apprezzare tutti quelli che vogliono in qualche modo
sfruttare certe idee o tendenze della massa popolare.
L'oratore, l'uomo politico, così come lo speculatore
che lancia un affare, indagano e riguardano anzitutto tale disposizione.

II.

71. — Il mezzo con cui le idee si diffondono nel
popolo e giungono o possono giungere a conoscenza
di tutti quelli che per esse si interessano, è la *pubblicità,* attuata specialmente mediante il giornalismo.
E essa che attira la corrente di pensieri nelle varie
gradazioni del corpo sociale ; essa è quindi un bisogno perchè la vita del popolo si mantenga in
condizioni normali, e si impone quindi necessariamente anche quando la si vorrebbe sopprimere. Si
proibiscano tutti i giornali, e la pubblicità sceglierà
le pubbliche vie, o i circoli di socievolezza, o i locali di riunione, ecc.

La segretezza a cui si appigliano i governi dispo-
tici, le oligarchie e gli Stati ove si segue una politica di Gabinetto, e l'oppressione formale della
stampa non possono giungere ad impedire compiu-
tamente la divulgazione della conoscenza dei fatti,
delle idee, delle tendenze del popolo, ad impedirne

il risveglio e la partecipazione alla vita sociale, a soffocare quell'opinione pubblica della cui voce hanno tanto paura.

La pubblicità istruisce, educa ed unisce, e quantunque non possa sempre prevenire il male, giova però sempre a richiamare l'attenzione pubblica sul luogo del pericolo. In Francia, dal momento che il secondo Impero risolse di sradicar la libertà civile, fu ordinato che nè le discussioni dei deputati al Corpo legislativo, nè le arringhe degli avvocati nei giudizî fossero riportate nei giornali. Ma pei popoli liberi la pubblicità, principalmente a mezzo dei giornali, è una condizione essenziale di vita. Noi lo riconosciamo col fatto che i nostri tribunali non sono mai chiusi e che, anche quando per motivi particolari inerenti alla causa in discussione la pubblicità del relativo dibattimento viene sospesa, il ritardo non oltrepassa mai la chiusura del giudizio (Lieber, *La libertà civ. e l'autogoverno*, 1874, cap. XXIII).

La pubblicità giova, d'altra parte, agli stessi governanti, che mette in grado di conoscere l'opinione dei governati. Quanto importa a questi di conoscere la condotta delle autorità dirigenti, altrettanto importa alle seconde di apprendere i veri desiderî dei primi. Col regime di pubblicità si mette il pubblico in grado di farsi un'opinione ragionata, ed il corso di questa opinione facilmente si fa conoscere.

La pubblicità è segnatamente necessaria pel retto funzionamento delle assemblee. A tale riguardo i giornali inglesi sono vere memorie pubblicate nel punto istesso in cui gli avvenimenti hanno luogo, nelle quali si trovano tutte le discussioni parlamentari, tutto quello che riguarda gli attori che rappresentano una parte nella scena politica, tutti i fatti liberamente esposti, tutte le opinioni liberamente discusse.

Se la pubblicità è adunque una condizione necessaria di vita e funzionamento del corpo sociale, segue essere falso il concetto di considerare essa, ossia la forma sua più perfetta ed efficace, quella della libera stampa, quale una concessione arbitraria del legislatore. Può esservi invece una quistione sul corrompimento od abuso suo, ma di ciò si fa ora astrazione.

Una buona costituzione adunque deve assicurare, con disposizioni formali, una pubblicità conforme a natura. I diritti fondamentali della libertà di stampa, di riunione e d'associazione, d'invio di indirizzi e petizioni, la pubblicità obbligatoria per le discussioni parlamentari, amministrative e giudiziarie, e le prescrizioni che le regolano, trovano qui la più semplice dimostrazione della loro alta importanza e della necessità di mantenerne libera la via onde il popolo possa, anche in minima parte, esercitar il controllo e la reazione in ogni operazione della vita.

72. — Ma non ogni fatto dev'esser ugualmente pubblico a tutti, in tutti i tempi: ciò sarebbe esagerazione della *pubblicità*. Onde una chiara e naturale *limitazione* sua, che è circoscritta a quelle sole funzioni sociali che riescono d'interesse per tutti, e per la loro natura devono entrare in rapporto colla massa della popolazione. Ad esempio la legge frena a buon diritto le frivole intrusioni della stampa nei fatti intimi della vita domestica. Non meno ragionevolmente il diritto tutela i segreti dell'amicizia, le confidenti espansioni dell'intimità, e quindi punisce l'abusiva pubblicazione di corrispondenza, la violazione del segreto epistolare, ecc.

Bisogna d'altra parte soggiungere che di certe intromissioni del giornalismo fornisce giustificazione il principio *oportet ut scandala eveniant*, il quale è misura di sicurezza che impedisce mali maggiori e compressioni più fatali. Per questo è talvolta il giornalista, sia pure di rado, costretto, per amor della verità, ma specialmente per tutela del bene pubblico, a rompere il principio che la vita privata deve rimaner inviolabile: principio questo che, preso in senso assoluto, porterebbe all'assurdo.

infatti l'onoratezza della vita privata che assicura la virtù pubblica, e chi nella vita privata non serba moralità solleverà assai dubbî sulla conservazione di una illibatezza nella vita pubblica. Diversamente, la vita pubblica non sarebbe che una commedia (per vero troppo frequente) nella quale ogni attore si affannerebbe a parlar di rispetto alla fede conjugale, di coscienza, di doveri, ecc., senza credere una parola di ciò che dice. Onde la tendenza ad applicar il principio della massima pubblicità nella vita stessa privata delle persone prominenti nella vita pubblica.

III.

73. — Dalla massa del popolo sorge l'*opinione pubblica*, che è l'espressione delle idee, dei giudizî e delle tendenze del pubblico universale, ma sopratutto delle classi medie che giudicano con indipendenza ed apertamente. L'opinione pubblica nasce nella società col commercio degli uomini; di là si diffonde per mille vie nelle famiglie e nella folla, portatavi sopratutto dalla stampa che, dal canto suo, contribuisce a formarla. Sarebbe esagerazione ritenerla infallibile e sovrana, *vox populi vox Dei*. Essa passa da un estremo all'altro, *vulgus vult decipi; vulgus váriabile ac semper volubile;* è incostante, onde rivolgimenti rapidi; pronuncia giudizî superficiali e su semplici apparenze e si lascia facilmente trasportar dalla passione. Ma sarebbe errore contarla nulla. Altra cosa è considerar l'opinione pubblica come infallibile, ed altra il ritenerla come se non esistesse. Chi vuol esercitar un'azione qualunque sul corpo sociale deve, qualunque siano le circostanze, procurare d'averne l'appoggio. L'impulso stesso, pur vigoroso, dato dal potere, s'arresterebbe se l'opinione pubblica fosse contraria. Sta adunque il fatto che il corpo del pubblico, e così la pubblica opinione, che ne è la più efficace espressione, costituisce un tribunale che vale meglio di tutti i tribunali presi insieme. Si può finger di essere superiori alle sue sentenze, di presentarle sotto falso aspetto, ma ognun sente che questo giudice, benchè suscettibile d'errore, racchiude tuttavia in sè tutta la sapienza e la giustizia d'una nazione, e sempre decide della sorte degli uomini politici. Nulla può tener le veci del vero pubblico. Ad esempio, ai partiti manca sempre l'imparzialità, per cui, qualunque sia la condotta d'un uomo, ei sarà quasi sempre certo dell'approvazione degli uni e della contraddizione degli altri.

La pubblica opinione ha fatto sentire il suo peso particolarmente in Inghilterra: tra le più notevoli agitazioni possono citarsi quella per l'emancipazione dei cattolici (1829), per la prima riforma elettorale (1832), per la legge sui cereali (1846), per la seconda e la terza riforma elettorale.

74. — Il *giornalismo* costituisce il mezzo più potente che dà il tono, che determina le correnti sociali, che *forma e dirige la pubblica opinione.* Come tale, è organo più efficace che non la letteratura, la tribuna, la cattedra, la piazza, i *clubs,* ed altre consimili istituzioni pur dirette a potentemente eccitare, spingere o frenare le idee e sentimenti del popolo. L'azione di queste è invero meno universale, quanto al pubblico cui si dirigono, e meno efficace, quanto alla regolarità e comprensione sua, di quella della stampa, la cui forza cresce essenzialmente per la continuità dell'azione che si ripete a minimi intervalli di tempo, per l'adattamento suo ad un grande pubblico e pel contenuto capace di influire su tutte le direzioni del corpo sociale, in che si fonda, alla fine, il successo e la riuscita d'ogni tentativo. Sullo sviluppo moderno dell'opinione pubblica il giornalismo influisce attivamente coll'aumento e generalizzazione della coltura sociale, coll'agguagliamento fra' varî strati sociali, colle comunicazioni mondiali, mercè cui le classi e nazionalità, fatte meno divise, poterono riunirsi in una direzione comune e fonder in una sola la pluralità di correnti speciali.

L'azione del giornalismo è efficace sulla pubblica opinione in quanto fa sì che la notizia dell'abuso, effetto della sua sorveglianza continua sugli atti del Governo, sia prontamente e quasi contemporaneamente conosciuta dall'universale, e universale sia la riprovazione popolare. È pur efficace in quanto l'energia delle manifestazioni pubbliche si fonda sulla coscienza che ogni cittadino ha che i moltissimi partecipano al suo sentimento. Se così non fosse, ognuno chiuderebbe nel suo seno i proprî sentimenti per timore di trovarsi isolato. Ora la stampa fa sì che questa coscienza dell'universalità di un sentimento sia possibile, facendosi organo delle varie manifestazioni. Ed è per antonomasia quindi che può dirsi la stampa rappresenti la pubblica opinione, ossia il *massimo e più importante tribunale*. Nè si ritenga esagerata siffatta designazione, chè è una verità assai significativa, come lo indicano spesso le vittorie, in tutti i paesi e tempi, della pubblica opinione nei giudizî, sia dei giudici popolari che dei giudici togati. Qual altra è, invero, la ragione di proibire la pubblicazione di atti d'istruttoria penale prima che siano letti, se non quella di por argine all'influenza della pubblica opinione sul convincimento dei giudici?

Questo solo è che il giornalismo, pur rappresentando, nell'ordine costituzionale, una forza politica, chè a suo mezzo si esterna la pubblica opinione, non costituisce tuttavia un potere dello Stato, perchè la sua forza politica non si traduce in istituti, in organi costituzionali formanti parte del diritto pubblico positivo. Tale elemento fa difetto. Dire che l'organizzazione si attua con i corpi elettivi non istà, chè la pubblica opinione, quale corrente di idee dominante nel pubblico, e la stampa, quale suo strumento, fanno, è vero, sentir la loro influenza sulle elezioni, ma la base della funzione elettiva è anche diversa; della rappresentanza nazionale non può farsi un organo della pubblica opinione.

75. — Ma la *pubblica opinione* in tanto ha un *valore intrinseco* in quanto *s'accorda coi veri bisogni della vita e colla natura propria del corpo sociale.* È compito adunque del giornalismo di rischiararla, correggerla, sostituir ad un'opinione pubblica traviata un'opinione pubblica leale, naturale, a larga base popolare e sana. Spesso avviene che il popolo, per quanto buona sia la sua educazione, venga artificiosamente spinto, e con non meno raffinata arte mantenuto, in opinioni false e dannose. Non è difficile poi, in certi casi e con dati appoggi, organizzar addirittura un concerto della pubblica opinione, sebbene questa in fatto neppur esista. È una bassa menzogna per entusiasmare il pubblico. Evidentemente è un'opinione fittizia, prodotta da giornali disonesti, e che potrà essere sfruttata o dominata, ma nel caso può dirsi opinione pubblica dominante al momento, opinione pubblica della giornata, non duratura. L'opinione pubblica va dunque mantenuta, dalla stampa onesta, in quella direzione maggiormente rispondente ai varî interessi vitali della società, e devono invece porsi gli argini più resistenti ai mali incalcolabili dei suoi pervertimenti.

76. — *L'influenza e potenza dell'opinione pubblica è risentita, a lor volta, dagli stessi giornali,* i quali, per quanto splendide possano essere le qualità dei loro collaboratori e della redazione, devono però sempre appoggiarsi a quell'elemento : nel qual caso essi appajono, rimpetto alla prima, non tanto quali organi dirigenti, quanto piuttosto quali organi che preferibilmente si studiano di modificare e adattare l'influenza delle masse sui partiti e sulle forze dirigenti.

Se quindi la stampa cerca, per un lato, l'appoggio dei partiti, delle associazioni, dei governi, si sforza, dall'altro, di mantenersi costantemente a contatto col pubblico. Nè di questo può trascurare le manifestazioni che avvengono sotto forma di dimostrazioni popolari, decisioni, indirizzi, risoluzioni di *meetings,* ecc. Per ogni giornale singolo poi, qualunque sia l'autorità dei suoi articoli di fondo, contrastano a questi quelli di altri fogli che ne paralizzano il risultato; non può quindi un giornale, di fronte all'innumerevole quantità di pubblico che gli sta dietro, atteggiarsi tanto facilmente come se avesse il predominio sulla maggioranza del popolo o delle intelligenze.

Le masse popolari devono ben porsi di tanto in tanto sulla pubblica bilancia; e la stampa stessa non manca, chè ne ha bisogno, di appellarsi al popolo, alle masse, alla maggioranza, o, almeno, ai nomi che non si contano ma si pesano.

Una misura periodica dell'opinione pubblica si ha mediante le elezioni. Queste, specialmente negli Stati democratici, non hanno solo importanza per l'assegnazione dei pubblici uffici, ma qual mezzo di partecipazione alla cosa pubblica di tutto il corpo popolare, e come rafforzamento dell'autorità mediante le idee e la fiducia dell'intero corpo politico. Ora la stampa di tutti i partiti cerca spingere a manifestazioni del pubblico su tutte le quistioni, tendenze e indirizzi su cui il popolo deve pronunciarsi e sulla cui base le elezioni devono effettuarsi, e cerca di dominarle nel proprio senso.

Ma, indipendentemente da questo caso, sempre le aspirazioni dei singoli partiti e della stampa che li rappresenta attendono formalmente il momento più favorevole nell'avvicendarsi delle disposizioni del pubblico.

77. — Ogni *partito* il quale miri al successo deve similmente mantenere i suoi *organi della stampa,* chè sólo col suo mezzo si ottengono azioni istantanee sullo spirito e tendenze del popolo.

Gli stessi governi si valgono della stampa in tre differenti forme:

a) Mediante giornali speciali, fogli *ufficiali.*
Così fu dell'antico *Moniteur* francese, dello *Staatsan-*
zeiger prussiano. Limitati alla pubblicazione degli
atti dell'autorità e del potere, non presentano concetti politici. Sono politici quando prendono parte
alla discussione di affari sostenendo l'opinione del
Governo. Ma in tal caso vien turbata l'imparzialità
dell'esame, la polemica si converte in note o comunicazioni ufficiali e l'autorità resta compromessa.
In Francia, sotto il secondo impero, il foglio parigino *Le Pays,* nel dar notizia che era inalzato alla
dignità di giornale ufficiale del Governo, assicurava
che... *accostandosi più strettamente al potere, non ces-*
sava di aver le sue opinioni! Però, o mentiva o era un
ingenuo. In Italia l'avvento della Sinistra fece scomparire quei giornali privilegiati o ufficiali mantenuti sotto il dominio moderato. Per quanto onesti
e convinti i loro redattori, non potevano aver tutti
insieme un'influenza seria e autorevole in paese;

b) Mediante giornali *semiufficiali.* Però il carattere dubbio del foglio nuoce al suo credito e alla
fama dei redattori, che pone in una posizione incerta e li aliena quindi dal collaborarvi per non
essere immischiati nelle suscettibilità del Governo
e incorrer poi, nella diffidenza del pubblico. Spetta
a questa categoria la stampa sovvenzionata, quella
che vive dei denari del contribuenti, la stampa uffi-
ciosa, non ignota al nostro paese;

c) Vi è un *giornale ufficiale* per la *pubblicazione*
degli *atti* del *Governo;* nel resto la stampa è libera.
I ministri possono scrivere o fare scrivere nei giornali che loro meglio piaciono, ma come privati soltanto e a loro spese. Lo Stato conserva in tal modo
una posizione indipendente rispetto alla stampa, e
la libertà e l'uguaglianza, basi della discussione,
sono rispettate.

Questo è il sistema degli Stati schiettamente democratici, come Francia, Inghilterra, Stati Uniti.
In essi non vi sono giornali *ufficiali.* Il Governo,

per le sue inserzioni a pagamento, ha accordi con uno piuttosto che con altro giornale, ma ciò non implica che tal giornale sia organo che ne *rappresenti* il pensiero. Neppur vi si riconoscono giornali *ufficiosi*. Il prestigio della stampa indipendente li ha fatti scomparire. Solo la stampa libera della nazione, la stampa associata delle varie regioni sono gli unici organi riconosciuti.

IV.

78. — Ma tutte le vie della pubblica opinione, tutte le forme di manifestazione del popolo, e segnatamente il *giornalismo,* sono esposti, in ultimo grado, ai pericoli della *corruzione* e della falsità. Ciò potè far dire, esagerando, che i 5/6 di giornalisti sono menzogneri (Bebel al Reichstag germanico).

Nelle condizioni attuali la causa capitale della corruzione della stampa è lo sfruttamento e il monopolio suo per iscopi della speculazione capitalistica e di borsa. Solo la letteratura libraria si mantiene ancor sul terreno della libera concorrenza delle imprese editrici, dal che derivano serie guarentigie per la libertà delle produzioni scientifiche e letterarie.

La ragione delle diversità si è che sol a mezzo della stampa quotidiana si perviene ad essere conosciuti ed applauditi dalle masse. Inoltre il giornalista pensa, sente e agisce alla giornata e facilmente quindi si allontana dal lavoro spirituale serio e profondo. Poi, per la professione di un giornalista discreto, non è certo richiesta un'istruzione elevata. Segue pertanto che il giornalismo vien a degenerare con facilità, causa gli elementi equivoci che lo invadono senza che la loro personalità offra alcuna responsabilità speciale.

79: — Sta adunque il fatto che il giornalismo, specie quello delle grandi città, viene in gran parte ridotto nelle mani del capitale delle borse e delle banche, per trarne fonte di lucro. Chi vuole invero sfruttar i prezzi di piazza ed i corsi di borsa compra e paga giornali mediante cui agire energicamente sull'opinione giornaliera da cui dipende lo stabilire i prezzi stessi. La stampa che vi si presta riesce, almeno provvisoriamente, ad ingannare, raffreddare o riscaldare le impressioni del pubblico. Quanto più alto è il valore morale assegnato alla stampa, tanto più rigorosamente dev'essere condannato quest'abuso. Invece le grandi banche si mettono sempre più in possesso di giornali più diffusi, e il giornalismo a sua volta tende oggigiorno a diventar un'operazione sussidiaria dei grossi istituti finanziarî, con tristi influenze, non solo sull'economia pubblica, ma pur sulla vita politica e su ogni forma di civiltà. A proposito di certi giornali fu detto esservi una vera trinità nei loro articoli, chè gli uni lodano, gli altri ingiuriano, e i terzi non si rivelano, ma esservi unità in ciò che tutti sono pagati.

Da questa dedizione della stampa a favore di speculazioni private è breve il passo al traviamento dei governi stessi che pur col danaro s'inducono alla corruzione dei giornali per averne in mano la direzione del pensiero quotidiano, per vincer le correnti dominanti della pubblica opinione, spingerle in un qualche indirizzo, superare o neutralizzare quelle contrarie, porre impedimento alla diffusione di certe idee e notizie in quanto possano essere senza scopo od interesse, ovver pregiudicare il governo stesso.

Il male poi si ripercuote sull'opera del giornalista, la cui classe vien abbassata sino alla più misera condizione di proletariato, mentre egli diventa, nel pensiero, un retore o sofista stipendiato ai servigi del capitalismo delle borse e delle banche che lo sfruttano. Così gli scrittori giornalisti vendono il loro pensiero al miglior offerente e, tolte poche onorevoli eccezioni, convertono il più importante strumento di luce, la stampa, in uno strumento venale a favore dei partiti, e di demoralizzazione del popolo.

Una riforma che valesse a liberar la manifestazione dello spirito pubblico dalla pressione del capitale di borsa e delle banche, dallo sfruttamento degli annunzî, ponendo argine al ciarlatanismo nell'arte di governo, all'inganno del pubblico, al pervertimento del giornalismo, sarebbe un salutare provvedimento atto a colmar quelle lacune che la libertà della stampa lascia sopravvivere e ad allontanar le misure preventive od eccezionali dei sequestri, dei tribunali·eccezionali, ecc., le quali, pur non apportando alcun frutto, creerebbero, in più, la schiavitù politica della stampa quotidiana. Ricondotta la stampa alla sua vera funzione, nulla del loro intellettuale valore perderebbero i giornalisti, maggiore anzi si farebbe il rispetto di sè e la stima del pubblico, e le lotte dei partiti, specie di fronte ad un pubblico più istruito e meno raggirato, si condurrebbero su terreno più sano e con risultati più fecondi.

PARTE IV.

Il giornalista.

I.

80. — Quando la stampa ancora non esisteva, nè circolava il vero proprio giornale, viveva già il *cercatore di notizie,* il *newman inglese,* prima apparso in Inghilterra, per lo spirito di quella razza e la tendenza sua d'essere informata presto d'ogni cosa. Era un novellista di professione che andava qua e là raccogliendo notizie, raccontandole e distribuendole in foglietti scritti di sua stessa mano.

Quando poi la scoperta della stampa aperse la via ai giornali, i primi giornalisti si limitarono alla pubblicazione di quegli importanti avvenimenti che accadevano in un breve territorio, e che, cogli scarsi mezzi di comunicazione allora disponibili, potevano giungere a notizia dei raccoglitori di novità. Erano ordinariamente, in tempo di guerra, vittorie o sconfitte o movimenti di truppe; in tempo di pace, disgrazie, perdite di vite umane, epidemìe ed altri infortunî e casi che potevano offrir un interesse al pubblico dei lettori ed una buona fonte di spaccio al proprietario. Nessuno si occupava di raccogliere notizie di lontane regioni, e niuno, neppure l'editore del giornale, destinava altrove, per suo conto ed a scopo di informazione, alcun corrispondente. Che, se qualche rara notizia d'altri paesi si conteneva nel giornale, il proprietario la doveva a relazioni di viaggiatori, a lettere private d'amici, specie commercianti o ad altre persone a lui note. L'editore tutte le funzioni in sè concentrava: egli era, infatti, *redattore* del giornale, *proprietario, stampatore*.

È evidente però che l'accresciuto sviluppo del giornale, l'estensione dell'operosità in questo campo d'industria, determinata anche dalla speranza di maggiori profitti, e le aumentate esigenze del pubblico, avido di maggiori novità, doveano portare, nella formazione del giornale, ad una *divisione* di *lavoro*. Se dapprima raccoglieva il proprietario del giornale le sue proprie notizie, le redigeva e pubblicava, se poteva pur richiedere ad altri notizie mediante pagamento, e cercare annunzî, e così stampare e dar alla luce il giornale, e poscia smerciare il proprio prodotto, non poteva però questo durare a lungo. Anche oggidì nei giornali dove la divisione del lavoro non è molto progredita è tuttavia quest'ultima una inevitabile nècessità tostochè l'impresa abbia raggiunta una certa estensione.

Tale divisione di lavoro si produsse anzitutto nella raccolta delle notizie. Sebbene dovesse apparire conforme a natura che i giornali cominciassero ad informare sui fatti dei luoghi ove si pubblicavano, non poteva però il loro compito soffermarsi alla raccolta degli avvenimenti locali. Ciò avveniva nei tempi in cui gli ostacoli naturali di comunicazione, i divieti dei governi o le spese rilevanti per procacciarsi notizie dei paesi lontani e la poca coltura del pubblico tenevano in limitato campo l'opera del giornale, ma non fu più in seguito quando tali impedimenti si attenuarono o vennero meno, nel qual caso, se facilmente si riusciva ad essere ragguagliati dei fatti locali mediante comunicazioni di bocca in bocca, per le notizie da lontani paesi era inadeguata la comunicazione orale.

Un rimedio si offerse al proprietario del giornale colla distribuzione di funzioni. Egli mandò quindi agenti in lontani paesi, nelle città con porti di mare, nelle capitali, onde spedissero alla redazione, mediante la posta, regolari notizie sugli ultimi avvenimenti occorsi (Grasshof, *Die brieflichen Zeitungen des XVII Iahrunderts*, 1877: Scheible, *id.*, 1850; Zviedinek-Südenhorst, *id.*, 1873).

Così sorse una grande *distinzione* nel *personale di compilazione del giornale:* gli uni, e tra essi il proprietario medesimo, stabiliti nel luogo ove il giornale si pubblicava; gli altri in luoghi remoti, in qualità di *corrispondenti* da importanti città o piazze di commercio. E se prima l'editore del giornale era ordinariamente un librajo, a poco a poco esso si vide costretto ad abbandonare tale occupazione per dedicarsi esclusivamente alla pubblicazione delle notizie che i suoi corrispondenti gli mandavano, a cercar annunzî ed inserzioni e provvedere alla stampa e spaccio del suo periodico. E quando, fattosi il giornale quotidiano, l'adempimento di tutti quegli incarichi' divenne pel proprietario impossibile o disagevole, egli dovette commettere ad altri il lavoro di *stamperia*, tenendo sotto la sua direzione la parte *redazionale* e quella relativa alla *pubblicazione*.

81. — Ma anche ivi la separazione di funzioni era quistione di tempo. Due vie si presentavano: o curar i doveri della redazione, ovvero attendere all'edizione e amministrazione del giornale.

Da tale punto le due branche del giornale, la parte della redazione e quella della pubblicazione, poterono avere il loro separato sviluppo, ognuna con un proprio compito e con un proprio personale numeroso diviso e suddiviso.

Nella stessa parte redazionale, di cui talvolta il proprietario ritenne la direzione, sopravvenne tosto una divisione di funzioni, e così un accrescimento di personale in mezzo al quale la sorveglianza del primo si trovò ben presto fuori posto, specialmente per la insufficienza delle sue cognizioni a disimpegnare tale lavoro.

Egli vide d'altronde che i suoi interessi lo reclamavano alla direzione della parte economica, alla edizione e spaccio del giornale d'onde traeva i suoi lucri. Quanto alla redazione, l'interesse dell'impresa si limitava a curar la pubblicazione di quelle materie che valevano ad accrescere lo spaccio del giornale.

82. — La *divisione del lavoro* non tardò tuttavia ad effettuarsi. Certo vi fu un tempo, prima del 1848, in cui la non ancora sviluppata industria delle inserzioni, le fiscalità, la cauzione, la censura, ecc., tenevano così limitato il campo del giornale da rendere assai semplice l'apparato occorrente alla sua compilazione.

Ma nello stato attuale del giornale i doveri d'ogni singolo collaboratore sono di così diversa specie che una persona, anche di svariata ed estesa coltura, non potrebbe trovarsi in grado di adempiervi e di discorrere ad un tempo di politica, di teatri, di letteratura e di notizie del giorno. E questo può tanto meno esigersi dai *redattori* dei grandi giornali, chè, se così fosse, essi dovrebbero continuamente distogliersi da un lavoro per applicarsi ad un altro. Onde appare la necessità di un sufficiente personale, in guisa che chi si occupa adesso di letteratura o di recensione di libri, non venga pur chiesto a discorrere di critica teatrale o di arte. Che anzi la divisione del lavoro dovrebbe più oltre estendersi per modo che, se vi sono uno o più redattori per la politica interna, ve ne fossero altri per quella estera e possibilmente anzi che uno studiasse e trattasse magari in via speciale la politica francese, l'altro la germanica, e così via.

Le stesse osservazioni valgono per i *corrispondenti* e *reporters*. Ad un solo corrispondente è talvolta offerta una troppo estesa regione e quindi incerto e troppo oneroso è l'incarico assegnatogli.

D'altra parte per ottenere tale specializzazione nella redazione del giornale occorrerebbe un gran numero di personale dipendente, e così un grande costo di spesa. Se un corrispondente speciale venga incaricato, ad esempio, della politica francese, vi saranno giorni non pochi in cui nulla troverà a fare. Avviene quindi che molte altre attribuzioni, talora senza alcun nesso fra loro, vengono affidate ad una sola persona col rischio di una incompleta e insufficiente trattazione. Onde è che, di spesso, un corrispondente in una speciale materia, oltre all'opera che presta all'ufficio di un dato giornale, lavori pure e spedisca corrispondenze sulla stessa materia a giornali d'altre città. Tale sistema porta generalmente ad ottimi risultati. Specialmente quanto alla corrispondenza estera si è in ciò ottenuto un progresso sensibile.

Un solo corrispondente viene occupato da più giornali, e la specializzazione di trattazione ha in questo modo potuto conseguire progressi che prima non erano possibili. Il corrispondente d'una volta, come è ancor attualmente nei piccoli giornali, doveva estendere la sua operosità ad ogni imaginabile campo, e quindi occuparsi di materie in massimo grado disparate. Questo era allora il suo principale requisito. Ma dopo che la divisione si è estesa fino ad un certo grado e più oltre andrà, cominciò l'opera di redazione ad essere un lavoro di mente e ponderato, conforme, del resto, a quanto avviene nella divisione del lavoro applicata all'industria. Può quindi un tema essere ora maggiormente di prima trattato a fondo, con che il lavoro del giornale viene ad acquistare un'alta importanza, ad essere un fattore molto più valido ed efficace rispetto al concetto del giornalismo.

II.

83. — Esaminando brevemente una sola delle numerose rubriche in cui un giornale si divide, si trae la prova evidente che ai nostri tempi, di fronte al cumulo di lavoro, di notizie e di telegrammi che quotidianamente giungono alla redazione, è inutile parlare di calma e lenta elaborazione della materia che in breve intervallo si succede e che reclama pronta trattazione. Quanta non è infatti la materia che nella sola rubrica dei *fatti diversi* o delle *piccole notizie* viene ammassata!

L'abbondanza di novità che non riguardano la parte letteraria nè il campo politico acquista, per la loro breve trattazione, maggior attrattiva pel pubblico che non la grave ed ampia materia dell'articolo di fondo e delle corrispondenze.

L'influsso che il peso di tanta roba, specialmente quando vada distribuita in due o tre quotidiane edizioni, esercita sul lavoro del giornalista appare di per sè. Per articoli da inserire in un solo numero il redattore ha a sua disposizione un precedente termine di 24 ore, ma dopo l'introduzione di due o più edizioni giornaliere, deve, in poche ore, dare pronto il manoscritto da stampare per l'edizione successiva alla prima. Oggimai adunque non vale più il *lavoro meglio ponderato*, ma bensì la più *rapida relazione delle notizie del giorno;* aver l'ultima decisione di un Congresso, poter in brevi ore presentar un succinto ragionato resoconto della rappresentazione di una importante opera musicale, ecc., formano un decisivo criterio della superiorità di un giornale e della incontestata capacità e preferenza di uno rimpetto ad altro giornalista.

Il lavoro del giornalista è adunque copioso e grave. Un cumulo di materiale pesa ogni giorno su di lui come tema obbligato. Egli deve tutto vagliare, sulla scelta materia riferire nel giornale, traendone pure determinate osservazioni e giudizî, e questo nel più breve tempo. Se anche gli avvenimenti che il giornalista deve dominare presentassero la più alta importanza, non deve per questo egli rimanerne sconcertato, ma tosto, con rapido sguardo, apprezzarli e giudicarli. Tale costante lotta della sua mente col difficoltoso materiale che il mondo e gli eventi gli apprestano, sottopone la stessa ad una quotidiana ginnastica, e procura al giornalista tutti i vantaggi che un tale continuo insegnamento assicura allo spirito.

Anche nel pubblico aumenta la pretesa d'una pronta esecuzione del giornalistico lavoro. I giornalisti, specie dei grandi giornali, sono in gran parte politici di professione che servono liberamente l'opinione pubblica e influiscono sulla vita dello Stato. E certamente vocazione così importante domanda qualità rimarchevoli, un'educazione liberale, conoscenze estese.

Ma sopratutto occorre al giornalista un occhio sempre aperto che percepisca tutte le correnti del giorno, un'intelligenza penetrante che scopra i piani, i motivi, le intenzioni, poichè ogni lettore domanda al suo giornale di fornire immediatamente un'opinione su questioni che interessano talvolta il mondo intero. Ei gli perdona più volentieri l'errore che l'esitazione o l'incertezza del giudizio. L'attività del giornalista adunque non conosce tregua, la sua attenzione deve sempre essere sveglia, il suo avviso sempre pronto, per quanto poi i suoi migliori articoli non abbiano la vita che d'un giorno, e gli avvenimenti del dì dopo portino via seco fin la memoria delle trattazioni del giorno innanzi.

84. — Uno dei fatti che maggiore influenza ebbe ad esercitare sul nuovo carattere e compito dei giornalisti è stata l'introduzione delle *rubriche telegrafiche*.

Per opera loro non è oramai più lo scrittore ma il raccoglitore, l'espositore di novità e di ricchi particolari che nel moderno giornale ha decisiva preponderanza : non è più al concetto letterario dello scrittore, ma alla quantità e priorità di notizie potute avere direttamente o a mezzo delle agenzie che è subordinato il valore e il contenuto dei singoli numeri del periodico. Il redattore ha da fare con corrispondenti che, nel più dei casi, non conosce, ed i quali pure di lui nulla sanno, con materia il cui svolgimento entro breve determinato tempo vien a lui ad imporsi, con notizie che da un istante all'altro possono mutare e le quali egli deve sviluppare ed illustrare.

Anche pel lettore le corrispondenze e notizie telegrafiche divengono oramai più necessarie che quelle epistolari, e come legge le prime innanzi alle altre ed apprezza l'importanza delle comunicazioni secondo la forma nella quale vengono presentate, così giudica il valore e l'autorità del giornale dalla maggior estensione e numero delle notizie telegrafiche, e così pure, non alla stregua delle sue tendenze e morale sostanza, ma secondo l'entità delle spese per quelle incontrate. Lo stile e l'acconcio modo con cui le notizie si espongono hanno, pei lettori, poca considerazione , ricercandosi sopratutto da essi la copia e novità della materia prima. La possibilità di giornali composti esclusivamente o quasi di notizie telegrafiche, che non tanti anni fa sarebbe sembrata utopia, sembra oggigiorno, se non raggiunta, prossima a raggiungersi.

85. — Nè, come nota Carlo Verner, è soltanto *ciò che si offre*, cioè la *quantità* delle notizie, che vien in molta considerazione nel giornalismo, ma pur *come si offre*. Nella gran massa di ciò che interessa ogni colta persona torna impossibile portar alla desiderabile profondità tutte le nuove produzioni nei singoli rami della scienza e tutti gli avvenimenti che hanno relazione colla vita sociale. Il merito del giornalista, e ciò che ne comprova l'abilità e l'ingegno, sta invece nella loro giudiziosa scelta, nel serbar un intelligente ordine e nel metter in vista le cose più importanti e di maggiore interesse. E poichè la molteplicità e diversità delle trattazioni non può esser effettuata dai collaboratori d'un foglio solo, il quale rappresenta speciali idee, così ne deriva una varia gradazione di giornali che non puramente si dimostra in quelli politici, ma eziandio negli stessi giornali speciali. Perciò vi sono, ad esempio, giornali pedagogici che in materia d'istruzione e di educazione dei giovani seguono principî e insegnamenti fra di loro opposti; ma questo si riscontra in ogni altra materia, dove è naturale presupposto che ogni giornalista combatta in favore di quei principî che egli riconosce per migliori.

Da tutto questo appare che quelli i quali degnamente si dedicano alla professione di giornalista, debbono essere persone di non comune coltura, che non poco abbiano imparato nella pratica ed esperienza della vita, per poter servire d'illuminata guida e direzione dei lettori. Se talvolta però avviene che uomini di pochissima e deficiente coltura si applichino al giornalismo il quale pur richiede una seria preparazione, e passino per giornalisti persone che soltanto alle esigenze della grossa massa del pubblico possono servire ed i quali non la di lui cultura cercano ma unicamente il solletico della curiosità, con che vengono a seminar lo spregio sulla fama di quella professione, deve però pensarsi che nessuna umana istituzione si presenta senza difetti. *Multi sunt vocati, pauci electi.*

Nella maggior parte dei casi tali trattamenti si applicano nei giornali politici, dove i giornalisti, nella fretta e premura del momento, scrivono senza destinar alla concezione e trattazione del contenuto la cura di cui questo abbisogna, contenti soltanto se, nella molteplicità degli interessi, possono, su ogni singola importante circostanza, intrattenere, anche con superficiale sguardo, i loro lettori, e se questi riescono a render informati delle novità in tutti i più notevoli campi.

86. — Riman poi vero pei giornalisti, come è per ogni altra professione di qualche importanza, che anche il migliore insegnamento derivante al loro intelletto dal permanente e intenso lavoro, non può facilmente portar vantaggi se essi non posseggono da natura un gagliardo ingegno, chè lo studio e l'attività possono bensì migliorare la preesistente capacità dell'uomo, ma non crearla addirittura se egli ne fu privo.

Ora il giornalista ha, per compito, il quotidiano dovere di affrontar e risolvere un ammasso di quistioni, anche quando egli non si trovi in grado di trarre, dalla limitata misura della sua capacità, la soluzione più adeguata. Eppure si presentano ivi altrettanto gravi difficoltà quanto in ogni altro campo della vita, sebben la materia principale e ordinaria del giornale sia costituita da trattazioni di misura media. Ma anche in questi più favorevoli casi, poichè non sono rare le quistioni che eccedono la forza intellettuale del giornalista e che egli non può dominare colle ordinarie cognizioni acquistate, egli cerca supplirvi, ed arrivare al fondamento delle cose, valendosi dell'altrui appoggio, e ricorrendo alle cose già pensate e scritte sullo stesso argomento ; donde un'evidente uniformità di pensiero, una ancor maggiore simiglianza o identità d'espressione e di stile, le quali rendono macchinale l'opera dello scrittore, come macchinale ne diventa la lettura.

Altro più grave pericolo, messo in rilievo dal Wildenbruch, minaccia il giornalista quale collaboratore del periodico. Lo scrittore ordinarïo di libri, che si produce al mondo, si presenta solo. Niuno sta dietro di lui ad appoggiarne la parola, i giudizî; egli fa quindi esclusiva fidanza su quanto scrive.

Ma, quanto al giornalista, sotto·i concetti espressi nelle colonne del giornale sta il giornale stesso con tutte le sue vedute e colla sua autorità. E certamente chi pensa e ragiona, non per sè solo, ma per cento e mille, vede accrescersi il suo sentimento e rinforzarsi e rinvigorirsi, mentre i suoi giudizî vengon poi ad acquistar un'eco ed un'importanza che, misurate solo alla stregua della persona che li emette, non potrebbero certo aspettarsi. Sentirsi poi capace d'aver subito fra mani, su d'una notizia telegrafica ricevuta, tutte le occorrenti cognizioni, e poter subito prendere, per così dire, posizione, e il proprio modo di vedere e le proprie opinioni su questioni che magari interessano il mondo intiero, così esporre e presentare in modo da formare, almeno pel giorno, la veduta e l'opinione d'una innumerevole quantità di lettori, è certo lavoro di spirito che può misurarsi, per gravità ed importanza, con ogni altra umana attività della mente e che può render fiero chi lavora in tal campo. Ma appunto perciò non dovrebbe alcuna persona essere giornalista quando chiaro appaja che il valore dei suoi giudizî non possa in lui stesso ricercarsi, ma unicamente nel credito e autorità acquistati dal giornale ove quei si contengono. È a questo grave errore sulla coscienza della propria capacità che va ascritta la meschina quotidiana produzione giornalistica dove difetta la conchiudente e persuasiva parola di vere personalità, e manca quindi ogni fondato diritto per emettere con sicura conoscenza certi determinati giudizî.

Anche qui può un miglioramento ottenersi, non però esteriormente, con rimedî legislativi, ma solo internamente. Fu proposto che la professione di giornalista dovrebbe lasciarsi esercitare unicamente dalle persone la cui capacità sia comprovata da esami di Stato, ecc. In siffatto modo, oltre ai rimanenti dottori, si avrebbero anche dei *doctores politici e doctores litteraturæ*. Ma tale restrizione sarebbe senza vantaggi. Anche nei pubblici impieghi, nell'insegnamento, nelle arti salutari, ecc., v'è chi esercita onoratamente la sua professione e per essa vive, e vi è chi invece ravvisa nel proprio ufficio un campo da sfruttare, una vacca da mungere: soggetti venali ed abbjetti che mancano al loro compito, per quanto in grado di presentar certificati d'esame, di legittimazione e via.

Dell'*indipendenza* dei giornalisti già fu discorso, e discorreremo ancora. Certo però s'incontrano in questo campo lavoratori che non ritrovano la dovuta alterezza e che facilmente pongono la loro penna alla mercè d'ogni padrone senza distinzione; ma avviene in questa professione, non diversamente che in ogni altra. Del resto, quanto si dice della venalità dei giornalisti si fonda per tre parti su di un'arbitraria supposizione, per la quarta parte su casi eccezionali e in bene limitata sfera. Non raramente la venalità e corruzione vengono a verificarsi pur altrove, ad esempio in materia di banca, nella politica, nei Parlamenti. Non si faccia quindi tanta ingenua meraviglia della giornalistica collaborazione, la quale invece non ha altra risorsa che quella derivante dal proprio lavoro.

III.

87. — La stampa periodica, onde adempiere al suo ufficio democratico di censura degli abusi, deve poter conservare il privilegio dell' *anonimo :* bisogna che i cittadini possano portare a cognizione del pubblico gli abusi che si commettono, senza essere costretti ad apporre la firma ai loro scritti, evitando quindi di esporre il proprio nome alle vendette altrui o delle persone da cui dipendono.

Sarebbe pur difficile, coll'obbligo della firma, usare quello stesso franco e reciso linguaggio che può tenersi quando lo scrittore resta incognito. Inoltre la posizione sociale, l'ufficio occupato e l'indole del soggetto da trattare sarebbe, per molti, ostacolo insuperabile a collaborar nei giornali. Per ultimo si ottiene l'esame objettivo, e secondo il suo valore intrinseco, dello scritto, mentre in caso di firma il pubblico giudicherebbe di preferenza secondo la fama dell'autore, il quale, se ne godesse il favore, causerebbe giudizî non esatti e parziali.

D'altronde, pur logicamente il diritto dell'anonimo si presenta incontestabile, chè lo stampare anonimo non è cosa in sè pregiudizievole ad alcuno, nè può quindi negarsi al cittadino di far quell'uso che crede delle proprie facoltà finchè non reca danno agli altri.

Chi ha, del resto, conoscenza della pratica giornalistica sa che nelle pubblicazioni di qualche importanza raramente la parola decisiva vien affermata da un solo collaboratore. Quanto l'autore di un articolo di fondo scrive, fu già precedentemente discusso co' suoi colleghi, la sua trattazione viene pure da essi esaminata e modificata ; un articolo passa, in tal modo e spesso, per così numerosi ritocchi, da non rappresentar più l'opera di un solo autore, mentre almeno la forma da uno e il contenuto da altro collaboratore vengono determinati.

Onde l'uso, nelle trattazioni politiche, di adoperare, anzichè il distintivo *io*, quello plurale *noi*, quasi a dinotar che non è più il singolo redattore che ragiona, ma la morale persona del giornale.

Adunque la collaborazione nella stampa politica, esplicandosi diversamente da altre forme di letteraria attività, non deve essere giudicata alla stessa stregua. Lo scrittore di giornali non dà, come quello di libri, impronta letteraria e individuale al suo lavoro, chè lo considera una manifestazione delle opinioni pubbliche di quel partito al cui servizio si è posto. Egli mira a risultati che nulla hanno a fare colla sua personalità.

Sotto lo scopo a cui il giornale tende, scompajono le persone che hanno accettato, nel redigerlo, di curarne gl'interessi. Onde è che la responsabilità del contenuto negli articoli di cui è composto il giornale si concentra in una sola persona, quella del redattore-capo o direttore, al cui accordo e direzione è condizionata l'operosità dei varî conredattori. È pure su tale responsabilità che si fonda comunemente e praticamente lo straordinario diritto del direttore di recar, alla trattazione destinata ad essere pubblicata, certe modificazioni e miglioramenti affinchè la materia svolta venga posta al disopra della forma e la politica al disopra delle considerazioni letterarie.

Bisogna adunque che il pubblicista, al par che i lettori, abbia una giusta, elevata idea della impersonalità del giornalismo. In Inghilterra ed in Germania, dove tale sistema è da anni seguìto, si ottengono migliori frutti che altrove, rendendo specialmente difficili le contese private. Il far invero figurare la persona che scrive è l'origine precipua delle quistioni fra giornalisti e dei duelli che ne seguono, specialmente per la maggior passione che inevitabilmente suscita il parlar assai più in nome proprio che in nome del giornale, e pel maggior impegno personale che vi mette l'autore.

88. — In Francia la Legge 16 luglio 1850 voleva
che ogni articolo di giornale fosse firmato, ma tale
disposizione, per quanto non espressamente abro-
gata, cadde in dissuetudine, nè fu più riprodotta
nella Legge del 1881. I fautori dell' obbligo della
firma ritennero dovesse lo stesso ivi mantenersi e
sanzionarsi, tanto più che, colla soppressione della
cauzione, la legge sostituiva la responsabilità individuale e personale alla responsabilità collettiva e
pecuniaria del giornale. Che dir, infatti, d'un uomo
che, volendo parlar in pubblico, riunisse attorno a
sè uditori e pretendesse rimanere, dinanzi a loro,
col viso coperto d'una maschera? Anche Holtzen-
dorff riprova vivamente l'uso dei giornali inglesi
di tenersi anonimi, stando, secondo lui, nell'obbligo
della firma, la miglior garanzia per lettori e scrittori.

Senonchè, se è vero che il sistema della firma può
rendere utili vantaggi, specialmente escludendo dal
giornalismo chi non vuol assumere la responsabilità
dei proprî atti liberamente compiuti, o chi non può
offrir l'esempio d'una vita onesta, e rendendo poi
difficile il mercato della propria penna e certi venali mutamenti d'idee che sconvolgono il buon senso
del popolo, è pur vero che esso presenta il grave
inconveniente di apportar impedimenti alla stampa
o alla divulgazione delle manifestazioni del pensiero,
ripristinando, in certo modo, restrizioni preventive.

Onde è che la maggior parte degli scrittori si
pronuncia favorevole all'anonimità.

Questa è assai largamente osservata, per consuetudine universale ed antica, nel giornalismo inglese, dove è uso costante, non solo di non firmar
mai i proprî articoli, ma di tener in geloso segreto
il nome dei redattori politici, tanto che essi sono
conosciuti soltanto al direttore, e giammai accade
sentirli pronunziare negli uffici e vederli scritti
sui libri.

Pure negli altri paesi lo scrittore della parte politica resta. per regola, sconosciuto e l'individualità sua si nasconde sotto la morale persona del periodico.

Anche pochi dei giornali americani, specie autorevoli. usano far figurare il proprio nome sotto gli articoli; gli autori figurano soltanto nei fogli settimanali aggiunti ai quotidiani, o nei fogli letterarî e di racconti.

89. — Niun vantaggio può tuttavia derivare dall'*anonimato in materia letteraria, artistica*, od in altro genere di *critica:* sotto l'anonimo si nasconde. in tal parte, soltanto l'ignoranza o la viltà. Senza di esso non sarebbe possibile, accanto ad imponenti produzioni giornalistiche di sicuro valore, rinvenir l'attuale sovrabbondanza di vane e superficiali trattazioni.

Ognuno. che sia passabilmente famigliare col sistema vigente in pratica, sa con quanta leggierezza gli uni scrivano recensioni di libri che non hanno neppur letto ; gli altri giudichino della rappresentazione d'un'opera senza possedere alcun criterio drammatico o musicale. E questo accade. non solo in giornali d'ordine secondario. ma pur in rispettabili riviste settimanali o mensili. le quali danno. così. solenne smentita alla loro stessa objezione che la redazione assume, col suo nome e autorità, la responsabilità pei lavori dei suoi non conosciuti collaboratori, mentre invece un tal controllo non potrebbe anche il più assiduo e versato redattore far valere.

Soltanto adunque l'indicazione del nome dello scrittore assicura il giornale dall'intrusione di cattivi elementi, e gli autori ed artisti da sfrontati e temerarî giudizî. Anche la scusa, così spesso invocata, che il nome nulla influisca sulla sostanza è di poco peso. Infatti il pubblico non ha, nel più dei casi, l'appoggio della propria esperienza ed istruzione per portare un coscienzioso esame sulle cose ch'ei legge. Come potrà ora lasciarsi convincere dalle parole d'un anonimo?

I giudízî d'arte non sono tali da dimostrarsi e convincere per sè stessi come i principî di matematica, ma persuadono ed acquistano valore per la personalità di colui che li emette: la persona del giudice dichiara e caratterizza il giudizio. D'altronde quale apprezzabile ragione può l'uomo onesto addurre per sottrarsi al principio della responsabilità del suo giudizio, per non unir a questo il suo nome e con aperto viso sostener il primo, tanto più che un simile dovere è imposto dal rigore e dalla lealtà della critica? Una lode può da un ignoto mandarsi, non un biasimo. Si usa, è vero, in gran numero di giornali, segnar gli articoli di collaboratori con cifre, iniziali e simili. Ma che significa questo se l'articolo non contiene altro che sveli l'autore? Che indica una croce, una stella, un'iniziale? Il pubblico non vi fa caso, chè da tali segni non conosce il loro autore. Anche lo conoscesse, ciò sarebbe nello spazio d'una città o regione, ma non fuori di tali limiti.

Ora, se non può l'ignoranza o la malevolenza di un critico anonimo gran che pregiudicare un'opera di pittura, di poesia o di musica nel luogo di pubblicazione del giornale, dove ognun sa chi quello sia, fuori però il di lui voto rappresenta semplicemente il *critico*, nel qual caso, come si estende il campo della vanità, ottengono pure le nullità, a mezzo dell'anonimo, un'importanza capitale.

Ma specialmente nelle piccole notizie, che senza alcuna responsabilità la schiera dei corrispondenti anonimi di giornali d'altri luoghi spedisce per tutte le direzioni d'uno Stato, si accumula tale quantità di superficialità e frivolezze in materia di critica, che nessun altro riparo contro tale abuso del moderno giornalismo può aversi se non obbligando i mittenti di corrispondenze alla dichiarazione del loro nome.

IV.

90. — Al giornalista torna di somma importanza ogni facilitazione nel godimento di certe istituzioni pubbliche e delle vie di comunicazione mediante cui si agevola il compito della stampa.

Vi sono anzitutto delle *istituzioni* il cui uso, *gratuito o no,* è altrettanto libero ad ognuno quanto le *res publicæ.*

Si ha il primo caso *(uso gratuito)* nelle collezioni pubbliche, come gallerie di quadri, musei, biblioteche, ecc., su cui esiste, in diritto, e non soltanto in fatto, un *usus publicus,* chè *res publico usui destinatæ;* sicchè niuna persona, e tanto meno il giornalista, deve incontrar rifiuto, se non concorrano giusti motivi di decenza pubblica, es., ubriachezza, ecc.

Sono invece istituzioni a disposizione del pubblico mediante *pagamento* le imprese pubbliche di trasporto e di comunicazione (ferrovie, poste, telegrafo, telefono, ecc.). Qui si domanda se abbia *quivis ex populo* il diritto di servirsi di tali stabilimenti, e se sia arbitrario il rifiuto non giustificato almeno da ragioni di convenienza.

91. — La questione fu già proposta in Inghilterra nel 1870, a proposito delle *ferrovie.* Il giudice Martin, della Corte dello Scacchiere, opinava potersi, nelle concessioni, stabilire quel principio e imporre conforme obbligazione alle società, che però *de jure* non sussiste alcun obbligo, e che chi venga in detto servizio respinto dalle società ferroviarie, non possa azionarle. Ma l'altro giudice, Bramwell, ritenne che le ferrovie possano soltanto esigere che il passeggiero si uniformi, quanto al trasporto, alle condizioni prescritte, ma non possano escluderlo da tale diritto. Così la risposta si manteneva contradditoria nel punto più essenziale (Meili, *Telephonrecht,,* p. 154).

La giurisprudenza d'America sancì, rispetto alle *ferrovie,* il principio che nessuno possa essere escluso dal valersi di questi pubblici stabilimenti di servizio. Siffatta obbligazione non è però sufficientemente dichiarata neppure nel suo positivo diritto (Kent, *Kommentaries,* III, p. 459).

In Italia invece l'art. 2 delle tariffe e condizioni di trasporto, ecc., annesse alla Legge 27 aprile 1885, fa obbligo all'amministrazione di eseguir... i trasporti di persone e di cose che le vengono richiesti...; l'art. 3 le impone che i ribassi e le facilitazioni abbiano luogo a favore di chiunque ne faccia richiesta e si trovi in parità di circostanze; l'art. 40 nega l'accesso ai convogli per le persone che ricusino di sottomettersi alle prescrizioni d'ordine e di sicurezza del servizio, che offendano la decenza, ecc.

92. — I principî sovraesposti si applicano, per identità di ragione, alle *materie postali,* anche quando non ivi espressamente formulati, tanto più in vista del monopolio legale assicurato all'amministrazione. La Legge postale germanica 28 ottobre 1871 ha però una norma esplicita secondo cui l'accettazione ed il trasporto di spedizioni, e specie l'ammessione dei *giornali politici* all'abbonamento, non possono dalla Posta venire ricusati se furono osservate le norme prescritte. L'accenno alla stampa politica fu per frenare gli ostacoli che il Governo, come del resto è negli altri paesi, suscitava contro la circolazione dei giornali d'opposizione.

93. — Anche quanto al diritto di trasmettere *telegrammi,* che è materia strettamente legata colla precedente, si invocano in America le disposizioni sulla *common carriers* e che quindi sia conveniente che l'amministrazione telegrafica si trovi sottoposta alle stesse obbligazioni delle società ferroviarie.

Vi sono per altro leggi di varî Stati che hanno speciali disposizioni. Così lo Stato di Iowa contiene, in una legge del 1860, una regola apposita sull'obbligo di accettare e trasmettere fedelmente e senza dilazione i telegrammi. Nella Luigiana una simile ricusazione è repressa con pena e risarcimento di danni, e così è pel Codice penale di New York (art. 381).

Ma anche numerose leggi di Stati d'Europa riconoscono la stessa obbligazione. Così per l'art. 1 della Legge svizzera 7 agosto 1877, « l'amministrazione della Confederazione assicura ad ognuno il diritto di corrispondere mediante telegrafo nei limiti di esso ». In Russia la legge sui telegrafi (art. 10) riconosce a tutte le persone e a tutte le istituzioni il diritto di corrispondere col mezzo del telegrafo. In Francia la Legge 29 novembre 1850 concede ad ogni persona, la cui identità sia stabilita, di corrispondere per via telegrafica a mezzo dell'amministrazione dello Stato incaricata di tale servizio. Conformemente dispongono le leggi inglesi, portoghesi, olandesi ed altre varie. La recente Legge 6 aprile 1892 della Germania prescrive che chiunque ha il diritto, col pagamento delle relative tasse, di spedire telegrammi mediante le amministrazioni pubbliche incaricate di tale servizio. E lo stesso regolamento telegrafico internazionale di Parigi del 21 giugno 1890, esteso con Regio Decreto 21 luglio 1891 alla corrispondenza nell'interno del Regno, e quello più recente approvato nella conferenza di Budapest del 22 luglio 1896 e reso esecutorio con R. D. 20 marzo 1897, dichiarano che l'uso dei telegrafi internazionali compete ad ogni persona.

94. — Uguali principî valgono eziandio nella materia dei *telefoni*. Se lo Stato tiene regolarmente in sue mani il telefono, o ne delega l'esercizio, deve anche curare che il suo uso sia tale da corrispondere alla tendenza sua che è di essere un istituto a favore del pubblico in genere e quindi pure dei giornalisti. Se questa obbligazione si applica a tutti gli istituti che hanno per iscopo il conseguimento di utilità pubbliche, come le ferrovie, le poste, i telegrafi, deve senza dubbio estendersi ai telefoni. L'amministrazione, od ogni altra pubblica impresa di tal genere, deve, in forza d'una pubblica giuridica obbligazione, contrarre con chi si presenta. Non è retto voler qui porsi sul terreno esclusivo del diritto privato; ciò facendo si disconoscerebbe lo scopo ed il significato di simili istituzioni. Non può quindi dirsi che là dove l'obbligazione non è legalmente costituita debbano decidere le norme del diritto privato che assicurano nella conclusione dei contratti la completa libertà. Qui si tratta invece di un vero ed efficace dovere giuridico imposto alle pubbliche amministrazioni, e quindi di un reale diritto del pubblico per ottenerne l'adempimento. Certo miglior modo per evitar quistioni sarebbe di includere quei principî giuridici nelle leggi positive e proclamare il riconoscimento esplicito e positivo, a favore di qualunque privato cittadino, del diritto di valersi dei telefoni istituiti a pubblico uso.

In Italia già nel capitolato per concessione di linee telefoniche (di cui in Decreto 1.° aprile 1883) fu disposto, all'art. 14, che il concessionario non possa rifiutare a chicchessia l'abbonamento, e l'uso degli uffici pubblici... La Legge 7 aprile 1892 impone che la tariffa sia uguale per ciascuna categoria di utenti (art. 17); il Regolamento 16 giugno 1892 ordina l'accettazione delle domande di conversazione sino alla fine dell'orario, e che non si possa chiudere prima dell'esaurimento delle domande accettate. Nel concetto di queste disposizioni è compreso pur l'obbligo di soddisfar i richiedenti secondo il proprio turno e senza altra preferenza che quella riconosciuta dall'art. 24 del Regolamento ai funzionarî pubblici che hanno diritto di emettere telegrammi di Stato.

95. — Quanto alle conseguenze derivanti dalla violazione degli obblighi suaccennati, sarebbe sufficiente una disposizione legale che accordasse, in caso di rifiuto, il diritto di chiedere un eventuale *risarcimento*

di danni. In tali materie deve al contrario specialmente curarsi che ogni abuso di quel principio
giuridico porti seco conseguenze civili. Ogni altro
procedimento sarebbe disconoscimento e negazione
del diritto. Basterebbe quindi si dicesse nelle leggi
che la violazione di quei doveri trae con sè il risarcimento dei danni in una somma prefissa, come
infatti hanno disposto la maggior parte delle legislazioni d'America e segnatamente il Codice civile di
New York (§ 1166).

96. — L'obbligazione di cui si tratta, non solo
sussiste anche in forza di disposizioni di legge per
le imprese che servono ai bisogni del pubblico e le
quali generalmente godono o di un *monopolio legale*, o soltanto di un *monopolio di fatto,* ma pure
per ogni comune caso di *offerta al pubblico.*

Spesso il pubblico è richiesto di contrarre una
locatio conductio operis: così negli annunzî di teatri,
di concerti, balli, bagni, ecc. Ora qui vi è offerta
al pubblico se la prestazione ed il prezzo sieno sufficientemente designati; e di ciò non può dubitarsi.
Ad esempio, nei teatri vi sono categorie di posti e
diversi prezzi, ma l'indeterminatezza loro è solo
apparente. Quindi anche nelle imprese teatrali il
contratto non vien ad essere concluso soltanto
quando il biglietto sia consegnato, ma prima, col
fatto della sua richiesta, a diversità di quanto accade nelle ordinarie private offerte. Ma oltre a ciò
v'è pur la differenza che l'accettazione dell'offerta
pubblica può essere respinta *ex justa causa.* Questo
sarebbe se si richiedesse allo sportello d'un teatro
un biglietto per posti numerati i quali sieno già
però tutti collocati. L'offerta va infatti apprezzata
a misura della disponibilità ancora esistente della
cosa, o provvista, o servizio, al tempo dell'accettazione.

97. — Si disputa ora *se le imprese di teatri* o
concerti o altri spettacoli *possano respingere* gli
individui che cercano di assistervi allo scopo di

fare disordini, ma più specialmente i *critici di giornali* che più. volte abbiano sfavorevolmente giudicata la rappresentazione. Può ricusarsi loro la vendita del biglietto? Vi è incertezza nella dottrina (Ihering, nei suoi *Annali*, v. 23, p. 276; — Biermans, ivi, v. 22, p. 313; — Guichard, *Legisl. des théâtres en France*, 1880, p. 178).

Le imprese teatrali, essendo sottoposte per loro stessa natura alla critica del pubblico e della stampa, non possono lagnarsi ogni qualvolta le loro produzioni sieno segnalate al pubblico dai giornali in modo sfavorevole. Una critica che sempre lodi non istà. La giurisprudenza francese ebbe, in riguardo, a dichiarar illegittima la convenzione che ha per oggetto la riuscita d'uno spettacolo mediante spettatori salariati onde applaudiscano. Per altro, se abbia il critico agito, non punto coll'intenzione di informar il lettore sul valore della rappresentazione, ma allo scopo, ad esempio, di vendicarsi d'una pretesa mancanza di riguardo di cui fu oggetto, ed abbia abusato quindi della sua posizione per offender direttore o personale del teatro e nuocere all'impresa, allora questa non è tenuta a fornirgliene ulteriore occasione, ed anzi sarebbe fondata a domandar pure i danni per simili pubblicazioni. Il carico della prova deve però incombere alla medesima.

La quistione di cui si tratta fu varî anni fa oggetto di discussione nella stampa a proposito appunto di imprese teatrali. Un giornalista incaricato del resoconto di rappresentazioni in uno dei teatri di Berlino aveva, co' suoi apprezzamenti critici, eccitato il malcontento della direzione. Egli si vide rifiutare il biglietto, e fu avvisato che la direzione glielo avrebbe negato pure in seguito. Il giornalista fece prendere il biglietto da altra persona, ma il personale di servizio gli impedì ugualmente l'accesso. Ora, che una direzione non abbia punto tal diritto, non vi potrebbe essere dubbio. Chè, come essa non può ricusare ad una persona determinata un biglietto del teatro, maggiormente non potrebbe ricusar l'entrata a chi si presenta munito d'un biglietto da essa rilasciato. Vendendo tal biglietto, essa ha contratto un'obbligazione che deve adempiere a riguardo d'ogni detentore, chè i biglietti di teatro possono, secondo la prevalente dottrina, assimilarsi ai biglietti al portatore. L'impresa non può interdir l'entrata se non quando esista, nella persona del possessore, un motivo che giustifichi la proibizione nell'interesse degli altri spettatori (esempio ubriachi, o persone con abiti indecenti) o dell'impresa stessa (critico sleale e vendicativo). L'essere i biglietti teatrali titoli al portatore, non toglie, a chi li emette, il diritto di opporre tali eccezioni personali al loro esibitore. Ma fuori di simili casi l'impresa commette un atto arbitrario, per cui non basterebbe la riparazione pecuniaria mediante restituzione del prezzo del biglietto acquistato. I tribunali hanno sempre, in tali fattispecie, accordato il risarcimento dei danni. Così fece il Tribunale di commercio di Parigi (sentenza 27 febbrajo 1837): Schlesinger, editore di musica e redattore capo della *Gazette musicale*, volendo assistere alla prima rappresentazione del *Postillon de Lonjumeau* per farne resoconto, ed avendo avuto da un amico un posto numerato, al presentarsi col biglietto da lui firmato ebbe risposta che l'amico suo non aveva quella sera diritto al posto; cosa pienamente falsa. Schlesinger, uscito, ed incontrato altro amico, si fece da lui cedere il biglietto acquistato per uno scanno. Venne però nuovamente respinto con dichiarazione che la direzione non voleva permettergli assolutamente accesso al teatro. Fu addotto come causa del rifiuto che Schlesinger aveva, nella *Gazette musicale*, criticato apertamente l'amministrazione. Indi lite, e condanna della direzione del teatro a Fr. 500 per danni, oltre l'affissione della sentenza. Consimili decisioni, colla pronuncia ai danni a profitto di persone munite di biglietti di favore o di biglietti rilasciati dall'autore, emisero pure il Tribunale di commercio della Senna 3 gennajo 1839 e il Tribunale civile della Senna 20 giugno 1861.

98. — Quanto alla corrispondenza telegrafica o telefonica, in due certi e determinati circoscritti casi trova lo Stato un giusto motivo per *sospendere la trasmissione di tale corrispondenza.*

Questo si verifica:

1.º *Quando vi siano ragioni d'ordine pubblico.* Le varie leggi sui telegrafi concedono alle amministrazioni il diritto di escludere le loro linee in tutto od in parte dalla trasmissione delle corrispondenze ove quel caso si presenti. In Germania tale facoltà è pure espressamente estesa alla telefonia. Il diritto vantato dallo Stato di esercitare una censura sulle comunicazioni private è completamente discrezionale. Chiunque paga la tassa stabilita, dovrebbe aver diritto alla spedizione dei telegrammi conformi alla legge, e pur all'ammissione della telefonica corrispondenza per le diverse linee che sono a servizio del pubblico. Ma esclusioni da questo godimento sono appunto eccezionalmente riconosciute per motivi di pubblico interesse. Non tutti però concordano sulla legittimità della limitazione. Ancora nella discussione della recente Legge telegrafica della Germania del 6 aprile 1892, furono elevate objezioni contro la stessa onde ottener senz'altro la trasmissione di notizie d'ogni genere. Fu pur proposto, a garanzia del pubblico, che in caso di illegittimo rifiuto da parte dell'amministrazione telegrafica, dovesse questa sottostare al risarcimento dei danni. Ma siffatte precauzionali proposte vennero respinte.

2.º Quando taluno voglia servirsi della telegrafica o telefonica corrispondenza per *ingiuriare o divulgar notizie false* che preoccupino il pubblico. In coerenza all'assoluto diritto riconosciuto, in simili circostanze, all'amministrazione, possono i suoi uffici di partenza, dei luoghi intermedî e d'arrivo, respingere ogni singolo telegramma il cui contenuto urti la legge o possa considerarsi inammessibile per considerazione d'interesse pubblico o di pubblica moralità.

Evidentemente spetta all'amministrazione l'apprezzamento sulla sussistenza o meno di quelle condizioni. Nel caso peraltro in cui soltanto una parte del telegramma sia inammessibile alla spedizione, deve esso venir tutto respinto, non competendo al pubblico funzionario la facoltà di mutarne il testo o di cancellare parole non lecite.

È speciale dovere del pubblico ufficiale di revisione volger lo sguardo, nel luogo stesso di destinazione, ad ogni telegramma, onde acquistar la convinzione che esso non offende, quanto al suo contenuto, le prescrizioni sopra indicate. Parrebbe che l'invio di telegrammi in tali circostanze sia senza scopo, poichè il giornale non potrebbe ad ogni modo riportarli. Ma non è così. Non è identica infatti la posizione dei due casi, nè identico può esserne il risultato. Rispetto alla *pubblicazione*, è arbitro e giudice, in primo luogo, il redattore del giornale che vede se sia il caso di effettuarla; in secondo luogo, il funzionario dell'accusa che può mettere in moto l'azione penale; rispetto alla *trasmissione* del telegramma al luogo dove il giornale si pubblica, è materia esclusiva del corrispondente in primo grado, e secondariamente dell'ufficio telegrafico.

Per quanto si riferisce al telefono, la censura deve soltanto allora trovar applicazione quando le comunicazioni vengano fatte a mezzo degli uffici pubblici, e non quando la conversazione avvenga direttamente, ad esempio, tra corrispondenti e redattori.

99. — In ordine alle agevolazioni concesse o nenessarie alla stampa nella materia presente, fu più volte proposto di sollecitar dai governi *prezzi ridotti sulle ferrovie pei viaggi dei giornalisti.* Certamente infatti la stampa può rendere al paese, viaggiando in certe occasioni, servizî maggiori che non altre classi di cittadini ; senonchè, prima assai dello Stato, debbono tali vantaggi pagarli gli abbonati ed i lettori, al cui servizio le informazioni vengono assunte e pubblicate. In taluni paesi esteri esiste il privilegio. Ma sono le società ferroviarie che ordinariamente l'accordano, le quali, a guisa dei privati, quando non vi sieno di mezzo garanzie chilometriche da parte dello Stato, sono pienamente libere di disporre, come lor meglio pare e piace, del proprio denaro.

100. — La quistione delle *spese di spedizione dei telegrammi* è di grande importanza pei giornali, i quali debbono far così frequente uso dei telegrafi. Difatti in Germania, nella discussione della recente legge telegrafica, venne proposto di adottare facilitazioni su tale punto ; ma la proposta non fu accolta, non per sè stessa e per la sua convenienza, ma perchè parve meglio dovesse regolarsi dall'amministrazione e a mezzo di regòlamenti e non dal Parlamento e nella legge.

In Inghilterra, al grande progresso politico della stampa, contribuisce in modo efficace la splendida organizzazione del servizio telegrafico. Una tariffa speciale consente a ciascun giornale di ricevere i resoconti parlamentari con una spesa di lire 1,25 per ogni 100 parole ; più giornali associandosi insieme possono ridurre il costo della trasmissione telegrafica ad una spesa che varia da 20 a 40 centesimi ogni 100 parole. A ciò provvedono specialmente le grandi agenzie, come la *Central News* e la *Press Association*, libere istituzioni, che, per la reciproca emulazione, rendono utili servigi alla stampa.

Presso di noi sono in vigore le stesse norme che per ogni altra persona.

Altra materia che può recar ai giornali considerevoli difficoltà è quella riguardante il *preventivo pagamento dei telegrammi.* Quest'obbligo complica ed ostacola assai i doveri di un corrispondente, poichè, a vece del giornale che lo impiega ed al cui servizio sta, deve egli far fronte alla spesa. Ora veramente un corrispondente è soltanto un agente dell'impresa giornalistica collo speciale compito di raccogliere e spedir notizie; esso non si impegna nè assume obbligazione per l'esercizio della parte commerciale del periodico. Ma nè egli nè il suo principale, il giornale, posseggono il profetico dono di·preveder quegli importanti avvenimenti per la cui telegrafica comunicazione venisse a rendersi necessaria una rilevante somma di danaro. Onde è che le amministrazioni dei varî Stati concedono, a date condizioni, di pagar a mese, mediante una somma preventivamente determinata e sborsata nel luogo di spedizione, cioè in ogni luogo nel quale il giornale ha i suoi corrispondenti. Si fa alla scadenza il calcolo dell'importo delle spedizioni, percependo però lo Stato uno straordinario diritto per la tenuta di tale contabilità.

Un giornale può ancora, mediante privati contratti coll'amministrazione, prender in locazione un intero filo, nel qual caso il pagamento non vien computato in ragione d'ogni singolo telegramma, ma in ragione di una data misura di tempo, ad esempio a un tanto per ora.

Quanto alla *precedenza* nella *trasmissione* dei *telegrammi,* questi vengono classificati in quattro categorie: 1.º telegrammi di Stato; 2.º telegrammi di servizio; 3.º telegrammi privati urgenti; 4.º telegrammi privati ordinarî. In caso di straordinario cumulo di richieste, i telegrammi sono spediti secondo tale graduazione. Al luogo d'arrivo vengono gli stessi disposti ugualmente nel medesimo ordine per la rispettiva consegna ai destinatarî.

In Inghilterra l'opera della stampa è pur coadjuvata dalla *celerità* del servizio telegrafico. Basta il dire che, mediante il filo di rame felicemente sperimentato fra Londra e Dublino e grazie alla perfezione degli strumenti adottati, l'amministrazione inglese dei telegrafi riesce a trasmettere fra queste due città, distanti fra loro parecchie centinaja di chilometri, fino a 462 parole al minuto.

101. — Il servizio telegrafico tra i diversi Stati è regolato colla *convenzione telegrafica internazionale* conchiusa a *Parigi* il *21 giugno 1890* e resa esecutoria in Italia con Regio Decreto 7 luglio 1891. È materia d'importanza per la spedizione di telegrammi da parte di corrispondenti che si trovino all'estero. La convenzione è sostanzialmente concorde colle disposizioni vigenti all'interno in forza del Regio Decreto 11 aprile 1875. Per essa ogni Stato si riserva il diritto di sospendere, quando lo ritenga necessario, il servizio telegrafico internazionale, sia completamente, sia soltanto per certe linee e per certe specie di corrispondenze, e per tempo indeterminato (art. 8). Ognuno degli Stati che fan parte della convenzione può divietare la spedizione dei privati telegrammi i quali appajono pericolosi per la sicurezza sua o contrarî alle leggi territoriali, od all'ordine pubblico od al buon costume (art. 7). Nella serie delle spedizioni i telegrammi di Stato e di servizio hanno in tutti i casi la precedenza su quelli privati (art. 5).

V.

102. — Nelle aule parlamentari non sono ammessi estranei. Si fa eccezione pegli impiegati che per ragione di servizio devono assistere alle sedute: ad esempio, gli stenografi. In Francia fu discusso nella seduta 11 marzo 1820 se il redattore del *Moniteur*, che aveva colla Camera un contratto di riproduzione dei discorsi dei deputati, dovesse essere considerato persona estranea, ma si adottò la negativa.

Però, in ambo i rami del Parlamento vi sono *tri-

bune speciali per assistere alle pubbliche sedute. Una è appunto assegnata alla *stampa*, ai giornalisti, per compilare i resoconti delle sedute.

103. — Nei principali Stati esiste il sistema dei *resoconti ufficiali* delle sedute parlamentari, e cioè vi ha uno speciale servizio stenografico sotto la direzione e il controllo del presidente per curare l'esattezza del resoconto *in extenso*.

Ma la pubblicità delle sedute delle assemblee sarebbe illusoria se non ne venisse portato rapidamente a conoscenza di tutta la nazione un resoconto fedele.

Ora in Italia la stampa gode la massima libertà pei resoconti parlamentari, ma non ha un mezzo per riprodurre esattamente quelle discussioni, chè non fu messo in tempo utile a sua disposizione il resoconto ufficiale.

In Inghilterra non esiste neppure resoconto ufficiale.

Tuttavia la pubblicazione dei resoconti parlamentari nei giornali inglesi è ordinata in modo perfetto.

I grandi giornali e le agenzie telegrafiche hanno a tal uopo un numero notevole di stenografi (esempio il *Times*, 15, lo *Standard*, 9, ecc.).

Alla tribuna della stampa è unita una sala di traduzione per gli stenografi : una serie di fili telegrafici, di telefoni collegano il Parlamento colle redazioni dei giornali o delle agenzie.

La maggior parte dei giornali di Londra ha un telefono speciale presso la tribuna della stampa; mediante comunicazione diretta di esso colle macchine compositrici, si può ricevere subito il resoconto e comporlo a stampa.

Quantunque le sedute abbiano luogo di sera, e tardi, i giornali del mattino, pur delle provincie, recano già un rendiconto stenografico dei discorsi più notevoli che presentano maggior interesse. Da noi solo da qualche anno furono impiantati servizî diretti ai giornali con filo apposito ed appositi apparecchî collocati nelle redazioni, onde il resoconto sommario della seduta parlamentare arrivi senza interruzioni da Roma nelle città principali del Regno.

In Francia, sotto l'Impero, ogni giornale che volesse far resoconti dovea riportare uno dei due resoconti *ufficiali* adottati, l'*analitico* o lo *stenografico*.

Era un principio che violava la libertà della stampa, e che dava luogo o a frequenti processi relativi a resoconti, od al silenzio su quanto avveniva nei rami del Parlamento. Attualmenfe i resoconti sono liberi, e soltanto resi più facili mediante la gratuita comunicazione ai giornali del resoconto *analitico* quotidiano.

I giornali di Parigi possono richiederlo nel corso stesso della seduta, a quelli dei dipartimenti si spedisce coi corrieri della sera. Oltre al resoconto analitico si compila un resoconto *sommario* che si trasmette dai redattori delle Camere al sindacato della stampa di Parigi a mezzo del telegrafo, durante il corso della seduta. Così, sia che il giornale adotti la forma succinta del resoconto telegrafico, o quella più completa del resoconto analitico, la pubblicità della discussione parlamentare è resa veramente completa.

I resoconti *stenografici* possono difficilmente essere utilizzati dalla stampa e per la loro estensione e per l'ora tarda in cui potrebbero essere rilasciati. Ma in Francia si concede, ai giornali che la richiedono, la comunicazione della riproduzione a brani, anche per frammenti, e durante la tiratura, per la parte relativa ai discorsi di oratori che rinunciassero alla correzione delle prove.

Infine, ad assicurare maggiormente la pubblicità delle deliberazioni parlamentari, si esonerano in tale Stato e nelle colonie, dal bollo postale, i supplementi dei giornali quando la metà almeno di essi sia occupata dai resoconti delle Camere.

VI.

104. — Il grande movimento sociale che forma così spiccata impronta dei tempi nostri non poteva passare senza frutto quanto all'*organizzazione della classe dei giornalisti*. Ma, mentre tutte le altre professioni godono da anni di una stabile costituzione, trovasi la prima tuttora nel suo iniziale stadio di sviluppo. Non sono però mancati tentativi ispirati a due principali scopi, la *difesa dei comuni interessi dell'associazione* e *l'assistenza* pel *caso* di *vecchiaja* e *malattia* dei *soci*.

Risposto al *primo punto*, il Congresso della stampa tenuto a Budapest dal 15 al 18 giugno 1896 gettò le basi di un *Ufficio Centrale delle associazioni della stampa* per creare una organizzazione professionale fra tutti i giornalisti del mondo. Suo scopo fu di stabilire un'azione comune fra le associazioni di giornalisti di qualunque paese, religione e tendenza politica, per le questioni professionali d'interesse comune, per assicurare ai loro membri, che esercitino temporaneamente la professione fuori del proprio Stato, un'assistenza professionale; favorire il miglioramento delle legislazioni sulla stampa periodica, specie per la proprietà letteraria e per le convenzioni postali e telegrafiche; creare un ufficio di informazioni e collocamento dei giornalisti quali corrispondenti e collaboratori di giornali esteri; stabilire e precisare gli usi e le consuetudini della stampa nei rapporti internazionali; prestarsi per la risoluzione delle divergenze tra giornali e giornalisti di diversi paesi; favorire infine le prerogative e gli interessi professionali di giornalisti, pur concorrendo ad elevarne il grado intellettuale e morale. Anche il recente Congresso internazionale della stampa tenuto a Stoccolma nel giugno 1897 si occupò dello stabilimento di un ufficio d'informazione e di collocamento dei giornalisti fuori del loro paése, e dell'adozione di una tariffa telegrafica internazionale ridotta per la stampa.

105. — Maggiori difficoltà incontra il *secondo compito*, richiedendosi, alla sua attuazione, società di salda compagine. Perciò gran parte dei progetti già ventilati divagarono nel campo dell'utopìa senza positivi risultati. Così v'è chi fece plauso ad una incondizionata lega di resistenza, chi volle addossar completamente agli editori la cura dei vecchî giornalisti, chi infine volle l'aggregazione ad una società d'assicurazione. Non difettano però casi isolati di riuscita.

Così l'associazione giornalistica di Vienna (*Wiener Journalisten Verein)* ha già da tempo risolto la questione dell'assicurazione dei socî in caso di vecchiaja. L'associazione della stampa di Berlino (*Verein Berliner Presse)* ha pur creato una cassa pensione pei suoi membri. Solo che si tratta di associazioni locali con limitato numero di soci e dove tale scopo potè più facilmente raggiungersi.

Fu però nel 1889, e in Germania, che si iniziò un tentativo più vasto, il quale, ripetuto nel 1892 al Congresso di Dresda, portò alla formazione di un progetto di Statuto approvato poi nella seduta 8 luglio 1893 del Congresso di Monaco.

Tale nuova associazione è diretta ad assicurare ai giornalisti e scrittori tedeschi che la compongono, una pensione di riposo, proporzionata ai versamenti dei soci ed alla classe loro. Si è pur creato un fondo per gli invalidi. Possono ascriversi a soci non solo quelli che hanno scelto per loro esclusiva vocazione la letteratura ed il giornalismo, ma pur coloro che abbiano altra professione.

L'associazione contava, al 1.º gennajo 1895, 470 soci, 175 scrittori, 166 redattori, 89 giornalisti, 41 editori e 7 impiegati di editori; il 66 per cento erano esclusivamente letterati, il 34 per cento pur con altre professioni; 321 erano domiciliati in Germania, 112 in Austria, 8 in Isvizzera, 3 in Russia, 2 in Italia, 1 in Francia e 1 in Rumenia.

106. — In Italia l'*Associazione della Stampa periodica* con sede a Roma istituì fin dal 1885 una *Cassa Pia di Previdenza*. A norma dello Statuto 29 dicembre 1894, approvato con Regio Decreto 14 febbrajo 1895, n. 7685, fruiscono dei benefici di essa gli iscritti che siano soci effettivi dell'Associazione almeno da un anno, con età dai 21 ai 50 e di buona costituzione fisica. La tassa d'ammissione è di lire 60, e di lire 12 il contributo annuo. Agli iscritti possono concedersi mutui fino a lire 200, sussidî per malattia o mancanza di lavoro (fino a due mesi), o per grave disgrazia domestica (da non eccedere le lire 150). Non è però ancora eretta una *Cassa pensioni*, solo che i soci da oltre 20 anni, poveri e inabili alla professione, possono conseguire pensioni annuali e vitalizie fino a lire 100 ciascuno, le vedove possono godere di un sussidio non oltre lire 200 da deliberarsi ogni anno; gli orfani dei soci da almeno tre anni possono aver borse o pensioni educative. Si stanziano annualmente lire 1800 per concorso alle assicurazioni individuali sulla vita dei soci e per un capitale non eccedente lire 5000.

Il fondo della Cassa Pia è composto dei redditi del suo patrimonio, del contributo dei soci iscritti, della partecipazione ai proventi delle feste ed altri spettacoli a pagamento organizzati a beneficio dell'Associazione, di oblazioni, lasciti, ecc.

Mediante speciali convenzioni colla Cassa Pia possono altre associazioni giornalistiche d'Italia fruire dei benefizî della Cassa Pia di Previdenza in quanto riguardano le pensioni ai soci, loro vedove ed orfani.

107. — La stessa *associazione della stampa* ha poi da tempo provveduto all'istituzione d'una *Corte d'onore* perchè al suo imparziale esame sieno anzitutto sottoposte le vertenze fra giornalisti, o tra essi ed estranei: scopo questo ben adatto a tutelare, in pari tempo che l'interesse del pubblico, pur la moralità e dignità della stampa, e diretto a cooperare, coi migliorati costumi, all'abolizione dei duelli.

Secondo lo Statuto, quando un membro dell'Associazione senza giustificato motivo e non provocato oltrepassi i confini della cortesia o cada, colle sue polemiche, in deplorevoli quistioni personali, un *giurì d'onore* chiamerà nel suo seno questo socio onde desista, e se si rifiuta o continua, pubblicherà una nota di biasimo al suo indirizzo.

Inoltre i soci, per le quistioni personali di stampa fra loro, s'obbligano a non scendere sul terreno prima d'aver sottoposto al giurì la quistione di cui si tratta. Il socio, contravventore a tale obbligo od al verdetto del giurì, decade dalle cariche sociali e per un anno è sospeso dalla qualità di socio: se recidivo, è cancellato dall'elenco dei soci. Anche in caso di questioni con persone estranee all'associazione può il socio consultare il giurì.

108. — Oltre a tale compito, ed a quello di cui nel numero precedente, l'Associazione italiana, sull'esempio di quelle estere, intente ad un campo più vasto e pratico, si è pur prefisso di trattar in comune le quistioni d'interesse generale della stampa e di tutelarne la dignità nei rapporti fra soci, colle autorità e col pubblico, e di promuovere, mediante riunioni aventi per oggetto conversazioni, letture, accademie, ecc., le conoscenze personali e le relazioni di amicizia e di stima fra i soci, al qual uopo si sono aperte sale eleganti di ritrovo pei soci tanto di Roma che delle altre città d'Italia.

Merita poi d'essere imitato l'esempio di associazioni estere che intervengono, secondo i casi, per definir gli interessi pecuniarî fra scrittori e proprietarî di giornali. Niun altro parere più autorevole, anche se non abbia valore giuridico. Specialmente benefica sarebbe l'opera dell'Associazione nel caso di licenze, imposizioni, violazioni di patti, tutt'altro che rare, o per parte dei giornalisti o per opera degli editori.

Nelle applicazioni pratiche, il magistrato non ha spesso alcuna nozione di tale organismo, e le sue decisioni riescono quindi difettose e inadeguate al caso.

VII.

109. — In materia giornalistica la prepoderante dottrina inclina a ritenere sia lo *scrittore* (*Verfasser*) *l'autore* (*Urheber*), il titolare del diritto e, per così dire, il proprietario dell'opera o articolo pubblicato nel giornale.

In caso di dubbio si presume che tutti i diritti che lo scrittore non ha espressamente ceduto all'editore siano rimasti presso di lui.

110. — Senonchè si discute se, per l'esercizio di tale diritto, sia necessario l'adempimento delle formalità volute per le pubblicazioni ordinarie, e cioè la dichiarazione in Prefettura e specialmeute il relativo deposito di un numero di copie come esige l'articolo 21 della Legge sui diritti d'autore.

L'opinione affermativa fu accolta in Francia dalla maggior parte degli scrittori e da parte della giurisprudenza, e tale sistema si pratica pure nella stampa dei giornali inglesi. In difetto di tale adempimento, la riproduzione di articoli pubblicati da altri non si ritiene contraffazione (Blanc, *Contrefaçon*, p. 417 e s.; — Pouillet, *Propr. litt.*, n. 449).

Per altro riteniamo che, se veramente in difetto di riserva qualsiasi dello scrittore, possono altri periodici eseguire la riproduzione dell'articolo indicandone la sorgente ed il nome dell'autore, tuttavia, ove siasi espresso quel divieto, non possa la riproduzione effettuarsi sotto pretesto di inosservanza delle suespresse formalità, poichè, se così fosse, sarebbe l'esecuzione delle medesime piena d'imbarazzi per ognuno dei varî articoli che un corrispondente o qualsiasi ordinario redattore fa succedere l'uno all'altro quasi quotidianamente nel giornale ove collabora.

Per la nostra legge sui diritti d'autore il deposito non è infatti prescritto che per le pubblicazioni a parte degli articoli dei giornali ; così chiaramente prescrivendo l'art. 26, 2, cap., che solo per tal caso richiede il deposito e le dichiarazioni prescritte dall'art. 21.

Anche la relazione Scialoja concorre in tal senso, ritenendo essa, a proposito di novelle o romanzi inseriti per brani nei giornali, impossibile richiedere per questi lavori un deposito regolare finchè sono in corso di pubblicazione, bastando invece, a porre in avvertenza i terzi, che l'autore e l'editore stampino in fronte alla inserzione del lavoro la dichiarazione di volerne conservare i diritti d'autore.

111. — Niun ordinario contratto di edizione può rendere lecito a chi ha assunto la pubblicazione di un'opera di apportare *cambiamenti al testo* senza andar incontro al risarcimento dei danni che ne siano derivati all'autore. Il diritto d'autore esige anzitutto il rispetto della personalità dello scrittore ed importa il diritto in lui di impedire ogni modificazione, aggiunta o soppressione che snaturi il contenuto o la forma materiale che credette dare alla sua opera; principio questo così certo che fu esteso persino alle parti accessorie, e così al cambiamento del titolo di un articolo o di altra letteraria produzione (Klostermann, *Urheberrecht*, p. 39 ; — Allfeld, *id.*, p. 83).

Adunque, pure nei giornali deve il proprietario regolarmente pubblicare nella loro integrità gli articoli dei collaboratori, questo ugualmente richiedendo. così il rispetto alla riputazione e personalità dello scrittore, come l'osservanza del contratto fra loro intervenuto.

Per altro non mancano *eccezioni*.

Questo ha luogo anzitutto negli *articoli pubblicati senza la firma dell'autore*, poichè in tal caso è il direttore che assume la morale e giuridica responsabilità della pubblicazione e non l'autore, il quale, rimanendo sconosciuto, non può incontrare pregiudizio dalle modificazioni arrecate e dall'ingerenza dispiegata dal direttore sulla materia, al fine di mantenere l'unità d'indirizzo del giornale.

Ma, pur in caso di *autori noti* e *sottoscritti*, gli articoli da essi inserti nei giornali e riviste non generano a loro profitto un diritto così assoluto da impedire ogni modificazione, poichè, come fu visto, essi compiono meno un lavoro autonomo e indipendente di quanto invece non apportino, là collaborazione loro ad un'opera complessa e che consta di differenti parti.

Segnatamente per le materie d'ordine politico deve in maggior grado il direttore poter valersi di quella facoltà, chè trattasi, invero, di materie e di giudizî da contenersi sotto un determinato ordine di idee e di indirizzo che formano il programma del giornale e di cui esso è più specialmente responsabile.

Anche Erdmann, nell'esame dei rapporti fra il direttore del periodico e gli articoli dei collaboratori, fu tratto ad ammettere i seguenti principî :

1.º Il direttore d'un periodico deve senz'altro ritenersi autorizzato a mutare l'ortografia, l'interpunzione e le espressioni di lingua in conformità ai principî adottati dal periodico.

2.º Il direttore deve essere autorizzato ad abbreviare il testo, se questo non toglie il proprio valore dell'articolo, nè cambia essenzialmente la sua generale tendenza od il suo generale contenuto. Vale questo specialmente per l'attenuamento di personali invettive, o di espressioni immorali.

3.º Il direttore è incondizionatamente autorizzato, anche senza renderne consapevole l'autore, a far aggiunte ed osservazioni che egli sottoscriva colla sua firma o con quella di « *direzione* ».

112. — L'autore degli articoli può esercitare il *diritto* di loro *riproduzione* in vario modo.

In primo luogo può *concederne la pubblicazione ad altro giornale*, perchè lo scopo del periodico ed il godimento utile dell'articolo è conseguito col diritto ed esercizio di priorità della pubblicazione, nel che sta invero la causa dello spaccio maggiore di un giornale ; rimanendo così indifferente che gli articoli vengano poi a comparire in un altro foglio.

Solo può discutersi se possa la riproduzione effettuarsi contemporaneamente.

Certo, pei principî che regolano il contratto di edizione, il diritto esclusivo competente all'editore per la cessione fattagli del diritto di autore, forma un elemento sostanziale del contratto vero e proprio, sicchè l'autore non potrebbe, dell'opera concessa in edizione, e prima dello scioglimento del contratto, disporre di nuovo.

Ma nelle relazioni derivanti dalle imprese di giornali e d'altri periodici trova fondamento la regola che l'editore non acquisti sulle singole parti od articoli del periodico un proprio diritto di edizione, ma soltanto un temporaneo diritto di uso. E di vero quei principî furono, nella materia presente, soggetti a limitazioni, consacrate eziandio dalle legislazioni di varî Stati (es. Leg. germ. 1870 sui diritti d'autore, § 10; Leg. austr. 1895, § 9; Cod. federale svizz., art. 376).

Ove però tace la legge od il patto, l'equità esige di attendere un certo intervallo onde sia evitato ogni possibile danno agli interessi dell'editore del giornale che primo acquistò il diritto di pubblicazione.

Così, se si trattasse, ad esempio, di un romanzo di appendice, dovrebbe attendersi la fine della pubblicazione sua nel giornale.

L'osservanza di un certo divario di tempo vale specialmente per le inserzioni in altri giornali che siano in condizione di poter agire a scopo di concorrenza col primo (Dambach, *Urheberrecht*, p. 104).

113. — In secondo luogo all'autore solo compete il diritto di raccogliere e pubblicare egli stesso in volume separato gli articoli inserti nel giornale, uso questo assai frequente in materia letteraria, senza che i proprietarî dei giornali reclamino contro tale riproduzione. Che anzi, l'aver uno scrittore venduto al giornale il diritto di riprodurre in esso qualsiasi suo lavoro, non autorizza l'editore a farne pubblicazione poi a parte e venderla per proprio conto, nè a ritardare il pagamento del prezzo convenuto, chè con tale agire eccederebbe i limiti del contratto e si renderebbe colpevole di contraffazione.

Gran parte delle leggi sui diritti d'autore hanno adottato, pure pei giornali, il principio che a ciascuno dei collaboratori competa il diritto di far riprodurre a parte il suo lavoro personale.

Così dispone espressamente la legge norvegese 4 luglio 1894 a proposito dei giornali ed altri periodici (art. 3).

Nello stesso senso si esprimono il Codice civile portoghese (art. 596), il regolamento russo sulla stampa del 1886 (articoli 9 e 10), la Legge austriaca 26 dicembre 1895 (art. 9), ecc.

Per l'esercizio poi di tale facoltà deve l'autore informarsi alle formalità ordinarie per la tutela del diritto di autore, e cioè fare il deposito e la dichiarazione richiesta dall'art. 21, indicando con precisione quando cominciò e quando finì la pubblicazione fatta la prima volta nel giornale o in altra opera periodica...

114. — Avviene di frequente che i redattori di giornali, anzichè firmare i loro articoli col vero nome patronimico, facciano uso di un *pseudonimo*, seguendo l'uso invalso pure in altre materie, nella pittura, nella scoltura, nelle lettere e specie nell'arte drammatica.

Nulla v'è d'illecito in tale abitudine, sia perchè niun inganno ne deriva, tanto più che ben di spesso il pseudonimo consiste in semplici designazioni fantastiche, sia perchè le indicazioni, quando hanno l'aspetto di un vero nome di famiglia, non sono date per tali.

Ora chi ha scelto un *pseudonimo* avrà *diritto alla sua protezione?* Per principio, non può ammettersi l'assimilazione dei due casi, e cioè del pseudonimo al vero nome. Questo si ha per nascita, quello per libera elezione; non hanno poi la stessa importanza e scopo; di più il nome fittizio non è, a diversità del nome reale, sottoposto a formalità determinate necessarie per la sua protezione legale. Tuttavia non può ammettersi che al primo venuto sia lecito usare di un pseudonimo nel genere di rapporti ai quali altri lo ha destinato e reso celebre.

E perciò devesi ritenere che la scelta del pseudonimo e la sua assunzione di fatto ben assodate determinino l'esistenza del diritto, consistente nell'impedire che altri possa assumere uguale designazione (Ihering nei suoi *Annali,* v. 23, p. 325; — Allart, *Contrefaçon,* 1889, n. 34; — Pouillet, *Marq. de fabriques* ecc., 1892, n. 512; — Amar, *Dei nomi, marchi,* ecc. 1892, n. 316).

Pur il redattore di un giornale avrà adunque il diritto esclusivo all'impiego del pseudonimo da lui scelto per firma dei suoi articoli, quando non si tratti di nome comune o di designazione generica. Chi lo ideò potrebbe far valere tale uso esclusivo, non solo contro i terzi, ma eziandio contro lo stesso giornale nel quale avesse cessato di scrivere.

Questo è ugualmente applicabile ai *titoli di rubriche* e di *articoli,* i quali rimangono di proprietà esclusiva e personale di chi li creò e mise in uso. Tale principio ebbe applicazione nel caso della Serao, la quale, avendo, dietro corrispettivo, abbandonata la redazione e ceduta la comproprietà del *Corriere di Napoli,* ove scriveva sotto la rubrica *Api, mosconi e vespe,* e col pseudonimo *Gibus,* pretese conservare il diritto esclusivo all'uso della rubrica; ciò che infatti venne ritenuto.

115. — Tali principî valgono in quanto espresse o tacite convenzioni non vi siano, le quali escludano o limitino il diritto dello scrittore. Così può darsi il patto fra editore e redattore con cui il primo lasci libero l'altro di scegliere il titolo o pseudonimo, ma con l'obbligo, ove cessi dal collaborare nel giornale, di abbandonarne a questo l'uso.

Indipendentemente dal contratto, può essere che la scelta del pseudonimo o del titolo non sia il fatto dell'autore; ed allora la proprietà del pseudonimo dovrà evidentemente competere ad ogni altro che l'abbia concepito. È in base a tale principio che si ritenne atto di concorrenza sleale quello dell'autore, il quale, dopo avere in un giornale inserito diversi articoli sotto un pseudonimo la cui scelta non fu da lui fatta, ma che fu adottato come firma generale dell'editore, fornì ad altro periodico scritti somiglianti da lui firmati con detto pseudonimo. I titoli o pseudonimi in vero fissati dal direttore o editore del giornale formano parte integrante del tutto in cui sono incorporati, e cioè del giornale, sicchè i singoli scrittori, entrando a collaborarvi, aderiscono di fatto, tacitamente, ma efficacemente, a che, sotto le medesime rubriche e pseudonimi, possano dopo di loro scrivere altri autori.

VIII.

116. — Il redattore e specialmente il corrispondente che abbia un determinato incarico contraggono l'obbligo della *consegna* dell'articolo al fine di porre in grado l'editore di effettuarne la pubblicazione.

Nel caso di pubblicazione da eseguirsi in varî numeri del giornale, la consegna deve aver luogo integralmente, anche se si trattasse di romanzo che si pubblichi come appendice nel giornale stesso. Il contrario avviene ben di sovente in pratica, ma il direttore rimane sempre libero di esigere la remissione completa del manoscritto prima di cominciarne la pubblicazione.

La *consegna* deve effettuarsi nel *termine convenuto* e prima della sua scadenza, e, se non siavi espressa determinazione contrattuale, nel termine presunto dalle parti o stabilito dal giudice, al qual uopo deve tenersi conto che, in materia giornalistica, si tratta per regola di argomenti di attualità ove il ritardo esercita grande influenza, togliendo rapidamente ogni interesse alla materia non trattata a tempo.

117. — Avviene di soventi che un *corrispondente*, non astretto da alcun contratto di collaborazione coll'editore, *spedisca* a questo o al direttore del giornale *articoli con preghiera od intelligenza che ne inseriscano il contenuto* nel periodico, e che tuttavia la *pubblicazione non segua.*

Saranno i destinatarî della corrispondenza tenuti a darne avviso all'autore ed a fargli pure la restituzione dello scritto?

Il direttore del giornale non sarà obbligato all'osservanza d'alcuna delle obbligazioni che da esso discendono.

In ciò concorrono pure l'uso dei giornali, i quali contengono ordinariamente l'avviso che non si restituiscono i manoscritti, e la pratica utilità di siffatto principio, il quale è applicabile anche in assenza di tale riserva, essendo ingiusto imporre al direttore di un giornale, che molti scritti riceve ed esamina quotidianamente, la cura gravosa ed imbarazzante di conservare o respingere tutte le corrispondenze che non riuscirono utili al suo periodico, tanto più poi che parte di esse sono ben di spesso anonime.

Per contro tali argomenti non militano per le pubblicazioni ordinarie e pei lavori di qualche estensione. In tal caso l'editore deve rendere noto il proprio rifiuto e provvedere intanto alla custodia e restituzione del manoscritto, e ciò come conseguenza della sua professione di librajo che costituisce una proposta permanente, agli scrittori, di pubblicare le opere o trattazioni che gli sembreranno meritevoli di essere edite in condizioni sufficientemente rimuneratrici. Nella quale proposta è implicitamente contenuta la promessa di tenere gli autori al corrente dell'accoglienza fatta ai loro lavori.

L'editore non ha infatti alcun potere sul manoscritto, come oggetto determinato e corporale; la proprietà rimane presso l'autore, il quale ha diritto alla sua restituzione quando al primo più non occorra, e cioè appena effettuata o respinta la pubblicazione (Wächter, *Verlagsrecht*, p. 351; — Voigtlander, id., p. 62).

Pei lavori di cui si tratta, e che formano oggetto di una regolare consegna al giornale, non v'è adunque ragione perchè l'autore si reputi avere rinunciato alla proprietà del manoscritto e dispensato il giornale dal restituirlo.

L'editore rimarrebbe per principio responsabile della perdita del manoscritto. Un avviso contrario inserto in capo del giornale fu financo ritenuto insufficiente a sottrarre il direttore, che rilasciò ricevuta dello scritto, da ogni responsabilità.

*118. — *L'onorario* può essere convenuto fra i collaboratori e l'editore ad un tanto per ogni intervallo di tempo, come si verifica pei redattori ordinarî, ovvero ad un tanto per ogni articolo, come è pei corrispondenti straordinarî.

Può presentarsi il caso in cui nessun onorario sia convenuto.

L'abituale prestazione d'opera dei redattori e corrispondenti ordinarî dà certamente, anche in tale ipotesi, diritto ad un compenso per quanto non apertamente concordato. La questione può sorgere per i corrispondenti straordinarî. La risoluzione dipende in gran parte dalle circostanze di fatto anteriori o concomitanti all'inserzione. Se il corrispondente non era per lo innanzi in alcun rapporto col periodico nè alcuna espressa o tacita convenzione intervenne tra di lui e il proprietario, è evidente che non rimane altro che, da una parte, la proposta di acconsentire alla stampa dello scritto, e, dall'altra, l'accettazione di tale offerta : obbligazioni che hanno il loro compimento ed esecuzione colla pubblicazione, senza che ciò possa servire all'autore di fondamento per alcun compenso.

L'onorario infatti nel contratto d'edizione esercita un'influenza secondaria e non è alcun requisito ad essa indispensabile.

Molti contratti di edizione vengono convenuti senza compenso all'autore, ed anzi col concorso suo nelle spese di pubblicazione.

119. — La risoluzione della quistione non va per altro scompagnata dalle circostanze del caso, le quali possono indurre a ritenere che l'onorario sia tacitamente voluto. Così se, come si usa in certe riviste scientifiche, si contenga l'annuncio del pagamento di un onorario in proporzione dell'entità del lavoro, allora l'obbligazione del promittente di mantenere la promessa trova fondamento nelle stesse norme del diritto comune. Così pure equivale ad accordo pel pagamento di un onorario il caso in cui le circostanze facciano presumere che l'autore non abbia voluto scrivere e consegnare un articolo pel giornale senza un'adeguata retribuzione, come quando fosse persona assai nota e riputata. Così è pure quando dall'editore si commissionino, pel suo giornale, articoli o romanzi o altri lavori, o volta per volta, o genericamente secondo date evenienze, in cui è incondizionato l'obbligo di pagamento di un onorario.

IX.

120. — Allo studio dello *scioglimento del contratto fra editore e redattore* forma preliminare indispensabile quello sul carattere del contratto intercedente fra di loro.

Ora i principî sulla locazione di opera si applicano perfettamente al caso del giornalista il quale vincola la propria operosità a profitto del periodico : ivi tutti gli estremi costitutivi di tale contratto concorrono, specialmente quando non si tratti di incarichi speciali ed isolati su di un determinato punto, per esempio la trattazione di un particolare argomento, ma di prestazioni ordinarie e continuative.

121. — Rispetto alla *durata del contratto di locazione d'opera* avviene di soventi che non sia fra le parti prefisso alcun termine. E tuttavia, per disposto dell'articolo 1628 Codice civile, niuno può prestare la propria opera all'altrui servizio che a tempo o per una determinata impresa.

Può adunque discutersi sulle conseguenze di un contratto che nulla su ciò disponga (V. Ferrand, *Résiliation du louage à durée indéterminée*, 1897).

Esso certamente non è nullo, ma non può, d'altra parte, considerarsi indefinitamente valido, poichè tale risoluzione urterebbe con quella legale prescrizione. Per conseguenza ciascun contraente deve essere libero di far cessare, quando meglio gli sembri, l'esecuzione del contratto, e conservare così la sua libertà d'azione. Il contratto sarà giuridicamente risolubile *ad nutum* d'ognuna delle parti.

Ma si chiede se per altro vi sia diritto ai danni.

Tace il Codice, ed incerte sono la dottrina e la giurisprudenza. Ma l'equità vuole che, se nei contratti di locazione d'opera la licenza non sia preceduta da un certo intervallo, la parte che vi contravviene sia obbligata, ove non abbia motivi legittimi per non ottemperarvi, a indennizzare l'altro contraente.

Anche l'uso chiaramente constatato, e formatosi in certe categorie di locatori d'opera, serve pure di freno alla facoltà di un illimitato congedo e vale a stabilire quando si tratti di licenziamento abusivo per essersi tacitamente determinata una diversa e congrua misura di tempo.

L'obbligo di una licenza trova pure conferma nella presunta volontà delle parti, le quali, obbligandosi reciprocamente, l'una a prestare l'opera propria e l'altra a retribuirla, hanno inteso di provvedere convenientemente per un certo tempo ai proprî interessi, e non già di rimánere d'improvviso, e per effetto della convenzione stessa, il redattore privato dello stipendio che può costituire il suo sostentamento, e l'editore dei servizî che possono essergli indispensabili.

122. — Nella materia del congedo va tenuto speciale conto della difficoltà di un pronto collocamento dell'opera propria di scrittore di giornale, tanto più che, essendo conveniente seguire i principî e l'indirizzo del giornale in cui si coopera, non tornerebbe facile, in caso di licenza, di riuscire a subito collocare l'opera propria. Anche influirà, sull'intervallo di tempo del congedo, l'importanza del lavoro prestato, dovendo essere minore se questo, come è di gran parte dei corrispondenti, non formi che una parte secondaria ed accessoria delle loro occupazioni.

Comunemente ricevute, perchè informate a tali pratiche esigenze, sono le due seguenti regole: 1.° il proprietario d'un giornale che non abbia nei suoi contratti coi redattori stabilito un termine, non può licenziare alcuno di essi se non con un preavviso di tre mesi, o pagandogli lo stipendio corrispondente a tale periodo di tempo; 2.° pei collaboratori che partecipano più direttamente all'indirizzo politico e scientifico del periodico, quali i direttori o redattori-capi, il termine indicato è almeno raddoppiato.

E evidente poi che tali regole debbano essere reciproche e che, se non può il collaboratore essere licenziato intempestivamente, non possa egli del parj prendere congedo intempestivo dal proprietario, sotto pena del risarcimento dei danni che col fatto proprio gli arrechi.

123. — Condizione essenziale del contratto di collaborazione, almeno nei giornali politici, e che, se anche non espressa, è certo dai contraenti presupposta perchè da quello inseparabile, è che il contratto continui a sussistere in quanto il periodico conservi quel programma od atteggiamento che aveva all'epoca della formazione del contratto.

Poichè il redattore ponendo a servizio del giornale la propria operosità ed ingegno viene a condividerne le idee ed a sposarne in certo qual modo il partito, è evidente che quando, o per motivi disonesti, come è nella stampa prezzolata, o per fini criminosi, per cambiamento di proprietario, ovvero anche per serio e leale mutamento di principî, viene il giornale a variare d'indirizzo, non potendo perciò solo imporsi la stessa opinione ai redattori, e a questi, solo per ciò che sono retribuiti, farsi subire il passaggio sotto altra bandiera, debbano gli stessi essere liberi di abbandonare immediatamente, e senza obbligo di preavviso, il giornale, ritenendosi sciolti da ogni impegno. Ciò verificandosi, poichè lo scioglimento del contratto è qui pure ascrivibile al fatto volontario altrui, essi avranno diritto alla retribuzione per tutto il tempo corrispondente al termine per il congedo.

Questo sarebbe poi quando un editore assumesse l'impresa di edizione d'un giornale fondato in unione a quelli che vi collaborano, poichè, finchè dura la loro opera, potrebbe il primo con minor ragione mutarne a suo arbitrio l'indirizzo, chè verrebbe a modificare una delle condizioni primordiali del contratto, mentre si suppone che egli siasi obbligato unicamente a provvedere i mezzi necessarî alla vita del periodico.

Ma l'editore sarebbe libero a sua volta dai suoi impegni se i redattori venissero a cambiare la loro linea di condotta, e potrebbe contro di essi far valere gli stessi diritti che loro abbiamo riconosciuti.

PARTE V.

Il proprietario del giornale.

I.

124. — Ogni giornale ha un *proprietario* o editore, sia una società ovvero una persona singola. Esso rappresenta l'elemento di speculazione del periodico, fa le spese per la sua produzione e ne percepisce esclusivamente gli utili. A tal uopo si costituisce un'amministrazione a cui applica impiegati, specialmente contabili, con incarico della registrazione degli abbonati, degli introiti per vendite del giornale, per inserzione degli annunci, e delle spese per affitti di locali e corredo del necessario, per pagamenti di onorarî ai redattori e corrispondenti e per la stampa del periodico; tutto come in un'altra amministrazione qualunque. Per facilitare poi lo smercio del giornale occorre pur un personale adatto che alla tal ora in punto sia all'ufficio per mettere in ordine, distribuire, dividere a seconda delle diverse linee le copie e i pacchi, e ciò in fretta onde partano immediatamente per la posta e per la ferrovia; operazione questa che, per essere fatta presto, come c'è bisogno, esige assolutamente parecchî individui.

125. — *L'influenza del proprietario nella formazione del giornale* è determinata dall'intento suo di ritrarre dai capitali impiegativi il più che sia possibile di profitti. Così è che il proprietario apporta limitazioni nella pubblicazione su questa o quella materia per riguardo a considerazioni finanziarie, o perchè certe trattazioni nuocerebbero allo spaccio del giornale o scemerebbero l'introito delle inserzioni. Nè i redattori potrebbero ricusare di dare forma ai concetti dell'editore, chè ben presto verrebbero a convincersi che, nell'attuale stato del giornalismo, domina, nei rapporti coi proprietarî, lo stesso sistema, e che un cambiamento di editore non procurerebbe loro alcun giovamento.

L'influenza del proprietario è, specialmente in America, causa la libertà di stampa ivi da tempo riconosciuta, il rapido sviluppo dei commerci e l'avido spirito del pubblico per le novità, giunta a sì alto grado da assicurar a lui una forza e un potere quasi indipendenti, tanto più che l'impresa dei giornali nei grandi centri, come agli Stati Uniti, è condotta da grandi capitalisti non meno che da ricchi uomini politici, i quali curano l'incremento di tale azienda coll'intendimento stesso con cui si attende ad ogni altra branca di commercio.

Tale influenza si esercita senza dubbio nell'amministrazione d'ogni giornale, grande o piccolo che sia, e sia l'editore una persona singola ovvero una società. È vero che il proprietario può talvolta esser direttore o redattore capo del suo giornale, ma in tal caso egli si presenta sotto due diverse funzioni e con due speciali interessi da curare, gli uni, quelli di un intelligente ed esperto redattore; gli altri, quelli dell'intraprenditore che intende così dirigere personalmente il periodico per ricavarne i massimi utili. Possono le due funzioni armonizzare talvolta fra di loro, ma la diversità sussiste sempre, specie per certi giuridici rapporti, quali quelli della responsabilità, e sussiste sempre, in maggiore o minor grado, pure l'influenza sulla funzione economica del giornale.

II.

126. — Le relazioni economiche del proprietario si svolgono in ordine al suo personale, specialmente di redazione;· alla protezione giuridica del contenuto del giornale; alla clientela ed ai mezzi valevoli a conservarla; all'industria delle inserzioni ; alla particolare fisionomia che la caccia all'*affare* imprime al giornalismo attuale.

III.

127. — Nei *rapporti col personale* spetta al proprietario la scelta di esso, specie della *redazione* in quanto forma uno dei precipui elementi per la riuscita dell'impresa. Onde, oltre alla nomina del gerente, che dev'essere riconosciuto ed autorizzato, per la legge sulla stampa, dalla competente autorità, spetta al proprietario eziandio quella dei *corrispondenti e redattori,* fra i quali distribuisce gli incarichi per la migliore compilazione del periodico, per l'aumento di spaccio e pel conseguimento di maggiore autorità ed influenza.

Egli pure ha l'assoluta *sorveglianza* sul personale medesimo, del quale è civilmente responsabile, e muta quindi, ove occorra, i corrispondenti, compilatori, redattori, e lo stesso gerente.

128. — Tali attribuzioni sono talvolta esercitate in persona dagli editori o proprietarî; ed in questo caso concludono direttamente eziandio i contratti con tutti i collaboratori, il che è specialmente quando nello stesso individuo concorrono le due qualità di *direttore* e *proprietario del giornale*.

Ma più di spesso affidano quei compiti ad altra persona pure loro dipendente, sebbene nella sfera di questi occupi un posto superiore, cioè il *direttore*, che sempre sta al beneplacito del proprietario e la cui scelta e rimozione sono opera esclusiva di quest'ultimo nel quale solo si raccoglie ogni vera autorità sul personale.

In questo caso il direttore agisce come rappresentante del proprietario, ed i rapporti giuridici fra di loro saranno quelli derivanti dal mandato commerciale; e perciò entro i limiti di esso e delle facoltà ricevute può il direttore concludere tutti gli atti che seco porta l'ordinaria gestione della sua carica, tenendo per questi obbligato l'editore del giornale.

L'intervento del direttore per la scelta dei redattori è, del resto, conforme a giustizia, chè, incontrando una civile, e talvolta penale responsabilità, e senza dubbio poi sempre una responsabilità morale o politica, non poteva egli essere tenuto estraneo alla scelta del personale che collabora nel periodico e che a quella può dar occasione.

Onde è che il direttore, avendo ingerenza immediata nell'indirizzo del giornale, è autorizzato a scegliere i mezzi più adatti a raggiungere tale scopo, primo fra i quali, se non vi sia patto contrario dell'editore, quello di assumere l'opportuno personale di redazione e pur di cambiarlo.

IV.

129. — È di sommo rilievo, pel proprietario od editore, il conoscere la sua situazione giuridica in ordine alla protezione del contenuto del giornale, specialmente quanto al diritto d'autore ed alla libera riproduzione di articoli.

Nello stato attuale delle leggi i principî sui *diritti d'autore* trovano applicazione eziandio alla materia dei *giornali*, poichè pur ivi spetta ai redattori e corrispondenti il diritto d'autore.

Questo compete soltanto a chi sia autore d'un'opera dell'ingegno, e cioè a chi abbia ad essa data una forma originale, per guisa che appaja una individuale creazione della sua mente.

Il contenuto del diritto d'autore consiste nella esclusiva facoltà di stampa e di pubblicazione dell'opera, la quale, ove non siasi altrimenti convenuto, rimane nel libero esercizio dell'autore.

130. — Senonchè le norme attuali non si adattano completamente alla materia che forma oggetto dei giornali (Schürmann, *Rechtsverhältnisse der autoren und verleger*, p. 263).

Primieramente, il ramo giornalistico è, secondo la sua natura, lontano dal concetto delle opere ordinarie.

Secondariamente, ha il giornale uno stretto legame colla materia commerciale delle inserzioni come quella che ne costituisce oggigiorno la branca economica più importante; ora tale materiale dipendenza da un fattore non pubblicistico nè letterario separa il concetto del giornale da quello dell'opera ordinaria.

In terzo luogo, altro contrassegno proprio del giornale è quello che esso non può ritenersi completamente originale. Una disposizione formale esiste in proposito nelle varie leggi sui diritti d'autore, le quali, mentre in certe parti regolano la libertà di riproduzione nelle opere letterarie comuni, in altre contemplano la riproduzione sui giornali. Tale speciale trattamento si giustifica pel fatto che i giornali, non solo richiedono una certa libertà di riproduzione, ma anzi ricevono d'ordinario, da questo fatto, un utile che, dal concetto delle notizie, è passato al contenuto letterario. Ma intanto tale nota caratteristica, per cui l'autore può concedere ad altro giornale la pubblicazione dello stesso lavoro, fa venir meno l'esclusività del diritto che è elemento sostanziale del proprio contratto di edizione.

Peraltro le giuridiche relazioni tra editore ed autore saranno qui fondamentalmente le stesse come nei casi di edizione di opere protette dal diritto d'autore; ma questo dipende, da un canto, dalla loro stessa comune origine, dall'altro, da ciò che, versando nello stesso campo di attività umana, debbono informarsi ad uguale trattamento.

131. — Il giornale, per sua natura e destinazione, presenta diversità da altre pubblicazioni.

Esso riferisce e narra le notizie quotidiane che man mano gli giungono fino al momento in cui sta per andare in macchina. Poche ore più tardi possono gli avvenimenti offrire tutt'altra impronta, e se del giornale si faccia invero una successiva edizione, possono le circostanze e novità riportate nella prima aver nel frattempo mutata forma e colore e spesso perduto ogni interesse. Questo fatto, massime nei grandi centri di commercio, porta al singolare risultato che poche ore dopo della pubblicazione il giornale sia già spacciato e scacciato dal mercato, chè tosto il lettore ne cerca la seconda edizione. Dei giornali del mattino poi non v'è più domanda tostochè siano apparsi i giornali della sera, i quali a lor volta valgono solo per poco scorcio di tempo, chè al mattino sono sostituiti dagli altri editi nella notte (Schwarze, *Pressgesetz*, 1885, p. 26; — Berner, *id.*, p. 207).

Un tale fenomeno spiega la particolare condizione fatta alla *citazione reciproca di articoli o di giornali.*

In principio, poichè l'impresa per la creazione della letteratura giornalistica richiede l'applicazione di un lavoro intellettuale non inferiore, o di poco, secondo i casi, a quello di altri campi del pensiero eziandio protetti dalla legge sui diritti d'autore, parrebbe giusto che tale protezione dovesse ugualmente competere al redattore del giornale piena ed illimitata come per ogni altra produzione letteraria.

Senonchè questa uguaglianza di trattamento non è riconosciuta unicamente per causa della natura dell'opera da proteggere. Se per stessa sua causa il prodotto giornalistico, dopo poche ore dacchè esiste, rimane privo di valore, sarebbe o completamente inutile o poco opportuno garantirne la riproduzione.

132. — Ma oltre alle pubblicazioni di *notizie* strettamente intese, si contengono, nella maggior parte dei giornali autorevoli, altre istruttive o dilettevoli produzioni. Talvolta vi s'inseriscono *novelle* di qualche estensione e *romanzi* che occupano molte appendici del giornale. Non difettano pure *articoli scientifici* o *letterarî* di riputati scrittori, poesie e simili. Poichè tutte queste materie non riguardano il vero carattere dei giornali quali apportatori di notizie e non concorrono quindi all'adempimento delle funzioni ad essi proprie, formeranno di questi soltanto un accessorio e costituiranno anzi un'opera per sè indipendente.

A tali considerazioni sul concetto delle pubblicazioni di articoli e sul loro pratico valore nel campo giornalistico si sono informate le norme che regolano la materia delle citazioni o riproduzioni. Perciò dalle leggi dei varî Stati si deroga, in materia di giornali, e fino ad un certo punto, al principio generale della protezione de' diritti d'autore, e questo in causa della propria natura e carattere dei giornali e della funzione che essi compiono quali agenti di pubblicità.

Si ritiene quindi non essere desiderabile, nell'interesse del pubblico, di rendere gli articoli di notizie oggetto d'un privato diritto.

Secondariamente, ove pure l'articolo di giornale non riguardi un avvenimento qualunque, ma costituisca invece un prodotto dell'ingegno, il diritto di autore si riconosce tuttavia, ma, a differenza di ciò che ha luogo per le altre opere letterarie, il giornalista deve indicare ch'egli intende riservarsi quel suo esclusivo diritto. Il silenzio fa presumere siasi autorizzata la riproduzione dello scritto, salvo l'obbligo pel riproduttore di indicarne la sorgente. Da altra parte il successo di un giornale dipende dalla rapidità delle sue informazioni, e, chi si limita a riprodurle, subendo forzatamente un ritardo, non è, in realtà e nel più dei casi, un serio concorrente. Egli anzi rende un servizio a colui dal quale attinge facendo conoscere la sorgente da cui l'articolo proviene.

133. —· La maggior parte delle *legislazioni* ha infatti formulate analoghe disposizioni in proposito.

In Germania (Leg. 11 giug. 1870, art. 7 *b*) la ri-. produzione di articoli tolti da giornali o riviste è libera; però è divietata assolutamente quella di romanzi, novelle e lavori scientifici; per gli altri scritti di qualche estensione non v'è divieto, tranne l'autore ne faccia l'interdizione in capo dello scritto.

In Italia (Leg. 19 sett. 1882, art. 26 e 40), è lecita la riproduzione di articoli di notizie inseriti nei giornali od in altre opere periodiche, purchè se ne indichi la sorgente; per ogni altro lavoro devesi dichiarare, in fronte al lavoro inserito od al primo brano di esso, se si intende conservare il diritto d'autore. Il difetto di questa dichiarazione abilita altri giornali od altre opere periodiche alla riproduzione, purchè indichino la fonte da cui fu estratto il lavoro ed il nome dell'autore.

Nel Belgio (Leg. 22 marzo 1886, art. 14), ogni giornale può riprodurre un articolo pubblicato da altro giornale a condizione di indicarne la sorgente, a meno che tale articolo non porti la menzione speciale che la riproduzione ne è vietata.

In Austria (Leg. 26 dic. 1895, § 26), la riproduzione di singoli articoli, telegrammi e notizie del giorno, tolte dai giornali, non è contraffazione. Però gli articoli di lettere e scienze e di materie speciali sono protetti pure nei giornali, se portano in capo il divieto di riproduzione. Le disposizioni che precedono non si applicano alle *riviste* scientifiche e speciali.

134. — Può darsi che il giornale, eccedendo i limiti del proprio ordinario compito e nel fine di aumentare lettori ed abbonati, si faccia editore di opere letterarie di qualche estensione, segnatamente colla pubblicazione di novelle o di romanzi d'appendice, acquistandone dagli autori il diritto di riproduzione.

Ora in ispecie le novelle o romanzi così pubblicati (*roman-feuilleton*) non costituiscono certamente il comune articolo di giornale, ma sono, in definitiva, un lavoro di lunga lena che non ha per lo più alcuna relazione diretta e voluta coi fatti del giorno, e che non differisce dal romanzo propriamente detto che pel modo della pubblicazione, la quale non si fa nè potrebbe farsi nei modi ordinarî, cioè in una sol volta, opponendovisi la natura della pubblicità del giornale, il suo formato e pure certi riguardi di speculazione. Ma non è men certo che il romanzo d'appendice sussiste come opera distinta, con un carattere proprio ed indipendente da quello che s'attiene agli elementi naturali del giornale, cioè agli articoli.

Se dunque il romanzo o la novella, pur rivestendo un modo di pubblicazione *sui generis*, non cessano d'essere un'opera esclusivamente letteraria e di natura diversa degli ordinarî articoli di giornali, è evidente che l'obbligazione di una espressa riserva del diritto di riproduzione, è, a loro riguardo, incompatibile col diritto d'autore.

Tale insegnamento trova conferma nelle leggi particolari di varî Stati.

L'art. 7 della legge germanica ammette la riproduzione di articoli tratti da altri giornali, ma divieta assolutamente quella di romanzi, novelle e lavori scientifici, e pure quella degli scritti di qualche estensione, se l'autore abbia espresso il divieto di riproduzione.

La legge belga (art. 14) ammette la riproduzione di articoli di giornale per cui non siavi riserva, ed a condizione di indicare la sorgente, ma non comprende in tale disposizione gli articoli di riviste; però, secondo i commentatori, i romanzi non sono ivi assimilati agli articoli di giornali.

La legge spagnuola (art. 31) ha disposizioni conformi alla legge belga, però eccettua dalla riproduzione i romanzi e le opere scientifiche, artistiche e letterarie, benchè pubblicate per frammenti o capitoli.

In Francia la protezione di articoli propriamente detti è completa, e così ristretta nei debiti limiti la facoltà di riproduzione, per quanto manchi un espresso divieto.

Altre legislazioni non hanno, è ben vero, una espressa formola divietante la riproduzione d'opere letterarie pubblicate a brani, ma ciò è perchè stimarono inutile dichiararlo espressamente, bastando, pella loro protezione, le norme generali della legge sui diritti d'autore.

La nostra legge non parla, nell'art. 26, di *articoli*, ma usa la parola generica *lavoro*, per cui nel suo lato significato potrebbe riferirsi pure ai romanzi; ma, avuto riguardo allo spirito della legge ed allo scopo propostosi con quella disposizione, devesi il dubbio risolvere a vantaggio dell'autore del romanzo.

135. — Non è raro il caso che, per attrarre l'attenzione del pubblico, includa il giornalista nel corpo dell'articolo del giornale, e senza autorizzazione dell'autore, schizzi, stampe e disegni di altrui opera.

Ora un tale fatto costituisce, nel più dei casi, usurpazione dei diritti d'autore. Le legislazioni non danno di regola formali disposizioni in proposito, ma la dottrina e la giurisprudenza hanno ritenuto che soltanto ciò che è necessario alla critica ed all'insegnamento possa costituire citazione lecita, mentre tutto quanto eccede i limiti assai ristretti di tale campo per assumere la forma di speculazione commerciale costituisce un abuso e deve considerarsi divietato.

Ora, se dall'esame dei fatti si tragga il convincimento che la citazione non era motivata dalla necessità d'un lavoro critico o d'insegnamento, si avrà contraffazione.

136. — Prima che le comunicazioni telegrafiche avessero assunto l'attuale estensione in materia di giornali, sorse discussione se dovessero le stesse cadere sotto la protezione della legge sui diritti di autore. Il loro successivo sviluppo ha dimostrato la insussistenza di qualsiasi ragione per usar loro un diverso trattamento e che il telegramma è invece un equivalente dell'articolo di giornale, tanto più che oggigiorno gran parte del contenuto dei periodici è dovuto a fonte telegrafica, e che estese comunicazioni e relazioni od anche scientifiche trattazioni possono aversi, e si hanno frequentemente, a mezzo telegrafico.

Il telegramma può allora dar luogo al diritto di autore, e costituire un vero articolo meritevole di protezione come gli articoli stati redatti sul luogo di pubblicazione del giornale, od altrove, ma trasmessi altrimenti che a mezzo di telegramma.

Ma una comunicazione nel giornale mediante inserzione telegrafica e concernente la pura notizia di un fatto o la relazione di un avvenimento non sarà certo opera letteraria protetta dal diritto d'autore.

Secondo l'opinione dominante, le informazioni telegrafiche con cui si recano al pubblico le novità del giorno, non sono oggetto di un diritto privato pel giornale che le riceve e le dà.

Certo, la soluzione, benchè giusta, porta a conseguenze dannose, permettendo di appropriarsi gratuitamente, appena apparse, le notizie che un giornale ha ottenuto a grandi spese.

Così, senza negare il principio e senza ricorrere all'idea della proprietà letteraria, si tentò da tempo di ovviare a tali inconvenienti.

Tali procedimenti hanno attirata l'attenzione della stampa, ed il congresso internazionale tenuto ad Anversa nel luglio 1894 ha studiato tutte le misure adottate o suscettive di applicazione contro l'attacco a ciò che esso chiamava impropriamente la *proprietà delle informazioni*. Però il Congresso chiuse le sue discussioni con una risoluzione assai vaga.

Lo studio venne poi ripreso al Congresso letterario internazionale di Monaco (aprile 1897), ed a quello internazionale della stampa di Stoccolma (24-29 giugno 1897), specialmente per le informazioni delle agenzie telegrafiche, e si concluse doversi loro accordare una protezione almeno industriale nel dominio della concorrenza sleale (V. *Rapport* Bataille, *De la propr. des informations de presse)*. E, per vero, non si tratta della tutela d'una proprietà intellettuale, ma della protezione della priorità delle informazioni. E fu appunto accolto il principio che « la riproduzione delle informazioni della stampa « debba interdirsi quando rivesta il carattere d'atto « di concorrenza sleale ».

Però, in attesa di migliori garanzie, può rinvenirsi sufficiente tutela, contro le riproduzioni sistematiche di materie prive di carattere letterario, nell'art. 1151 Codice civile; come infatti, ed in base all'analoga disposizione dell'art. 50 Codice fed. svizz., ebbe a ritenere l'Associazione della stampa svizzera nel suo Congresso a Sciaffusa del 27 giugno 1897.

137. — Le relazioni internazionali sui diritti di autore vennero disciplinate dalla Convenzione di Berna del 9 settembre 1886. Con essa si accordano agli autori di opere dell'ingegno, e negli Stati dell'Unione, gli stessi diritti che godono nel loro paese.

Ora l'art. 7, relativo alla riproduzione di articoli di giornali, disponeva : « Gli articoli di giornali o « di riviste pubblicate in uno dei paesi dell'Unione « possono essere riprodotti, in originale od in tra- « duzione, tranne gli autori od editori abbiano ciò « espressamente divietato. Per le riviste può bastare « il divieto generale in capo di ciascun numero della « rivista. In niun caso tale divieto può applicarsi « agli articoli di discussione politica, od alla ripro- « duzione di notizie del giorno o di *fatti diversi*. »

138. — Tale scarsa protezione lasciava però liberi gli Stati dell'Unione di adottare una più estesa tutela, specie per le materie trattate, e per l'indicazione della fonte, non prescritta nella convenzione. Poichè ora la maggior parte delle leggi interne dei varî Stati hanno disposizioni più favorevoli agli autori e si addivenne fra di loro anche a convenzioni particolari più liberali, così gli inconvenienti derivanti dall'art. 7 rimasero poco numerosi. Peraltro, il fatto che esso non era più in armonia coi progressi delle varie leggi imponeva delle riforme.

Specialmente era imperioso il bisogno di respingere ogni assimilazione dei romanzi e novelle agli articoli di giornali.

Era poi giusto, a maggior garanzia dei diritti di autore, ordinare l'indicazione della fonte da cui la riproduzione fu tratta.

139. — È per ciò che, in seguito ai voti di ripetuti congressi, fu nel 4 maggio 1896 adottato, nella conferenza di Parigi, un atto addizionale alla convenzione, e modificato l'art. 7 nel modo seguente : « I romanzi, comprese le novelle, pubblicati nei « giornali o riviste d'uno degli Stati dell'Unione, « non potranno essere riprodotti, in originale od in « traduzione, negli altri Stati senza autorizzazione « degli autori od aventi causa. »

Vale lo stesso per gli altri articoli di giornali o periodici, quando gli autori od editori avranno espressamente dichiarato, nel giornale o rivista dove sono pubblicati, che ne vietano la riproduzione. Per le riviste basta il divieto fatto in modo generale in capo d'ogni numero. In difetto di interdizione, la riproduzione sarà permessa a condizione di indicarne la sorgente,

In nessun caso l'interdizione potrà applicarsi agli articoli di discussione politica, alle novelle del giorno ed ai *fatti diversi*.

140, — Convenzioni particolari sui diritti d'autore sussistono fra gli Stati solo in quanto conferiscano agli autori diritti più estesi della convenzione di Berna e ad essa non contraddicano (Daude, *Lehrb. d. Urheberrecht,* 1888, p. 149).

Delle convenzioni fra Italia ed altri Stati concernenti la materia dei giornali, quella colla Svizzera ha norme simili dell'atto addizionale. Quelle colla Francia e colla Germania contengono disposizioni identiche al paragrafo 7 *b* della legge germanica, e più vantaggiose quindi all'atto addizionale, chè divietano, senza uopo di menzione, non solo la riproduzione dei romanzi, ma pure quella degli articoli di scienza ed arte.

<h2 style="text-align:center">V.</h2>

141. — In materia di giornalismo, specie quotidiano, è frequente il fatto di citazioni o riproduzioni di lavori di attualità, specialmente letterarî, e più ancora drammatici o d'opere musicali. Ora, per natura stessa delle pubblicazioni giornalistiche, è qui necessaria una grande tolleranza, tanto più che tali parziali riproduzioni giovano alla fama dell'autore ed alla fortuna del suo lavoro. Però, mentre tali estratti sono giustificati se abbiano lo scopo di agevolarne al pubblico l'intelligenza e farne l'elogio o la critica o richiamarvi l'attenzione del pubblico, ben altro sarebbe se, sotto pretesto del resoconto, si pubblicassero la totalità o parti notevoli od essenziali del lavoro, in guisa da poterne tener luogo e diminuirne così lo spaccio (Rosmini, *Legisl. e giur. sui dir. d' aut.*, 1890, n. 257; — Ponillet, *Propr. litt. et art.*, 1893, n. 512; — Darras, *Contrefaçon*, 1895, n. 1368).

Specialmente ciò è dei resoconti teatrali e delle analisi pubblicate nei giornali e contenenti un riassunto del libretto, atto per atto, ciò che permette al lettore di seguire il corso dell'opera drammatica e di dispensarsi dal comprare l'opera originale.

142. — Maggiormente a riprovarsi sono poi i *resoconti di lavori teatrali* eseguiti *prima* della stessa *rappresentazione*, specialmente quando fatti atto per atto o scena per scena, poichè, in tal caso, l'opera drammatica non entra nel dominio del pubblico che dal giorno della prima rappresentazione.

Fino a che il lavoro teatrale non sia rappresentato, non è lecito a chicchessia di permettere, senza il consenso degli interessati, una pubblicazione più o meno completa; nessuno quindi può del pari rivelarne il soggetto, il piano e lo sviluppo datogli.

In materia teatrale poi le condizioni nelle quali ordinariamente ha luogo la prova generale, che precede d'uno o più giorni la prima rappresentazione, ed a cui, per puro favore o tolleranza si invita per lo più la stampa, non costituiscono una pubblicazione equivalente a quella d'una prima rappresentazione, chè, nel concetto dell'autore e dei direttori, la prova generale esclude manifestamente la pubblicità.

143. — Alla stessa conclusione, sebbene sotto altro punto di vista, si giunge a proposito della *pubblicazione*, nei *giornali*, di *telegrammi d' agenzie* quand'essi hanno ancora un *carattere privato*.

L'industria esercitata dalle agenzie telegrafiche a mezzo di corrispondenti nelle varie parti del mondo, non può certo porsi sotto la salvaguardia che la legislazione moderna accorda ai prodotti dello spirito umano; però le stesse possono lagnarsi della concorrenza sleale loro fatta da giornali che ripro-

ducano senza diritto notizie e dispacci da esse avuti
e prima che siano divenuti pubblici e cioè prima
che siano stati annunziati a mezzo della stampa.

VI.

144. — Le *relazioni* fra *proprietario* di giornali
e quanto costituisce la sua *clientela*, cioè i lettori
e gli abbonati, rappresentano, negli attuali rapporti
di commercio, un bene economico del massimo
valore.

Il pubblico dei lettori d'un giornale costituisce
anzitutto una specie di clientela spirituale che vive
nello stesso cerchio d'idee, di sentimenti e di tendenze che formano uno scopo comune col giornale.

Un pubblico, in questo senso di intellettuale clientela, hanno il dotto, lo scrittore, il capo partito, il
giornalismo. Mantenersi, nelle idee, nei giudizî, nelle
determinazioni, in contatto con questo pubblico, è
la condizione indeclinabile perchè l'impresa del giornale eserciti un'azione efficace nella società.

Ma aver un pubblico è pur un bisogno, perchè
l'industria giornalistica possa prosperare. Un giornale senza pubblico sarebbe, d'altronde, una cari-
catura. Ora, sotto l'aspetto economico, la pubblicazione d'un giornale si presenta come un' impresa
industriale attorno a cui si raggruppa un certo
centro di compratori, il quale, traendo profitto dal
giornale, sia a scopo di lettura, sia per pubblici annunci o altrimenti, offre alla prima i mezzi pecuniarî per svilupparsi.

Il pubblico è pertanto l'elemento vitale dell'impresa di giornali e forma giustamente la precipua
ed originaria sua forza di progresso. È esso che dà
la spinta alla concorrenza stessa fra i giornali mediante pubblicazione di certe novità e adozioni di
certe rubriche che un altro giornale deve perciò
presto imitare mediante aumento di formato e altri
consimili miglioramenti. Un proprietario non in-

contrerebbe rilevanti spese per procurarsi determinate notizie se queste non aumentassero lo smercio
del giornale. Può egli tentar talvolta di iniziare
certe trattazioni o rubriche, ma, tosto acquistata la
persuasione che il lettore non le desidera, è costretto a subito smettere il suo tentativo. E facilmente i desiderî del pubblico vengono conosciuti ;
l'amministrazione del giornale giunge presto in possesso di manifestazioni che provengono direttamente
dai lettori, chè, se essa non ne soddisfa le tendenze,
il giornale scema presto nella vendita.

Questo è, pel proprietario, un sicuro barometro
dei gusti del pubblico e della via che deve battere
il giornale.

Onde è che, pur nell' alienazione dell' impresa
giornalistica, si porta in istima la clientela esigendo
che essa venga ad altissimo prezzo pagata, formando questa una parte del patrimonio del commerciante ed all'acquisto suo essendo rivolti tutti
gli sforzi del commercio, perchè ne dipendono la
vita o la morte d'un'impresa commerciale.

145. — L'elemento della clientela nell' impresa
editrice di giornali, forma, a causa della sua importanza, il prevalente criterio per riconoscere quando
fra due periodici si verifichi *sleale concorrenza*, e
cioè qualsiasi illecito atto diretto a stornare la clientela dei lettori. È in base ad esso che fu ritenuto
sussistere concorrenza sleale nel caso di cessione
di un giornale in cui l'antico direttore, procuratasi
la lista degli abbonati al giornale ceduto, inviò loro
i numeri d'un nuovo giornale facendo a torto credere ne fosse la continuazione, e dichiarando eziandio
che il giornale precedente, passato d'improvviso ad
altra direzione, non restava più fedele alla sua linea
di condotta morale e politica ed alle convinzioni
degli abbonati.

È in base allo stesso criterio che deve risolversi
quando possa un giornale scegliere il titolo di un
altro o un titolo analogo, dovendosi questo negare

se esso tratti la stessa materia o sia diretto agli stessi lettori e conceder più facilmente invece , perchè non possibile nè confusione nè pregiudizio , se esso si svolga in un altro campo e per diversa clientela.

VII.

146. — Il giornale, nel modo stesso dell'insegna d'uno stabilimento, ha necessariamente un titolo quale mezzo di sua denominazione. Là si tratta di designazione per ragguaglio degli avventori, qui di individuazione a vantaggio d'una massa di lettori. Ora che il proprietario del giornale abbia un diritto esclusivo al titolo è stato da tempo riconosciuto dalla dottrina e dalla giurisprudenza dei varî paesi.

Quale però è il *giuridico fondamento di tale diritto?* Può la sola usurpazione del titolo d'un giornale costituire di per sè una parziale contraffazione d'un'opera e può quindi competere per esso un *diritto d'autore?*

L'antica dottrina inclinava per questo concetto. (Merlin, Rép., V. *Propr. litt.*, § 1; — Renouard, *Droit d'auteur*, 1838, n. 56; — Amar, *Dir. d'aut.*, 1874, p. 567). Si sosteneva che la invenzione d'un titolo suppone un lavoro intellettuale meritevole di protezione. Ora, se il titolo serve a distinguere il giornale ed è riassunto ed essenza di esso, deve godere della medesima garanzia, formandone parte integrante. In Italia, avendo la Legge 19 settembre 1882 (art. 40) adottato il principio che *la riproduzione di un titolo generico non costituisce reato di contraffazione*, devesi considerare reato di contraffazione la riproduzione di un titolo *specifico*, di quel titolo cioè per cui un'opera si distingue da qualunque altra della stessa specie.

147. — Tale concetto non ha nessun fondamento. Ciò che mediante il diritto d'autore si tutela è il prodotto dell'opera dello spirito che sia pervenuto a trovar acconcia forma in una per sè stante e concreta associazione di idee. Una singola parola od un più o meno accidentale legame di parole potrà ben suscitare in certi casi una serie determinata di pensieri, ma questa trae il suo contenuto più dall'operosità della mente di chi legge che non dal contenuto del pensiero dell'autore che non appare. Dalla combinata formazione e accordo delle parole costituenti il titolo di un giornale non può trarsi quel determinato e preciso concetto che gode della protezione del diritto d'autore.

I titoli di giornali sono tutto al più nomi designativi, come è del nome di una cosa, di un termine satirico, ecc., lontani quindi bene spesso da ogni originalità e tratti sovente da altri campi; essi sono adunque sottratti alla protezione dei diritti di autore.

La loro protezione trova però base nel *diritto di personalità*, e così nelle norme che divietano la concorrenza sleale (Kohler, *Autorrecht*, 1880, p. 132, e *Recht an Zeitungstiteln*, in *Oesterr. Centralblatt f. Iurist. Prax.*, 1886, p. 730). Chi infatti invoca la tutela del titolo o del nome o insegna non la invoca perchè sostenga d'aver fatto un lavoro intellettuale nello adottar l'uno o l'altra; egli per contro invoca tale protezione perchè, alla guisa stessa che il marchio distingue i suoi prodotti, così il titolo, l'insegna, ecc., sono distintivi della sua azienda. Col titolo ei vuole adottare semplicemente un nome che individualizzi l'opera creata, che venga ben accolto dal pubblico dei lettori, il quale di questo fa acquisto, ed in particolare che agevoli distinguer l'opera fra le innumerevoli quantità di prodotti letterarî. In tal modo, vietando qualunque usurpazione del titolo che rappresenta il prodotto dell'impresa giornalistica, si impedisce possa di questa essere diminuita la riputazione e allontanata la corrispondente clientela, e venga goduto da altri il frutto del suo lavoro.

Onde è che anche un *titolo differente* può non bastare ove per altre circostanze, come l'esteriore forma, il modo di stampa e così via, appajano i giornali così simili da poter essere scambiati. È sempre la stessa regola di diritto, che cioè l'una individualità non deve tali segni adottare nè di tali procedimenti valersi, i quali, agli occhî del pubblico, abbiano capacità di porre l'una al luogo dell'altra, e cioè vi sia facilità d'uno scambio. In tale senso si è più volte espressa la giurisprudenza moderna.

Così da più anni appariva in Francia un giornale col titolo *Moniteur Universel*; sorse un nuovo giornale col nome *Moniteur Universel des voyageurs*. Fu deciso doversi tale designazione sopprimere, per quanto il foglio fosse diverso nella forma e uscisse non quotidianamente come l'altro, potendo pregiudicarsi il diritto del primo giornale. Altrettanto si ritenne a riguardo d'un nuovo giornale che assunse il titolo di *Petit Journal du Soir*, portando confusione, anche per l'identica esteriorità di forma, coll'anteriore giornale sotto il nome di *Petit Journal*. Fu quindi divietata la presa denominazione. In Italia fu ancor qualche anno· fa giudicato aversi concorrenza sleale quando l'impressione generale che l'esteriore degli oggetti produce sia tale che possa determinare confusione tra loro. Se ne fece applicazione al giornale *La Stella* che, per caratteri di stampa, disposizione generale dei titoli e sottotitoli, annunci, ecc., tentò imitare l'altro giornale *La Farfalla* e portar confusione con essa (Trib. Mil. 2 dic. 1895, *Consul. Comm.*, 1896, p. 49).

148. — Ma il proprietario gode ancora, quanto al *titolo* del giornale, della *protezione dei marchî di fabbrica*.

Nel *titolo* del giornale *due punti di vista* speciali meritano di essere considerati. Per l'uno il titolo appare quale *denominazione dell'impresa*, come è dell'insegna del negozio. Per l'altro il titolo si presenta quale *designazione d'ogni singolo numero del giornale* o rivista. In questo secondo caso l'opera letteraria, cioè il giornale, appare un prodotto uguale ad ogni altra produzione del commercio che sia sottoposta al marchio, ed il titolo forma la designazione di questo prodotto stesso. Allora il titolo fa riputar il giornale un'opera o lavoro materiale necessario alla creazione del pubblico foglio e consistente nella materiale composizione e tiratura, e così un' *opera industriale*.

Ora le leggi dei varî Stati proteggono i *marchî* apposti su un prodotto necessariamente tangibile, materiale. Se il titolo è pure un prodotto materiale, si deve proteggere la sua marca come quella d'ogni altro prodotto. La marca quindi, e cioè le parole che figurano in testa della prima pagina a grossi caratteri del giornale e che costituiscono il titolo, ove sia stata debitamente registrata e depositata come marca del giornale, e siano quindi adempiute le necessarie formalità, sarà meritevole di protezione.

La questione è di molto rilievo. Infatti, col deposito del marchio, si ottengono garanzie maggiori, ed anche sanzioni penali che non sempre sussistono per l'uso indebito dell'altrui nome o titolo. Inoltre si consegue ben migliore facilità di tutela e di accertamento dell'identità od imitazione del marchio che non quando abbiasi ad accertar se vi sia o no riproduzione parziale o totale del prodotto.

In Germania, ove la riproduzione dei titoli di giornali non è punita dalla legge sui diritti d'autore, si ripara appunto all'abuso colla legge sui marchî, e più titoli di giornali sono infatti registrati nel registro dei marchî a Berlino.

Molti giornali inglesi hanno del pari depositato, in questi ultimi anni, il titolo del giornale come marca di fabbrica. Fra questi vi è pure il *Times* con sette od otto altri giornali di Londra, i quali trovarono tale misura assai efficace nella lotta contro la concorrenza sleale esercitata spesso colla imitazione travisata del titolo.

VIII.

149. — L'industria delle *inserzioni*, specie commerciali, da prima sotto forma di libri indicatori, indi sotto forma di periodici, si costituiva nei primordî, e, in certi paesi, quale un organizzato monopolio di Stato. Così fu, ad es., in Prussia fino al 1850, in Italia sino al 1876, in cui, coll'avvento della Sinistra al potere, fu tolto il privilegio delle inserzioni ai giornali di provincia (Schmölder, *Das Inseratenvesen als Staatsinstitut, 1879, p. 4 e seg.*). Però, dopo che la pubblicità ufficiale ebbe suo termine, e sopravvenne l'opera delle private imprese, l'industria delle inserzioni, stante anche il moderno incremento del commercio e delle vie di comunicazione , si organizzò rapidamente estendendosi ad ogni ramo della vita.

150. — In varî modi dispiega l'*intermediario* la sua attività nel mondo degli affari. Talvolta la sua operosità giuridica consiste principalmente nell'impresa d'un negozio giuridico, o in altrui nome, e così come mandatario, o in proprio nome, ma per altrui conto, cioè come commissionario.

Talvolta esplica un'attività di natura puramente materiale, come quando agisce quale *nuncius* che recapita, a voce od in iscritto, la volontà d'un contraente all'altro. Ma spesso l'intermediario si arresta alla parte preparatoria del negozio giuridico; l'opera sua è quindi del tutto fittizia, consistente in una *personale prestazione di servizio* in quanto agisce essenzialmente per ricavar un utile dalla propria attività autonoma e professionale.

A questa classe appartiene il *contratto di inserzione a scopo di pubblicità concluso fra editore e richiedente.* Per esso il primo si incarica, per data somma, di stampare nel giornale, una o più volte, annunci, offerte e altre informazioni attinenti agli affari più varî purchè leciti. Difatti, in relazione alla conclusione dei contratti, il compito dell'editore è di agevolarne la trattazione, di eccitar la domanda accostandola all'offerta, senza però partecipare al loro incontro.

Se non sia diversamente convenuto, varranno, per l'inserzione, le condizioni apposte e pubblicate nel giornale, e, in mancanza loro, le consuetudini giornalistiche, principalmente quelle che il compenso all'editore è dovuto in proporzione dello spazio occupato dallo scritto, determinato ordinariamente a numero di righe e punti tipografici; che l'inserzione per unica volta debba eseguirsi tempestivamente secondo la natura e scopo dell'annunzio, e, d'ordinario, nel numero di prossima pubblicazione compatibilmente sempre colle esigenze della composizione tipografica e della correzione, ecc., senza intralciare o ritardar la preparazione del giornale; e, quando per più volte, debba aver luogo in tanti numeri successivi; infine che il contratto d'inserzione s'intenda subordinato alla condizione che il periodico continui regolarmente le sue pubblicazioni, mentre, se cessa, la parte interessata avrà soltanto un rimborso proporzionato alla somma pagata e al numero delle inserzioni mancate.

151. — Ben di spesso la branca delle inserzioni è dai giornali ceduta ad un terzo, un' *agenzia di pubblicità*, dietro il pagamento d'un corrispettivo determinato per un certo periodo di tempo. In tal caso l'impresa cessionaria si trova, rispetto ai terzi, nelle stesse condizioni giuridiche dell'editore, e rispetto a questo, nella posizione giuridica del terzo che abbia già convenuto con lui l'inserzione, e quindi coi diritti e doveri corrispondenti. Così il terzo che contrattò coll'impresa non avrà azione diretta che contro di essa, questa, a sua volta, potrà rivolgersi contro l'editore, perchè adempia la sua obbligazione. Valgono nel resto le norme sopra accennate.

Ove durante il tempo per cui dura il contratto di inserzione, sia esso stipulato coll'editore o sia assunto da un'impresa (cessionaria o no della quarta pagina), lo spaccio del giornale venga a crescere o a diminuire anche molto notevolmente, non potrebbesi pretendere nè un aumento di compenso, nel primo caso, nè una diminuzione di esso o anche lo scioglimento del contratto, nel secondo. Il contratto d'inserzione in un giornale, specialmente quando sia per lunga durata, presenta in sè costantemente un carattere aleatorio a causa della mutabilità della clientela e delle sorti quindi d'ogni pubblicazione periodica, alea che doveva dalle parti essere calcolata al momento della stipulazione.

152. — Le *agenzie di pubblicità* o *case d'annunci*, nel caso in cui non sieno cessionarie della parte inserzionale, assumono la cura di far pubblicare, a mezzo dei giornali, gli avvisi dei loro committenti: a tal uopo trasmettono ai *pubblici* fogli che ricevono inserzioni gli avvisi loro consegnati dai committenti e conchiudono coll'impresa editrice del periodico i necessarî contratti per eseguir la pubblicazione. Le agenzie accettano le richieste altrui e promettono il loro servizio per la comunicazione dell'annuncio a determinati giornali, ma senza garantirne l'inserzione: promettono insomma, non l'esecuzione di una data opera dietro mercede, ma questo soltanto, di trattare e concludere coll'amministrazione del periodico l'accettazione di quell'inserzione che l'inserente stesso avrebbe potuto di per sè richiedere e ottenere. Quindi appare che l'opera dell'agenzia non è, come tale, *locatio conductio operis*. Certo la spedizione e consegna dell'annunzio all'ufficio del giornale è una effettiva prestazione d'opera, ma essa è solo una parte dell'affare, il cui principale contenuto, nei riguardi dell'agenzia, sta invece nella conclusione di un negozio avente ad oggetto l'inserzione. Non fa differenza che l'agenzia abbia assunto l'obbligo della prova dell'inserzione mediante consegna d'un esemplare; neppur qui essa contrae garanzia d'accettazione, ma soltanto l'obbligazione di una determinata prova in caso l'accettazione avvenga; cosa, del resto, necessaria anche in difetto di patto espresso, non bastando la pura affermazione sua dell'accettazione e dell'eseguita inserzione. All'affare principale accede adunque la promessa d'un esemplare certificante, ma qual *pactum adiectum*.

Così è d'ogni altra secondaria operazione dell'agenzia, la quale pure concorre come mezzo per l'attuazione dello scopo principale che è la conclusione del contratto col giornale.

153. — Il consenso posto a fondamento del contratto fra l'inserente e l'agenzia che spedisce gli annunci al giornale è da ricondurre all'esecuzione di un *mandato*, ma non di un mandato nell'ordinario senso del diritto civile, facendo difetto il carattere essenziale dell'esecuzione in *nome* del mandante, chè chi spedisce gli annunci contrae in *proprio nome* colla redazione del giornale. Si tratta d'un incarico del tutto speciale che si manifesta come un *negotium mixtum*, costituito dall'elemento giuridico riguardante la funzione dello speditore e dall'elemento proprio della funzione del commissionario. L'agente di pubblicità è *speditore*, in quanto cura la spedizione degli annunci ai fogli determinati per la loro pubblicazione, funge poi da *commissionario* in quanto, per l'esecuzione dell'inserzione, contrae coll'editore il necessario contratto, direttamente e in proprio nome, sebbene, in ultima linea, per conto del committente, in quanto ha convenuto con lui e ne riceve una stabilita somma per rimunerazione della propria opera e per coprirsi delle spese che deve sostenere. Egli non ha a mettere semplicemente in conto al committente, come il comune speditore, le spese incontrate oltre alla sua provvigione; si regola invece come l'ordinario imprenditore di spedizioni in quanto esige per l'assunto incarico, e come prezzo dell'inserzione, un determinato prezzo, senza riguardo alla somma delle sue effettive spese. Il sopravvanzo dei diritti d'inserzione così computati, su quelli dovuti realmente soddisfare al giornale, forma l'utile dell'agenzia speditrice degli annunci, la quale, a questo riguardo, può anche avere stabilita una tariffa.

154. — I giornali designati a ricevere certe inserzioni (es.: gli annunci giudiziarî, le leggi ed atti ufficiali, ecc.) godono d'un certo monopolio, di diritto o di fatto poco importa, che li pone fuori del diritto comune e della libera concorrenza, essi solo potendo, per certi privilegi o vantaggi inerenti alla concessione avuta o dipendenti da questa, ritenersi in grado di esercitare utilmente quella data industria ad esclusione di altri. Essi quindi non potrebbero ricusare l'inserzione degli annunci loro presentati, chè ne verrebbe ingiustamente compromesso l'ordine pubblico e limitata la libertà dei cittadini, obbligati a dover soltanto con maggiori spese soddisfare altrimenti a quello scopo. E poichè sotto il regime del monopolio il Governo fissa esso il prezzo dell'inserzione, segue che gli stampatori non potrebbero esigere somma superiore sotto pena del delitto di concussione.

Ma pur al di fuori di tali casi *può sussistere pei giornali l'obbligo di inserzione.*

L'affare delle inserzioni costituisce per essi una offerta al pubblico, e cioè a persona indeterminata. Coll'accettazione secondo il contenuto dell'offerta, e così colla conclusione del contratto, la persona incerta diventa persona certa. E l'offerta è completa, sia per l'oggetto che riguarda qualsiasi pubblico e lecito annunzio, sia pel prezzo, che è determinato in capo al giornale; ed è quindi vincolativa.

Mentre adunque ogni singolo può accettar la promessa d'inserzione, l'editore o impresario non possono efficacemente sottrarvisi, salvo il caso siansi negli annunzî stessi riservata la facoltà di rifiutar l'inserzione.

Nè conseguentemente sono liberi di domandare, in caso acconsentano all'inserzione, un prezzo superiore a quello preventivamente fissato. Certo la libera concorrenza impedirà che i prezzi richiesti siano esorbitanti, ma su tali considerazioni economiche predominano quelle giuridiche derivanti dall'efficacia vincolativa dell'offerta alle condizioni rese note al pubblico.

155. — Soltanto *ob aliquam justam vel rationabilem causam* può l'editore o proprietario ricusare la conclusione del contratto, come nel caso sia l'inserzione contraria ai buoni costumi, all'ordine pubblico od alla legge, non potendo obbligarsi l'editore ad esporsi ad un procedimento penale o quanto meno ad una responsabilità civile. Così è per le inserzioni di annunzî o programmi di lotterie proibite, italiane od estere, per le inserzioni ingiuriose o diffamatorie, non dovendo la legge prestar man forte alla consumazione di un reato o ad inserzioni che turbino la pubblica tranquillità e possano causar disordini sottoposti alle sanzioni della legge penale. Occorre infatti ritenere che il gerente deve rispondere, non solo del contenuto del giornale nella parte soprastante alla sua firma, ma pure di quella susseguente, e quindi pur delle pubblicazioni in quarta pagina ove più frequentemente si fanno le inserzioni.

Però anche in casi non previsti dalla legge penale può il rifiuto essere legittimo. Così è delle inserzioni relative a pubblicazioni indecenti o a rimedî evidentemente ciarlataneschi, a quanto insomma incoraggi i vizî o sia un tranello alla buona fede del pubblico e riesca di scredito alla quarta pagina del giornale. Vale lo stesso per le cosidette *corrispondenze private*, perchè non interessano che una sola persona, mentre il giornale è fatto pel pubblico, e quanto vi si stampa deve interessare, se non tutto il pubblico, almeno parte ragguardevole di esso.

Possono infine ricusarsi le inserzioni a pagamento fuori della quarta pagina o di quello spazio della terza che sta sotto la firma del gerente, onde non si attribuisca loro maggior fede di quella che meritano, nè sorga il sospetto che la *réclame* sia appoggiata, con poco onore, dal giornale stesso.

156. — L'editore del giornale si trova, nei riguardi delle *agenzie telegrafiche*, negli stessi rapporti giuridici che intercedono fra lui e le *agenzie di annunci*.

Difatti le prime (l'*Havas*, la *Reuter*, la *Stefani*, ecc.) assumono l'impegno di spedire da oltre mare o da altri lontani luoghi determinati telegrammi per un minore diritto di quello che il mittente (committente) avrebbe dovuto pagare egli stesso se avesse fatta diretta richiesta alle amministrazioni telegrafiche.

Questa modicità di prezzo, che di per sè sola forma lo scopo dell'impresa, vien resa facile coll'unione di più telegrammi in uno solo, coll'applicazione pure del metodo d'accorciamento mediante cifre: proprio come avviene nel ramo di spedizione delle merci dovè s'uniscono più capi o colli di esse pel loro trasporto in vagoni completi.

L'agenzia *speditrice di dispacci* è simile alle *agenzie speditrici di annunci* ed agli *impresarî di spedizione:* essa non è quindi responsabile per l'esattezza e regolarità loro, al modo stesso dello speditore delle merci il quale abbia contratto in proprio nome.

Quanto alla funzione giuridica delle *agenzie telegrafiche* valgono le osservazioni esposte sulle *agenzie di inserzioni*.

IX.

157. — Il profondo influsso dei grandi capitali sullo sviluppo del giornalismo ed il vincolo che lega questo ai primi formano, specialmente pel predominio mercantile delle inserzioni, il principale carattere e pericolo della stampa quotidiana. Il giornale allora, anzichè rappresentare una somma vedetta, un faro di civiltà, non raffigura che un materiale strumento di costituzione d'affari in cui gli introiti, determinati particolarmente dalle inserzioni, sono lo scopo fondamentale dell'impresa. Non può quindi concedersi, nello spazio ristretto del foglio, di dar singolare sviluppo alle diverse rubriche; le considerazioni di speculazione, dell'affare, dominano su tutto il contenuto e sulla stessa parte politica, sulle notizie locali e peranco sul campo letterario delle appendici, critica, romanzi, ecc.; sono il polo cui son rivolti tutti gli sguardi, chè sempre si tratta di un affare, sostanzialmente di mercantilismo o mercurismo.

I giornali quotidiani che vivono di giorno in giorno tendono, a tal uopo, ad una pronta e burocratica influenza. Si valgono pertanto di efficaci mezzi. Così hanno cura, anzitutto, della parte sensazionale.

Se questa non possono in certi casi effettivamente presentare, vi fanno tuttavia, sia pur falsamente, un qualche accenno sino ad influire spesso, che è quanto interessa, sui prezzi e corsi di borsa. Il piccante, che nasconde la licenza, viene di preferenza coltivato per accrescer lettori, se anche poi sotto il manto della morale riprovazione. Sotto la critica d'arte dei giornali delle grandi città si travede sovente la raccomandazione per ogni teatro di varietà; questo è specialmente nel caso delle inserzioni che vengano giornalmente pagate. I resoconti giudiziarî, i fatti di cronaca, ecc. vengon del pari tanto più estesamente scritti quanto più si manifestano in essi la corruzione e lo scandalo, e se ne può prevedere o sperare un aumento di spaccio.

Concorre a produrre siffatto anormale stato di cose l'attuale nostro economico ordinamento e tecnico sviluppo e specie l'accresciuto concentramento dei potenti fattori economici, per opera dei quali la stampa passa sempre più nelle mani dei grossi capitali, della speculazione finanziaria. Per ciò pullula dovunque uno spirituale proletariato di piccoli fogli con vita stentata e quasi al lastrico.

La sovrabbondanza poi di scrittori, specie di media intelligenza, fa sì che pur l'industria giornalistica occupi, e nella grande stampa e nella stampa infima, una innumerevole quantità di mediocri collaboratori la cui sicurezza d'esistenza potrebbe compararsi in genere a quella dei più modesti operaî di fabbriche. Questo esuberante concorso di giornalisti impedisce anche l'inalzarsi del sentimento e della coscienza del proprio stato. Ne deriva che essi sempre più si allontanino dalla effettiva direzione del giornale e dal far prevalere, pur di fronte al proprietario, l'indirizzo seguìto e convenuto, rendendo quindi sempre più macchinale il crescente pubblicistico lavoro. La scarsa retribuzione sua converte, d'altra parte, la professione in una delle meno sicure dove ancora i periodi di intensa occupazione si alternano con quelli mancanti d'occasione a lavori di qualsiasi genere. Non fan difetto eziandio nella stampa ị rari ingegni con proporzionati compensi. Ma il loro talento deve per lo più agli altrui scopi sottostare, e spezzarsi, ciò che, nelle coscienze di mediocre valore, contribuisce alle transazioni morali ed alla rovina del carattere.

158. — Se così come oggi stanno le cose, non è la stampa in genere nè più nè meno che un *affare* diretto al massimo materiale guadagno, segue che le imprese giornalistiche appartengono essenzialmente al capitale privato e tendono al conseguimento di interessi economici subordinando a questi la vita pubblica ed il compito intellettuale del giornalismo. Indi la corruzione della stampa come portato necessario di tali intraprese d'affari, di tali caccie di concorrenza privata con annunci, inserzioni, *réclame*, ecc., per cui un giornale che voglia a questa resistere, chè senza sussidî non potrebbe reggere, dev'essere un affare di speculazione necessitante, per l'esercizio suo, la dipendenza servile, al capitale, dei giornalisti. Ogni collaboratore di giornali, si appelli come vuolsi, si dica direttore, redattore, resocontista, *re-*

porter, o si chiami scrittore, professore, ecc., sarà allor tutto il rimanente, ma non un vero scrittore, anzi è soltanto persona d'affari.

In tale sistema ciò che si vuole gli è far molti e grassi affari; epperò il grande intraprenditore di giornali, come affarista, vorrà sempre, prima di tutto, saper quale sarà il profitto che esso ricaverà dal dichiararsi per un partito e contro un altro. Se poi così esigerà il tornaconto del suo giornale, con tutta tranquillità cambierà bandiera da un giorno all'altro.

159. — Un paese nel quale la stampa esercita grande potenza sono gli Stati Uniti. Qui non evvi alcuna eminente autorità, senatori, deputati, alti ufficiali pubblici, o presidente stesso, che possano contrastare l'influenza dei giornali o muover loro concorrenza. Quanto più sottile e complicata vi è l'organizzazione d'un giornale, quanto più esteso è il campo e la materia da esso trattata e più vasto il suo esercizio, tanto più ingenti sono i capitali e le spese che devono esservi impiegate. Onde è che agli Stati Uniti la stampa va sempre più concentrandosi in limitato numero di organi dirigenti pel cui esercizio diventano indispensabili straordinarî capitali. Gli stessi progressi della meccanica importano un tale sviluppo. Ivi i miglioramenti si inseguono senza posa. Se quindi un giornale si provvede d'una macchina perfetta, devono tenergli subito dietro i giornali concorrenti se non vogliono darsi per vinti quanto alla sollecitudine delle loro edizioni. Senonchè un meccanismo di stampa, appena provvisto, viene subito sopraffatto da altro più perfetto, e può considerarsi senz'altro antiquato; ma il provvedimento di nuovi congegni costa migliaja e migliaja di lire, e in questa concorrenza adunque possono quelle imprese soltanto sussistere le quali illimitate risorse posseggono. La storia della politica economica americana fornisce sufficiente spiegazione delle conseguenze a cui porta un simile sviluppo della stampa.

In altri Stati del continente si è ben lontani da tal risultato, ma si designa già in certi paesi (ad es. in Germania) una forte tendenza alla concentrazione e raccoglimento di grosse forze capitaliste, potendo alle cresciute esigenze del pubblico più convenientemente provvedere un grande che non un piccolo giornale. In Francia è sorta nel 1897 l'*Association de la Presse Periodique* per riunire in unico fascio i direttori e proprietarî di giornali a scopo di reciproco sostegno e diffusione delle pubblicazioni loro. Se un giornale non può, isolato, sottostar a tante spese di abbonamenti, pubblicità, personale, ecc., può però trovare appoggio nella mutua assistenza dell'associazione, o cedendo ad essa l'intiera amministrazione del giornale, o solo una parte.

PARTE VI.

Pubblicazione del giornale.

I.

160. — Nel giornale non è solo degno d'esame il *contenuto*, il pensiero che vi si racchiude, ma pure la preparazione, l'impressione dello *stampato*, la *pubblicazione* sua.

Il prodotto giornalistico rappresenta anzitutto una manifestazione intellettuale, ed il campo della sua efficacia si estende allora a tutti gli atti riguardanti la creazione sua, comprende cioè la concezione, la redazione e riduzione ad unità dei concetti per esso espressi.

Ma all' esistenza del giornale fa d'uopo che la manifestazione del pensiero si concreti in una cosa *corporale*, lo *stampato:* tale estremo è indispensabile. Così il giornale non potrà dirsi pubblicato senza la sua trasmissione materiale, la circolazione dello stampato.

Non può essere parola di pubblicazione prima della completa preparazione e formazione del suo *corpo*; e pertanto il contenuto intellettuale che durante la creazione dello stampato venga fatto manifesto al personale di redazione, di stampa o ad estranei, non potrà cadere sotto le disposizioni della legge sulla stampa, ma sotto la legge comune.

Però lo stampato, una volta perfetto, deve essere reso pubblico.

Se entro il locale di stamperìa, e fra coloro che partecipano alla preparazione e compimento del foglio, venga questo, dopo stampato, messo in circolazione, non sarebbe ciò sufficiente per l'applicazione della legge sulla stampa, chè non ancora *pubblicato*.

D'altra parte la pubblicazione del giornale come tale non sarebbe del pari effettuata se soltanto il suo contenuto sia comunicato, senza trasmissione del *corpo*. La lettura sua in ogni luogo ed a qualsiasi persona, per quanto più efficace d'altri mezzi di divulgazione, non costituisce pubblicazione, chè la notizia del contenuto racchiuso nello stampato non si trae dallo scritto per sè, ma dalla comunicazione datane mediante orale discorso.

Ora la legge della stampa, osserva Berner (*Press-recht*, 1876, p. 168), presuppone lettori, non puramente uditori.

Essa infatti vuole a quel pericolo contrapporsi il quale consiste nel poter ogni stampato esemplare del giornale correre per le mani di indeterminato numero di lettori (*pubblicazione* nel suo proprio senso).

Le prescrizioni dell'editto intorno alla formazione e pubblicazione di un giornale formano oggetto del presente capitolo.

II.

161. — L'*impresa di fondazione e pubblicazione* d'un giornale suppone necessariamente l'esistenza d'un essere giuridico che ne abbia la proprietà. Dichiarando l'editto che «qualunque suddito del Re, o qualunque società... potrà pubblicare... », (articolo 35), fu evidentemente riconosciuto, a riguardo del proprietario del periodico, un illimitato diritto di pubblicazione, sebbene non siasi posta veruna regola quanto all'organizzazione di tale proprietà, disponendo in proposito il Codice di commercio.

Il giornale può spettare a *privata persona*, od a *società* commerciale, od anche a corpi morali, come accademie, *clubs*, ecc., soliti infatti a pubblicar giornali o riviste di lettere, scienze ed arti, ossia in quel particolare campo da essi promosso e che forma oggetto della loro istituzione.

Una società costituita per la pubblicazione d'un giornale non potrebbe però prendere il carattere di società *civile*, per quanto nessuna forma sia esclusa. Il carattere civile o commerciale d'una società dipende unicamente dal suo oggetto e dalla natura delle operazioni intraprese, non dalla forma ch'essa rivesta e dalla volontà delle parti che la formano. Una società fondata per la pubblicazione d'un giornale non può essere adunque che una società commerciale, sì come impresa avente ad oggetto atti di commercio (Parte V).

Per favorire il libero funzionamento delle società civili fu bensì concesso dall'art. 229 Cod. comm. che queste possano assumere le forme delle società per azioni; ma non viceversa.

Non ostante poi la legge si riferisca unicamente alle *società anonime* o *in accomandita*, si deve ritenere trattarsi di disposizione esplicativa, e che qualunque delle società definite e disciplinate dal Cod. comm. possa pubblicar un giornale, e quindi pur una in nome collettivo. Per la diversa interpretazione mancherebbe un serio fondamento, tanto più che le società in nome collettivo, stante il vincolo di solidarietà dei soci, offrono garanzie superiori ad ogni altra.

162. — Impone la legge ai proprietarî di giornali condizioni di *capacità civile* o *politica*? L'art. 35 dell'Editto accorda il diritto di pubblicazione di un giornale a « qualunque suddito del Re il quale sia maggiore d'età e goda del libero esercizio dei diritti civili, a qualunque società anonima o in accomandita, od a qualunque corpo morale, legalmente costituito nei regi Stati ». Queste condizioni sono richieste, dall'art. 36, anche pel gerente.

Ora la parola *suddito del Re* non sta ad indicar il cittadino, bensì qualsiasi individuo, regnicolo o no, sottoposto alle leggi del regno ed alla giurisdizione di esso, in quanto si trovi nel nostro territorio. La conferma di ciò può riscontrarsi nel fatto che la nostra legge, modellata sulla francese, omette la dichiarazione di questa (art. 1, Legge 1828) che... il proprietario del giornale deve essere francese...; di più nel fatto che lo stesso articolo autorizza alla pubblicazione le società e qualunque corpo morale senza distinzione di nazionalità, per cui non vedesi perchè il legislatore possa aver voluto favorire le società o corpi stranieri più degli individui.

A prima vista può sembrare strano che non siasi interdetto agli stranieri il diritto di fondar un giornale in Italia, ma il divieto sarebbe stato, in fatto, lettera morta, potendo essi facilmente acquistar la proprictà d'un giornale che si pubblichi nello Stato dandolo in accomandita. D'altra parte la libertà della stampa, come quella della parola e del pensiero, è più un diritto dell'uomo che un privilegio del cittadino.

È perciò che la capacità di essere proprietarî o gerenti di giornali, quella consimile d'attendere all'istruzione od all'insegnamento, se si riannodano al godimento di un diritto pubblico o civico, non costituiscono però un diritto *politico* nel senso stretto della parola, in quanto non fanno partecipare all'esercizio della sovranità: non escludono quindi dal loro godimento gli stranieri.

Certo sono diritti che, pur non rientrando nella classe dei diritti politici, sono fra le più importanti delle libertà pubbliche, e come tali esigono condizioni di moralità al più alto grado, ma non la cittadinanza. E pur pel diritto d'insegnare non è richiesta la cittadinanza dello Stato, salvo l'adempimento dei requisiti voluti dall'art. 166 della Legge sulla pubblica istruzione, 13 novembre 1859. Solo pel diritto d'aprire uno stabilimento d'istruzione secondaria è prescritta la cittadinanza italiana, come si ricava dagli art. 246 e 355, e dagli art. 150 e 151. Reg, 15 settembre 1860, dove, alla condizione della cittadinanza, non si fa eccezione nemmeno per le corporazioni religiose; colle quali esplicite disposizioni il legislatore provvidamente intese frenar una propaganda che avesse potuto venir dall'estero con intenti avversarî alle nostre istituzioni (Cons. di Stato, 31 maggio 1887, Legge 87, 2, 748). Ma la differenza tra tale caso e la fondazione di un giornale è ben rilevante, poichè la vigilanza del pubblico e dell'autorità possono con ben più efficace garanzia esercitarsi sul giornale che non sulla scuola.

Pure la Leg. fr. 1881 ha tolta la condizione della nazionalità nel proprietario del giornale, limitandola soltanto al gerente, ed escludendo, in tal caso, lo straniero ancorchè autorizzato a stabilire il suo domicilio in Francia ed abbia ivi il godimento dei diritti civili.

163. — Il proprietario del giornale (e pure il gerente) deve ancora aver la *maggior età e goder il libero esercizio dei diritti civili.*

La *maggior età* è fissata agli anni 21 compiti (Cod. civ., art. 323); non basterebbe quindi l'emancipazione del minore, ancorchè seguìta da autorizzazione all'esercizio del commercio (Cod. comm., art. 9).

Il *godimento* non è che la proprietà del diritto appartenente a un dato individuo, non è che la *facoltà* a lui inerente e che fa parte del medesimo. L'*esercizio* invece del diritto è l'attuazione pratica, o l'esperimento del diritto nell'ordine esteriore delle cose. Così i minori e gli interdetti hanno il godimento dei diritti civili, ma non l'esercizio, il quale viene affidato dalla legge alle persone incaricate della loro tutela.

Per altro, benchè la legge accenni soltanto al *godimento* dei *diritti civili*, deve riconoscersi abbia inteso parlar ad un tempo dell'attitudine legale ad acquistar diritti, e della facoltà di compier gli atti necessarî al loro acquisto, in sostanza, che il proprietario abbia, non solo il godimento, ma pure il vero esercizio dei diritti civili. In caso contrario, dovrebbe riconoscersi, ciò che è impossibile, che una persona interdetta per infermità di mente o rinchiusa in un manicomio, possa assumere, specie in qualità di gerente, la responsabilità penale inerente alla pubblicazione d'un periodico, ovvero, sebbene priva dell'amministrazione della sua personale fortuna, possa tuttavia provvedere alla gestione dell'azienda giornalistica (Faivre et Benoît-Lévy, *Code man. de la presse*, 1885, p. 46 — Dutruc, *Loi sur la presse*, 1883, p. 18; — Barbier, *Code expl. de la presse*, I, 1887, n. 80).

164. — L'Editto non pone condizione di *sesso*, nè pel proprietario nè pel gerente. Ora, escluso il requisito della capacità politica, devesi riconoscere che pur le donne possano rivestire tale qualità, il che è anche conveniente pei giornali di educazione, di mode, ecc., e così di materia in cui esse hanno una competenza affatto particolare. Può esservi d'altronde tutto l'interesse a permettere alla vedova d'un gerente, proprietario d'un giornale, di succedergli nella gerenza e proprietà. È quindi anche opportuno ammettere la più larga e liberale interpretazione.

La *donna maritata* non ha diritto di assumere certe qualità, e compiere determinati atti, segnatamente esercitar la mercatura (Cod. comm., art. 13), senza l'autorizzazione del marito; non può quindi essere *proprietaria* di periodici, imprimendo l'impresa editrice d'un giornale la qualità di commerciante in chi l'esercita.

Per contro la donna maritata può, senz'uopo di consenso maritale, rivestir legalmente la qualità di *gerente*, sottostando alle responsabilità che ne derivano.

In fine è pur capace, coll'autorizzazione del marito, ad assumere la pubblicazione del giornale. A differenza dei minori e degl'interdetti, la cui incapacità è in qualche modo naturale, ed i quali sono necessariamente rappresentati, negli atti civili, da mandatarî legali, la donna maritata interviene direttamente e personalmente negli atti; suo marito si limita soltanto ad assisterla in certuni; per cui, se tale assistenza non fa difetto, essa si trova nel pieno esercizio dei suoi diritti civili.

165. — Quanto al *fallito*, la sentenza dichiarativa del fallimento non gli toglie la sua capacità civile, e soltanto lo priva, *finchè dura lo stato di fallimento,* dell'esercizio dei diritti politici (Legge elett. polit., art 88, Legge com. e prov., art. 30).

La sentenza che pronuncia il fallimento non fa che constatare, nel commerciante, lo stato di cessazione dei pagamenti, senza portar contro di lui alcuna condanna che pronunci una pena, o ne intacchi la capacità civile: se la sentenza produce per effetto, finchè dura lo stato di fallimento, di privarlo dei diritti politici, è meno per indegnità, che per ispingerlo invece a riparar le rovine economiche da lui potute causare; con che la legge stessa stabilisce una distinzione fra le incapacità risultanti da una sentenza dichiarativa di fallimento, e quelle risultanti da una decisione della giustizia penale. Non potendo adunque estendersi arbitrariamente le disposizioni eccezionali della legge, o crearsi, per via d'interpretazione, incapacità che da essa formalmente non risultano, dobbiamo respingere l'insegnamento di certe decisioni secondo cui il fallito, per ciò che privato dell'amministrazione dei suoi beni, e dell'esercizio delle azioni che ne dipendono, perda eziandio il libero esercizio dei diritti civili, nè possa valersi del diritto di pubblicar giornali (Cass. fr. 22 giugno 1887; *Dalloz*, 87; 1,281).

166. — L'editto richiede il *godimento del libero esercizio dei diritti civili.*

Ora nel sistema delle nostre leggi sono privati del libero esercizio dei diritti civili i soli *condannati alla pena dell'ergastolo, ed alla reclusione per tempo maggiore di cinque anni,* perchè *interdetti legalmente durante la pena* (Cod. pen., art. 33). Pertanto i condannati ad altre pene, se anche interdetti dai pubblici uffizî, non trovansi colpiti dalla incapacità a pubblicare un periodico, sebbene lo stato di pena venga a porre un ostacolo materiale a tale esercizio.

Questa condizione di cose è in omaggio al principio della libertà di stampa, ma non può approvarsi.

Chi si vuole infatti servir del potente mezzo di influenza della stampa sulle masse dee fornir garanzie sufficienti di moralità. Ben vero che l'eccessiva libertà è temperata dalla legge penale; però le sanzioni sue non son tali da impedire e distruggere i dannosi influssi che non si manifestano con segni sensibili e materiali. Specie le condanne per ignobili delitti (furto, truffa, ecc.), nell'ordine della moralità e del diritto, e nel sistema generale di interdizioni delle nostre leggi, dovrebbero torre, a chi ne è colpito, il diritto di pubblicar giornali. Solo delle condanne per reati politici non dovrebbe mai farsi causa d'interdizione, meritando esse maggior riguardo che le ordinarie, onde anche non si avvalori il sospetto che indirettamente con qualunque condanna si possa impedir la libera discussione delle opinioni politiche e degli affari del paese.

III.

167. — Le manifestazioni della stampa vengono sotto distinti aspetti disciplinate dallo Stato.

Vi sono anzitutto ordinamenti amministrativi contenenti limitazioni della libertà di stampa (censura, interdizione amministrativa, cauzione da fornirsi da proprietarî o redattori, bolli sulla carta o sui giornali). Oramai però gli stessi sono scomparsi dalla nostra legislazione e dalla maggior parte di quelle estere.

Esistono poi prescrizioni intese a mantener semplicemente l'ordine e la polizia della stampa.

Di queste ultime sono le disposizioni degli articoli 443 Cod. pen., 63 e 66 della Legge di P. S., pei quali chi esercita l'arte tipografica deve farne preventiva dichiarazione all'autorità di P. S., con la indicazione del luogo dell'esercizio, e del nome del proprietario o di chi lo rappresenta, notificando poi ogni cambiamento di località o di persone.

Questo ramo d'industria, costituendo una funzione sociale assai importante, reclamava tali particolari sollecitudini, che non hanno per mira di inceppparne l'esercizio o lo sviluppo.

168. — Ma oltre a queste generali prescrizioni ve ne sono delle speciali.

Il regio Editto impone, *a chi intende pubblicare un giornale, di presentare alla Prefettura, prima della pubblicazione, una dichiarazione* diretta ad assicurar l'azione della polizia e della giustizia, ed a fornir garanzie materiali contro l'abuso della libertà di stampa.

La dichiarazione deve esser fatta *prima* della pubblicazione del giornale ; non è però prefisso intervallo alcuno, e può quindi la pubblicazione seguir immediatamente la dichiarazione.

La dichiarazione si fa all'autorità amministrativa. In Francia si fa invece al P. M., allo scopo, fu detto, di sottrar in modo assoluto la stampa al regime amministrativo: beneficio però più apparente che reale, poichè ugualmente, ad opera di tali dipendenti, viene il Governo a prender conoscenza delle dichiarazioni e mutazioni prescritte dalla legge.

169. — La dichiarazione *scritta* e *documentata* concerne :

1.º *La prova del concorso, in chi pubblica, e nel gerente, delle qualità indicate nell'art. 35.*

Siffatta prescrizione importa implicitamente l'indicazione del proprietario del giornale. Sarebbe stato invero illogico e dannoso sopprimer la cauzione, lasciar che, pel diritto comune, il proprietario sia civilmente responsabile delle condanne riguardanti il giornale, e tuttavia non adottar alcuna precauzione, perchè il proprietario divenga noto. Se così fosse, ben poco sarebbero salvaguardati gli interessi legittimi dei terzi (Celliez et Le Senne, *Loi de 1881 sur la presse*, 1882, p. 77 — Barbier, *op. cit.*, I, n. 92).

2.º *La natura della pubblicazione;* con che certamente s'intende il *titolo* del giornale, (cogli eventuali sottotitoli), qual segno di sua identificazione, il *modo* di pubblicazione, cioè le epoche in cui esce (se quotidiano, settimanale, ecc., e, se irregolarmente, indicando almeno tale circostanza), il *genere* di trattazione, esempio: se si tratta di materia politica, letteraria, illustrata, ecc.; insomma tutto quanto concorre a individualizzare il giornale.

Nel caso di *più edizioni* che non siano riproduzione esatta l'una dell'altra, si dubita se, giuridicamente, si tratti di diverse edizioni d'uno stesso giornale, ovvero di giornali diversi, col conseguente obbligo di dichiarazione per ognuno di essi. Ora può ritenersi verificarsi il primo caso, quando le edizioni sono la riproduzione *principale* l'una dell'altra, salve le aggiunte richieste dai fatti e dalle notizie sopravvenute nell'intervallo fra le diverse tirature, ed il secondo, se vi sia differenza nelle condizioni di loro periodicità (es. uno quotidiano, l'altro settimanale), nella loro redazione, se abbiano prezzi distinti, e sieno venduti separatamente, ecc. In tali casi sono sempre opportune dichiarazioni a parte per le diverse edizioni, potendo queste considerarsi, in fatto, giornali distinti, ed esporre, nel difetto di quella formalità, a procedimento penale.

È pure richiesto il *nome della tipografia*, e il *nome e la dimora del tipografo*. Facendo la legge pesare sullo stampatore eventuali responsabilità, era utile esigere l'indicazione della tipografia dove si stampa il giornale.

In Francia, ove pur si richiede la sola *indicazione della stamperia*, fu più volte deciso non essere sufficiente l'indirizzo dello stabilimento, ma occorrere eziandio il nome di chi lo dirige: la duplice menzione essendo indispensabile a determinar l'identità della stamperia, e ad assicurar quindi la sorveglianza dell'autorità (Cass. fr. 3 genn. 1884, Dalloz, 1884, 1, 371 — App. Bordeaux 20 febbr. 1885, *Gaz. Pal.* 1885, 2, *Suppl.* 60).

3.º *Il nome e la dimora del gerente responsabile.*

Il nome è quello civile. L'uso quindi di pseudonimi, o di nomi letterarî, è. divietato, non potendo, per l'interesse pubblico che vi è di mezzo, assimilarsi il pseudonimo al nome vero (Meves in *Goltd. Archiv.*, v. 39, p. 16).

Se il giornale ha *più gerenti*, la dichiarazione deve indicar i nomi e la dimora dei singoli gerenti.

Se questi sieno con responsabilità divisa, deve unirsi al nome una designazione da cui appaja la determinata parte del giornale per cui essa è limitata, ad esempio: la parte politica, inserzionale, letteraria, ecc.

170. — Quando riprenda un giornale le *pubblicazioni* per alcun tempo *interrotte*, fa d'uopo di nuova dichiarazione? In un caso di sospensione di pubblicazione per 3 mesi, fu ritenuto non esservene bisogno, non avendo mai l'impresa del giornale cessato d'esistere (Dalloz, *Rép.*, v. *Presse*, n. 255).

Per principio può presumersi che il proprietario d'un giornale, sospendendo le pubblicazioni, intenda abbandonarne l'impresa, autorizzando anzi qualsiasi editore di appropriarsi, quale *res nullius*, il titolo stesso del giornale. Se pertanto un'impresa di giornale finisca, o per volontà del proprietario, o per divieto dell'autorità, come rimarrà l'uso del titolo libero a chiunque, così, risorgendo l'antico giornale, si verserà del pari nel caso di nuova impresa, sottoposta ad apposita dichiarazione (Kohler, in *Oesterr. Centralblatt f. jur. prax.* 1886, 748).

Però non ogni interruzione nella pubblicazione rende subito caduco il diritto al titolo, od importa l'estinzione del periodico. È decisione di fatto quella sulla durata del tempo a ciò occorrente. Può facilmente avvenire che, per qualche ostacolo indipendente dalla volontà del proprietario, sia a questo reso impossibile un regolare esercizio dell'impresa, ma che, tosto rimosso l'impedimento, ei riprenda la pubblicazione. In tale ipotesi, nè può esser lecito al terzo l'impiego del titolo, nè può imporsi al proprietario alcuna dichiarazione in proposito.

In Francia, per uso costante della Società di Lettere, ogni giornale che rimanga un anno senza pubblicare un numero, è riputato aver rinunciato alle sue pubblicazioni. Trascorso adunque un adeguato termine dall'ultimo numero, deve ritenersi cessata ogni soluzione di continuità delle nuove colle precedenti pubblicazioni, e trattarsi di nuovo periodico, sottoposto a dichiarazione (arg. sent. fr. *Ann. propr. ind.* 1865, 145; 1869, 218; 1874, 373; Dalloz 1882, 3,95, ecc.).

171. — A termine dell'art. 38, *qualunque mutazione in una delle condizioni espresse nella dichiarazione,* e cioè qualunque cambiamento sopravvenga nel corso della pubblicazione relativamente alla qualità e persona del gerente o del proprietario, alla natura della pubblicazione, alla tipografia e tipografo, ecc., deve formar oggetto di particolare *notificazione.*

L'inserzione, nel giornale, d'un avviso che accenni alle mutazioni sopravvenute, non potrebbe supplire alla notificazione espressa e speciale voluta dal detto articolo.

Anche il cambiamento effettuatosi nella persona

o dimora del. *tipografo* va notificato, senza che basti l'indicazione, sia pur precisa, del locale dove si stampa il periodico.

Del pari se il giornale cambia *titolo*, cioè il nome che lo distingue e lo individualizza, o fa a questo subir un mutamento qualunque, anche parziale, è necessaria la notificazione.

Così pur ogni variazione nelle condizioni di *periodicità*, anche quando la mutazione consista nella soppressione temporanea, per mancanza di fondi o per altra causa, di uno dei giorni in cui il giornale era solito apparire, forma oggetto di notificazione, trattandosi di fatti innovativi nella qualità e genere di pubblicazione (Cass. fr. 25 giugno 1851, Dalloz 1851, 1, 170).

Se nel corso della pubblicazione un giornale aggiunga una *seconda edizione* alla prima si renderà pur necessaria una dichiarazione, stante il cambiamento nel primitivo modo di pubblicazione; però sarà indispensabile, non una dichiarazione di mutazione, ma una dichiarazione particolare (art. 36) quando la seconda edizione non dovesse riprodurre *principalmente* la prima.

Infine ogni aumento e riduzione nel numero dei *gerenti,* se sono più, ed ogni cambiamento di loro dimora, devono farsi noti. Anche la mutazione della persona di un gerente deve formar oggetto di notificazione; però se ciò avvenne per improvviso decesso od incapacità, i proprietarî, dato non sia esso proprietario unico, ovvero la vedova o i successori del gerente, se sia esso proprietario unico del giornale, potranno soddisfare alle esigenze della legge, designando un gerente fittizio qualunque, un *redattore responsabile* che ne faccia le veci (abbia o no i requisiti prescritti pel gerente), salvo a rimpiazzarlo entro due mesi (art. 39).

Le mutazioni debbono notificarsi *entro lo spazio di giorni otto.* Poichè il giorno da cui decorre un termine non deve computarsi in esso se il legislatore non abbia altrimenti disposto, segue che in tale decorso non debba computarsi il *dies a quo,* ma soltanto il *dies ad quem,* e che quindi una mutazione verificatasi, ad esempio, il 1.° del mese sia tempestivamente dichiarata il 9.

172. — Le dichiarazioni devono farsi, quanto alla *fondazione* del giornale, *da chi lo pubblica* (articolo 36), quanto alle *mutazioni,* dal *gerente, eredi* o successori (art. 38).

Il mandatario incaricato di ricapitar la dichiarazione non è responsabile del suo incompleto contenuto, o della sua tardanza. Il vero dichiarante è evidentemente il firmatario della dichiarazione, cioè gli obbligati ed interessati a farla, sebbene nulla impedisca che altra persona ne effettui la materiale consegna (App. Lione 27 maggio 1873, Dalloz 1874, 2, 27).

La legge nostra non esige veramente la firma della dichiarazione, ma ciò non implica che gli errori e le omissioni del mandatario nell' eseguir la dichiarazione sieno a suo carico, potendo egli ognor objettare il difetto di qualità nell'adempimento delle formalità prescritte allo scopo di addossarne la responsabilità a chi vi è per legge tenuto.

Nel caso di dichiarazione da farsi dal gerente, non potrà esso esonerarsi da responsabilità adducendo d'esser un presta nome, un gerente nominale, e quindi non il vero autore della contravvenzione. Chi assume, pur fittiziamente, la qualità di gerente si sottopone a tutte le obbligazioni inerenti a tale funzione (Dalloz, *Rép.,* V. *Presse,* n. 241 — Barbier, I, n. 100).

A senso dell'art. 40, chiunque, senza aver adempiuto al prescritto dell' art. 36, o dopo la pronunciata sospensione (imposta in caso di condanna del gerente a pena restrittiva della libertà personale e mentre la sconta: art. 46), o dopo la cessazione del giornale, ne facesse seguir la pubblicazione, incorre nella pena del carcere da 1 a 6 mesi, ed in una multa da L. 100 a 500. L'omessa notificazione delle mutazioni, ecc. fa incorrer nella multa sino a L. 300 (art. 38).

Entrambe le prescrizioni sono di carattere contravvenzionale, chè disposizioni preventive destinate a facilitar la sorveglianza della stampa periodica, Adunque il fatto solo della loro inosservanza costituisce un'infrazione punibile, indipendentemente dalla buona o mala fede dell'agente. Non porta differenza alcuna si tratti d'inadempimento totale o parziale, ovvero di adempimento *in fraudem legis*, come nel caso di falsità delle enunciazioni contenute nella dichiarazione, o di inesatto loro adempimento, equivalendo tali casi a difetto di dichiarazione (App. Parigi 9 maggio, 1888, *Gaz. Pal,,* 1888, 1, 779).

Però il. solo fatto di una omessa dichiarazione o di una dichiarazione incompleta o falsa non potrebbe dar sussistenza a reato se non segua un atto di pubblicazione del giornale, poichè l'art. 40 punisce « chiunque, senza aver adempito... *ne facesse seguire la pubblicazione* ».

La pubblicazione è adunque elemento necessario per la consumazione del reato, e poichè essa consta di fatti successivi, interromperà il corso della prescrizione finchè si ripete (Chassan, *Traité des délits,* ecc. *de la parole,* ecc. II ed., 1846, I, p. 577 — Barbier, I, n. 99).

IV.

173. — Fra le prescrizioni dalla legge ordinate per assicurare una pronta ed efficace esecuzione della sua volontà è notevole quella che impone ad ogni giornale *un gerente responsabile*: istituzione questa che lo Stato adottò qual garanzia contro le violazioni della legge penale e delle altre disposizioni sulla stampa.

La persona, cui si assegna questa responsabile

litica resta
sua si nasc
Anche p
revoli, usa
articoli; g
manali agg
e di racco
89. —
l'anonimat
altro gener
in tal parte
di esso non
produzioni
l'attuale so
tazioni.
Ognuno,
stema vige
gli uni scri
neppur lett
tazione d'u
drammatic
in giornali
tabili rivist
cosi, solenn
la redazion
responsabil
laboratori,
trebbe ancl
valere.
Soltanto
scrittore as
tivi elemen
temerari g
cata, che i
poco peso.
casi, l'app
zione per l
ch'ei legg
dalle parol

... L'omessa notificazione delle
...correr nella multa fino a

...zioni sono di carattere con-
...scrizioni preventive destinate
...za della stampa periodica,
...della loro inosservanza costi-
...punibile, indipendentemente
...e dell'agente. Non porta dir
...d'inadempimento totale o par-
...pimento in *fraudem legis*,
...à delle enunciazioni conte
...e, o di inesatto loro adem-
...tali casi a difetto di dichia
...9 maggio, 1889. *Gaz. Pal.*

...una omessa dichiarazione o
...completa o falsa non pregiudi-
...o se non segna un atto di
...nale, poiché l'art. 40 *prima*
...er adempito... *se fosse a-*
...».

...adunque elemento presontiv[o]
...del reato, e poiché essa essendo
...errompera il corso delle pre-
...ete (Chassan. *Traité des délits*,
...c. II ed., 1846, I. p. 577 —

IV.

...escrizioni dalla legge ordinate
...pronta ed efficace esecuzione
...notevole quella che impone ad
...rente *responsabile*; istituzione
...adottò qual garanzia contro le
...e penale e delle altre disposi-

...si assegna questa responsabile

posizione, dovrebbe, nel concetto razionale della legge, aver effettiva parte nella redazione del giornale ed anche esercitar una vigilanza sulle materie e sui compiti della redazione. In tal caso, quale più esatta deduzione di quella che reputa il gerente autore di tutto il giornale e che quanto ivi appare sia da lui stato letto ed egli ne approvi l'indirizzo e la tendenza? Ma per poter allora occupar sì elevata posizione dovrebbe il gerente tanta autorità avere sul contenuto del giornale da ritenersi lecito di liberamente accettare o respingere, nel suo ap‑ prezzamento, quanto gli altri collaboratori presentano.

In causa di questa situazione avrebbero i gerenti responsabili da considerarsi quali successori dei censori, e siffatta opinione trovò, di vero, qualche appoggio nel campo storico (vedi Oetker, *Verantwortl. des zeitungs redakteurs, in Preuss. Jahrbücher*, 1894, p. 398).

174. — Ma nelle legislazioni positive dei singoli Stati ben altri criterî ebbero a prevalere.

Tre scuole principalmente si contendono il campo.

1.º È gerente o redattore responsabile chi gli incriminati articoli ha effettivamente redatto, ovvero gli stessi, in ragione della posizione sua e in conformità dei suoi obblighi, era in dovere di redigere (vedi specialmente, Hönigmann, *Verantw. des redakteurs*, 1885, p. 116).

2.º Il concetto del gerente si riconduce a due momenti, uno *formale*, l'altro *materiale*; occorre cioè che la persona abbia sottoscritto il giornale o sia stata indicata nello stesso come tale, ed inoltre abbia anche effettivamente redatto gli articoli (Liszt, *Reichspressrecht*, 1881, p. 36; — Koller, *id.* 1888, p. 67; — Oetker, *Strafr. haftung des verantw. redakteurs*, 1893, p. 9.)

175. — 3.º Ma l'opinione dominante nella letteratura e nella giurisprudenza, ed accolta dall'Editto, è quella per cui la responsabilità del gerente si fonda sulla *sottoscrizione* sua con tale qualità in un dato numero di giornale, soltanto contro di lui potendo allora muoversi l'azione penale in conformità agli art. 41, 42 e 47 dell'editto.

Pertanto è gerente responsabile solo colui il quale scientemente e volontariamente sottoscrive i varî numeri del giornale. La sua responsabilità non muta per ciò che egli non ne abbia curato e sorvegliato la redazione od abbia questa abbandonata ad altri. Il gerente responsabile non indica infatti un'espressione relativa a rapporti reali, nè accerta alcuna intervenuta ingerenza del sottoscrittore nella redazione. Chi invece abbia effettivamente sorvegliato, o vagliata la materia e provveduto per la sua pubblicazione nel giornale (per regola il direttore o redattore-capo), ma non abbia eziandio sottoscritto il giornale come gerente, potrà, secondo i casi, incorrere in responsabilità penale qual partecipe nel reato, od incontrare responsabilità civile, ma non sottostare alla responsabilità propria del gerente (V. parte VIII).

Adunque l'indicazione di gerente non corrisponde più legalmente ad una funzione reale; si comprende invece, sotto tal nome, la persona, anche assolutamente estranea alla gestione economica o redazionale del giornale, indicata però nella dichiarazione e sottoscritta nel giornale come quella cui deve rivolgersi la giustizia quando un reato sia stato commesso. Anche quindi il cosidetto *uomo di paglia,* il redattore fittizio (*strohmann, scheinredakteur*) è tale e responsabile. È *uomo di paglia,* è *procuratore alla prigione,* secondo una nota espressione, colui il quale consente, per mercede o senza, ad assumere la responsabilità per le altrui colpe, mentre, in verità, non ha voce sull'indirizzo e trattazione della materia e neppur esercita influenza su quanto nel foglio debba essere accettato.

Una volta adempiute le condizioni di capacità prescritte dalla legge, può essere gerente il proprietario del giornale, o il direttore, o uno dei redattori, o un amministratore dell'impresa (e ciò sarebbe desiderabile), ma pur *ogni altra persona*, come è ordinariamente. La legge non impone la scelta delle persone nè prescrive la durata delle sue funzioni; il gerente dell'oggi può nón esser quello del domani (Celliez et Le Senne, p. 53; — Barbier, I, n. 78; — Schwarze, *Reichspressgesetz*, 1885, p. 26; — Löning, *Verantw. Redakteur*, 1889, p. 18).

176. — Tali principî trovano conferma nello storico sviluppo delle funzioni e concetto del gerente secondo la legislazione francese, su cui è in gran parte modellata la nostra. Ivi la legge 9 giugno 1819, volendo assicurar la repressione dei reati a mezzo della stampa periodica, impose, prima della pubblicazione del giornale, la designazione di persona che ne assumesse la responsabilità, l'indicazione cioè di un proprietario o *editore responsabile*. Ma gli editori responsabili che poteano non aver interesse nella proprietà del giornale, nè parte alcuna nella sua redazione e direzione, non furono ben presto che persone fittizie, accettanti per mercede la responsabilità altrui. È vero che per abolir tale finzione e organizzar una responsabilità reale la legge del 1828 impose all' impresa finanziaria del giornale: se assunta da una sola persona, che il proprietario fosse ad un tempo gerente responsabile; se da una società, che il gerente o i gerenti avessero individualmente la firma sociale, fossero proprietarî d'una quota dell'impresa e possedessero una determinata cauzione; che il gerente, insomma, fosse interessato nell'azienda e incaricato sì dell' amministrazione finanziaria che della sorveglianza della redazione. Ma proprietario e redattori resero ben presto lettera morta siffatte disposizioni ricorrendo a prestanomi, tanto che il relatore della legge del 1849 dovette riconoscere che la gerenza altro non era divenuta che una finzione legale dietro la quale si riparavano gli scrittori.

Ma tanto in Francia, allora e nelle successive leggi, quanto da noi nell'editto del 1848, sulla considerazione che le garanzie ricercate erano illusorie perchè impossibile in fatto impedir le gerenze fittizie, finì il legislatore per limitarsi ad esigere che ogni giornale abbia un gerente responsabile, senza imporre a questo di partecipar effettivamente alla proprietà, amministrazione e redazione del giornale. Il-gerente adunque del nostro Editto differisce completamente dal gerente istituito e disciplinato dalla legge fr. del 1828, e richiama invece in tutti i punti l'editore responsabile del 1819.

177. — L'Editto, nell'intento di rendere più sicura ed efficace la repressione penale, esige, nel gerente, il concorso di quegli stessi requisiti prescritti per chi pubblica il giornale (n. 161 e seg.).

Però, sebbene in esso non se ne faccia cenno, deve il gerente essere una *persona fisica*, mentre proprietario del giornale può essere anche una società. La responsabilità penale può infatti concepirsi solamente per singole determinate persone ; la qualità di gerente e la responsabilità relativa non possono adunque spettare a società, corporazioni, ecc.

Come per chi pubblica un giornale, così neppure pel gerente fu ammessa l'incapacità per condanna che non privi del libero esercizio dei diritti civili. Però, se è già grave un sistema che accorda impunità ai veri colpevoli, e punisce invece chi mai ebbe intenzione, e forse neanco mai comprese di delinquere, è poi addirittura deplorevole che non si sia almeno dal gerente richiesta qualche garanzia d'onestà. È vero che l'autorità politica non mancherà di rifiutar per gerente chi non fornisca tale assicurazione, ma ciò non soddisfa, dovendo l'incapacità essere scritta esplicitamente nella legge e non conseguire da arbitrarie limitazioni del Governo.

Meglio provvide l'art. 38 della Legge 1 dicembre 1860 per le provincie meridionali, prescrivendo esso, tra altro, che il gerente *non sia imputato di reato*. Però la disposizione riguarda il primo momento della pubblicazione del giornale ed è quindi insufficiente. Un gerente costituito legalmente non cessa in vero se non per condanna portante o l'esclusione perpetua o l'esclusione temporanea durante l'espiazione della pena. Ciò conferma l'articolo 46 dell'Editto, per cui, in caso di condanna del gerente a pena restrittiva della libertà personale, la pubblicazione verrà sospesa mentre egli sconta la pena, salvo sia surrogato.

La limitazione dell'art. 38 è diretta ad impedire che si accetti un gerente il quale possa presto essere distolto dall'ufficio suo e venir meno alle garanzie legali, paralizzando l'autorità giudiziaria nello svolgimento dell'azione penale e nell'applicazione della pena, a seguito di condanna per reato di stampa.

La residenza all'estero, sebbene la legge nol dica, è incompatibile colla gerenza d'un giornale che si pubblichi nello Stato. Essendosi imposto al gerente l'obbligo di firmare, al momento della pubblicazione, l'esemplare che si consegna al P. M., si è con ciò sottinteso che egli sia ognor presente, in persona, sul luogo stesso della pubblicazione per dirigerla e sorvegliarla incessantemente, quanto meno per risponderne effettivamente in caso d'infrazione. Se egli dunque si reca all'estero, viene ad abdicare alla sua qualità, ed allora la continuazione del giornale senza che egli venga surrogato costituirà la contravvenzione all'art. 37, secondo il quale ogni giornale deve aver un gerente. Di più la continuazione della pubblicazione, senza che l'avvenuta mutazione pel fatto dell'andata all'estero del gerente sia dichiarata, farà incorrere nella violazione dell'art. 38, che prescrive un tale avviso di mutazione.

Per adempiere all'obbligo della sottoscrizione (art. 41) il gerente deve almeno sapere scrivere;

ma non possono esigersi da lui condizioni speciali, di capacità intellettuale, e ch'egli sia in grado di rendersi conto del contenuto del giornale; non può adunque impugnarsi da nessuno come contraria alla legge la nomina d'un gerente completamente e notoriamente incapace, non essendo tale condizione prescritta dall'Editto, il quale si limita a riconoscere quale gerente quell'individuo qualunque che, soddisfacendo alle condizioni dell'art. 35, sia dichiarato all'autorità per colui che assume su di sè la responsabilità della pubblicazione.

(Marquardsen, *Reichspressgesetz*, 1875, p. 108; — Klöppel, *idem*, 1894, p. 216; — Delius, *idem*, 1895, p. 32).

La morale e la dignità della stampa sono bensì interessate a che la responsabilità penale colpisca i veri colpevoli, però, alla stregua della legge, si soddisfa alle prescrizioni sue designando una persona pronta a rispondere d'ufficio alle azioni penali promosse del P. M.

I *membri del Parlamento* possono essere gerenti? Non può esservi dubbio, chè il nostro Editto non riporta una simile proibizione contenuta nelle anteriori leggi francesi; sebbene in tale materia, dove l'uguaglianza e la prontezza nella repressione sono affatto indispensabili, il divieto si presenterebbe giustificato affinchè il giornale non possa vantar immunità parlamentari, che, nel più dei casi, si risolvono in vere impunità.

178. — La legge non potea divietare che gli estesi doveri incombenti ad una sola persona, purchè non venga ristretta la responsabilità del giornale nel suo complesso, fossero agevolati coll'*istituzione di più gerenti*.

L'editto dispone bensì che « ogni giornale dovrà avere *un* gerente responsabile », ma da tale dizione, al singolare, non va tratta la proibizione della *pluralità* di gerenti. Pur sotto la legge francese del 1881, ugualmente formulata, si opina per l'affermativa, sebbene soppresso l'art. 4 della legge 1828 che espressamente concedeva *più gerenti*, fino a tre.

Per certuni, il diritto d'aver più congerenti è subordinato allo scopo d'aumentar le garanzie della repressione mediante la loro *solidale responsabilità*. Onde, essendo sufficiente la firma d'un solo per adempire il voto della legge, seguirebbe che soltanto quello che sottoscrisse sarebbe responsabile per l'articolo criminoso contenuto nel giornale (Cassazione francese, 16 agosto 1884, Dalloz 1885, 1, 180). Se nessuno firmò, tutti sarebbero responsabili, formando la sorveglianza un dovere comune ai varî gerenti, nè giovando a loro difesa se non la sottoscrizione d'uno almeno d'essi attestante l'adempimento di quel dovere a titolo esclusivo (Chassan, I, p. 131; Barbier, II, n. 813).

D'altra parte però si osserva che, in un razionale concetto dell'istituzione e compito del gerente, la responsabilità per tutto il contenuto d'un grande quotidiano giornale sarebbe in aperto contrasto colla intellettuale e materiale capacità d'una sola persona. Una divisione adunque di responsabilità, così chiara da rimuovere ogni errore e da allontanare ogni ritardo quando la legge sia stata violata ed occorra il penale procedimento, sembra sia sufficiente e poi in maggior accordo coi compiti del gerente e colla possibilità sua di adempirli. Questo è il concetto della legge germanica, secondo la quale, ove dal *contenuto* e *forma* del giornale appaja evidente per qual parte della redazione ogni persona verrebbe ad assumere la sua rispettiva responsabilità, è ammissibile, per ogni determinata parte, un determinato redattore responsabile.

Una simile divisione si ravvisa, per la *forma*, quando un redattore sia indicato pel foglio principale ed altro pel supplemento, uno per l'edizione del mattino, altro per quella della sera, ecc.; pel *contenuto*, se uno curi la parte politica, l'altro la parte commerciale, un terzo le inserzioni, e così via.

Questo sistema che, pur corrispondendo ai princîpî di ragione, non scema tuttavia le garanzie dal precedente sistema assicurate, nè impedisce di giunger facilmente, e nel miglior modo, alle persone cui incombe la responsabilità del reato, può ritenersi applicabile eziandio nella nostra legge che niuna espressa limitazione ha in tale punto adottata.

179. — Il gerente è legalmente presunto aver agito con intenzione colpevole e con conoscenza del contenuto criminoso del giornale da lui sottoscritto. E presunzione che non ammette la prova della *buona fede*, o della non partecipazione alla pubblicazione, o dell'adempimento dei doveri di vigilanza imposti dalla legge. Nè vale al gerente l'addurre l'impossibilità sua, a ragion della distanza, di verificare l'esattezza d'un resoconto infedele trasmesso da un corrispondente, ovvero la sua assenza o malattia, o il difetto di tempo per legger l'articolo, o l'aver curato che altri adempiesse al dovere suo, ecc.

Neppur hanno valore le restrizioni apposte da lui nel giornale circa la propria responsabilità, o la dichiarazione ivi di non rispondere del contenuto delle inserzioni, o la sottoscrizione prima della parte per esse riservata. Di vero vi è sol questo, che la responsabilità sua non va oltre le disposizioni della legge sulla stampa. Ad esempio, per la contraffazione egli sarebbe responsabile solo in proporzione della sua effettiva e dimostrata colpa, nè libererebbe poi l'editore o proprietario del giornale.

Però in casi eccezionali può esser ammesso a provare che non partecipò alla pubblicazione, ad esempio che fu materialmente impossibilitato a legger l'articolo e impedirne la pubblicazione, che fu tratto in inganno, o messo nell'impossibilità di sorvegliare per un caso di forza maggiore. Non mancano decisioni che in tali condizioni assolsero (App. Digione 21 ag. 1866, Dalloz, 1867, 2, 29).

180. — Una fra le più importanti obbligazioni

del gerente è quella della *sottoscrizione della minuta del primo esemplare del giornale* (art. 41).

La *sottoscrizione* (*subscriptio*) è diretta ad approvare o fare proprio ciò che siasi superiormente scritto anche ad opera di terzi ; il sottoscrittore intende considerare come da sè vergate le parole secondo il loro contenuto.

Logicamente adunque dovrebbe essere fatta in fine del giornale. Però, per l'estensione illimitata di garanzia che nel concetto della legge il gerente è tenuto a rappresentare, basta una firma dovunque apposta perchè egli, qual autore di tutto il giornale, abbia a rispondere d'ogni singola sua parte.

La *responsabilità* per le *inserzioni* nei giornali politici o in quelli stessi d'indole speciale è sempre a carico del gerente, e ad esso quindi particolarmente incombe respingere quelle di criminoso o dubbio contenuto. L'uso ordinario distingue bensì la parte redazionale da quella delle inserzioni, però agli effetti letterarî o commerciali, non nei riguardi della responsabilità penale, che rimane integra. Il sistema che il gerente della parte politica o scientifica possa liberarsi dalla responsabilità per le inserzioni è consacrato in qualche legge (esempio, § 7 legge germanica); però si impone ivi all'editore stesso, o ad altro suo incaricato, di risponder qual gerente responsabile della parte inserzionale. Vi è quindi divisione, non esclusione, di responsabilità. La nostra legge, non ponendo limitazioni, ha affermato implicitamente l'obbligo nel gerente di rispondere per tutto il giornale.

Quando il giornale consti di *più edizioni* con materia ed articoli diversi, il gerente deve sottoscrivere la minuta d'ogni edizione ; se consti di *supplementi*, deve apporre la firma pur a questi, per quanto possa apparir evidente la relazione loro col foglio principale.

Gli altri esemplari del giornale devono riprodurre la stessa sottoscrizione in stampa (art. 41). Sono però due formalità indipendenti, e prescritte cumulativamente dalla legge. Se manchi, ad esempio la firma *autografa* sulla minuta del primo esemplare, la firma *stampata* sugli altri non varrà a giustificare il gerente, e viceversa.

181. — In Francia, sotto la legge del 1828, si ritenne doversi apporre la firma sol dopo compiuta la redazione del giornale ; una *firma in bianco*, non è la firma in minuta, data con conoscenza di causa, e in esecuzione dei doveri legali di sorveglianza e direzione personale imposti al gerente dall'art. 5 (Cassazione 4 aprile 1851 e 7 febbrajo 1852 ; Dalloz, 1851, 5, 432 e 1852, 1, 304).

Ma fin d'allora tale interpretazione fu contraddetta, chè l'obbligo della firma non venne prescritto per imporre al gerente l'esecuzione di quotidiani doveri che, del resto, rimangono inosservati, ma unicamente per far conoscere il pubblicatore responsabile. Ed ora, sotto l'impero della Legge del 1881, e del nostro Editto, che quelli obblighi non hanno riconosciuto, che accettano per gerente ogni persona avente le scarse condizioni prescritte dall'art. 35, e che la consegna della minuta sottoscritta esigono sol per determinare, se più sono i gerenti, il responsabile della pubblicazione di questo o quel numero, non può riputarsi divietata la firma in bianco. Però non potrà il gerente prevalersene per limitare la responsabilità legale che gli incombe (Barbier, II, n. 1031).

182. — Quale è la responsabilità del *gerente che non abbia firmato il giornale ?* La firma fa legalmente presumere che esso, pur conoscendo il tenore dell'articolo, abbia tuttavia voluto partecipare alla sua pubblicazione. Ma il difetto di firma non toglie che il gerente rimanga, in principio, responsabile della pubblicazione, la contravvenzione commessa astenendosi dal sottoscrivere non potendo esonerarlo dalla responsabilità che su lui pesa per tale qualità.

Ed anzi ogni altra persona, indicata quale ge-

rente in varî numeri del giornale, è responsabile
delle pubblicazioni incriminate in qualità di gerente, se non prova che è a sua insaputa e contro
sua volontà che l'indicazione avvenne. Non giova
l'eccezione di non aver fatto dichiarazioni preliminari
o di non aver firmato, chè il punto di saper se un
individuo è o no gerente è quistione di fatto la cui
soluzione non può dipender dall'aver uno adempiuto
o no alle obbligazioni che gli impone la legge (C.
Assisi di Morbihan, 4 marzo 1890, *Gaz. Pal.*, 1891,
1, *Supp.* 14).

Se porti poi il giornale la firma di un estraneo
non regolarmente dichiarato come gerente e tuttavia
sostituitosi al vero gerente, sarà questo terzo, gerente di fatto, il penalmente responsabile, quando
il gerente ordinario, anzichè limitarsi a non sottoscrivere, provi la sua opposizione alla pubblicazione.

Da ultimo se il giornale venga pubblicato senza
alcuna firma, potrà il gerente, che accerti il suo
divieto, sottrarsi ugualmente a responsabilità.

183. — « Al momento della pubblicazione del
giornale, il gerente farà consegnare all'ufficio del
P. M. (art. 39) la copia da lui sottoscritta in minuta (art. 42). »

A parte la storica relazione che la formalità del
deposito può presentar coll'antico sistema della censura, non si riscontra però, in essa, traccia di misura preventiva. La consegna è infatti del tutto
indipendente dalla generale distribuzione e pubblicazione del periodico.

Lo scopo suo è unicamente quello di render consapevole, il più presto possibile, l'autorità della
criminosa manifestazione d'un giornale, e di agevolar
l'immediato procedimento, e quindi, secondo il diritto comune, l'eventuale sequestro degli stampati;
chè, diversamente, a mala pena potrebbe lo Stato
acquistar notizia del delittuoso contenuto d'un giornale, e tanto meno dell'esistenza di taluni periodici,

i quali, come repentinamente sorgono, con altrettanta rapidità di tempo scompajono (Berner, *Presrecht*, 1876, p. 217 ; — Liszt, *idem,* 1881, p. 85).

In un sistema poi il quale così grande influenza ancora concede all'autorità sui giornali da autorizzarla al sequestro di una intera edizione, viene questa rigorosa vigilanza considerata come assolutamente indispensabile.

La consegna comprende indistintamente ogni *giornale* o *scritto periodico*, (art. 42, capo I), e quindi anche i periodici che hanno per esclusivo oggetto la scienza, l'arte, l'industria, ecc. La consegna concerne poi l'esemplare *completo*, con tutte le appendici e collo stesso totale contenuto delle copie destinate alla pubblica circolazione. Questo è in ispecial modo pei supplementi, in contrapposto al giornale principale, e pure per gli altri stampati che successivamente, od anche una sola volta, vadano uniti al periodico.

Pure i fogli o i supplementi straordinarî che non compajono regolarmente sottostanno all'obbligo della consegna. Questa infine è prescritta anche per le successive edizioni, per quanto con lievi aggiunte.

184. — La consegna deve esser fatta al più tardi al *momento della pubblicazione ;* non importa avvenga prima ; può anzi esser contemporanea ad essa. La distribuzione del giornale, la spedizione agli abbonati, ecc., l'esposizione in luoghi o riunioni pubbliche, costituiscono altrettanti atti di pubblicazione. L'inizio di tali atti rappresenta il termine per la consegna (Dalloz, Rép., *Suppl.,* V. *Presse,* n. 234 ; — Schwarze, *Reichspressgesetz*, p. 46: Cass. Roma 26 aprile 1894 e 13 agosto 1894, *Riv. Pen.* v. 39, 630, e v. 42, 420).

Il concetto di *spedizione* o *distribuzione* può equipararsi alla divulgazione pubblica, chè tanto questa come quelle dirette a mettere il giornale nel dominio del pubblico.

La distribuzione comincia con la consegna del primo esemplare ad un committente, o compratore: la spedizione comincia colla prima consegna degli esemplari alla posta. Anche la contrattuale o volontaria spedizione di esemplari all'autore è divulgazione che rende necessaria la consegna della copia (*Reichsgericht* 28 settembre 1880, *Entscheid. in strafs.* II, 270).

Se un giornale che si stampa in una città sia costantemente spedito ad un commissionario in città diversa, e soltanto ivi divulgato, dovrà la consegna effettuarsi, non già al momento e nel luogo di spedizione, ma soltanto nel momento, e nella città dove si esegue la distribuzione al pubblico. La legge infatti prescrive la consegna, non al luogo di *stampa*, ma a quello di *pubblicazione*, e cioè là dove il giornale vien posto in commercio (Schwarze, *Reichspressgesetz*, p. 46; — Koller, *idem*, p. 76; — Delius, *idem*, p. 34).

La legge non esige si rilasci *ricevuta* del deposito, sebbene questa fornisca la prova legale dell'adempimento; però, anche in difetto suo, puossi constatare l'avvenuta consegna con ogni altro mezzo di prova autorizzata dalla legge.

Se uno qualsiasi avvenimento di *forza maggiore* ponga ostacolo al tempestivo deposito, il gerente che ne dimostri l'esistenza sarà esente da pena., Cosi la legge non determina uno speciale intervallo del giorno in cui soltanto possa pubblicarsi il giornale ; e pur la consegna può conseguentemente compiersi in qualunque ora, purchè sempre contemporaneamente alla pubblicazione.

Ma questa non può essere ritardata fino a che la copia del giornale giunga nelle mani del P. M. (Marquardsen, *opera citata*, p. 80; — Koller, *idem*, p. 76). Intendimento adunque della legge è che siavi piena libertà di pubblicare il giornale in una qualsiasi di tutte le 24 ore di ciascun giorno senza che verun pubblico ufficiale abbia il potere di restringerne la latitudine. Così è se l'ufficio del P. M. rimanga chiuso per certe ore del giorno o della notte; basta allora, per un periodico che si pubblichi di notte, la prova che, al momento della pubblicazione, fu spedita copia sottoscritta dal gerente all'ufficio suindicato : se il materiale deposito non può effettivamente aver luogo, non sarà certo colpa del giornale, incombendo invece al P. M. di provvedere perchè la consegna possa avvenire anche fuori delle ore ordinarie d'ufficio.

185. — Il gerente solo risponde per l'adempimento della sottoscrizione e del deposito, senza che le pene comminate possano colpir lo *stampatore*, non essendo posti a di lui carico tali doveri. Neppure l'*editore* può incontrare veruna responsabilità, per quanto entri nel compito suo, anzichè in quello del gerente, il provvedere allo spaccio del giornale.

Torna poi indifferente, per la sussistenza del reato, che si tratti d'omissione dolosa o colposa.

Siccome non è prescritto che la consegna si effettui personalmente e può essa avvenire anche a mezzo di incaricato, così rimarrà il gerente responsabile pur in tale caso se l'incarico non sia stato adempiuto, senza che valga a sua giustificazione la prova d'assenza di colpa qualsiasi nella scelta di quella persona, dovendo l'omissione o la tardanza dell'incaricato ricadere sul gerente (Schwarze, p. 47, — Delius, p. 35).

V.

186. — Eseguita la stampa, e sottoscritta e consegnata al P. M. la minuta del primo esemplare, il giornale è formato e vien messo quindi in commercio. Ma un'arma possiede lo Stato con cui arrestarne, in certi casi, la circolazione: *il sequestro*.

Gli articoli 49, 64, 142 e seguenti del Codice di proc. penale conferiscono agli ufficiali di polizia giudiziaria, al procuratore del re ed al giudice istruttore la facoltà di *sequestro* delle carte che possono servire allo scoprimento della verità.

Tale disposizione è applicabile nei procedimenti pei reati di stampa? Nel sistema di certe leggi si derogò al principio del diritto comune, sia allo scopo di favorire la libertà della stampa, sia per evitare i molteplici abusi possibili nella pratica, specialmente quando si tratta del sequestro di tutta l'edizione d'un giornale, e così di una misura esorbitante, qualunque precauzione si usi per accelerare il corso della procedura.

Nella *Legge francese* del 1881 fu interdetto in modo assoluto il diritto di sequestro. Una sola eccezione fu ammessa quanto al prescritto deposito di esemplari del giornale, limitandosi però il sequestro a quattro copie, e così autorizzandolo, non per misura preventiva, ma qual mezzo per constatare il corpo del delitto, cioè l'identità dell'oggetto incriminato. Altra deroga fu apportata colla Legge 12 dicembre 1893, però soltanto in via eccezionale e per pochi casi, richiamando per essi l'applicazione del diritto comune.

Pure la recente *Costituzione serba* del 22 dicembre 1888 autorizza solo in via eccezionale il sequestro dei giornali, e cioè per oltraggi al Re, alla Casa reale, a sovrani esteri e loro Case, ovvero per eccitamento alla ribellione, ed impone il giudizio del Tribunale nelle 24 ore dal seguito sequestro.

In *Inghilterra* non è permesso il sequestro prima della condanna, per niuna pubblicazione criminosa: in un solo caso è autorizzato, ma con date precauzioni, cioè quanto allo spaccio di stampati immorali, ed unicamente per prevenire fino al giudizio ed alla condanna l'azione deleteria che creerebbe a danno della pubblica moralità (Legge 25 agosto 1857).

La *legge germanica* ammette il sequestro preventivo unicamente:

a) Nei casi di violazione delle disposizioni di polizia della stampa; non quindi pel contenuto del giornale, ma soltanto per la violazione d'un formale precetto o divieto ;

b) In certi determinati casi di pubblicazione in cui la punibilità è fondata nel contenuto dello stampato.

Adottò per altro garanzie per la pronta risoluzione del sequestro, cioè per la sua conferma o scioglimento.

L'art. 58 del *nostro Editto* dispone, al contrario, che « immediatamente dopo l'istanza o querela, l'istruttore potrà ordinare il sequestro degli scritti o stampati che vi abbiano dato luogo ».

Lo Stato è quindi da noi armato d'uno straordinario potere per far valere la sua autorità contro i giornali e che si riserva di adoperare in certe circostanze. Tale speciale provvedimento può ritenersi necessario, è vero, in causa della straordinaria natura dei delitti di stampa, il male che può suscitare il reato dipendendo dalla diffusione del periodico, La sua potenza di offendere si accresce quindi o diminuisce quanto maggiore o minore è l'estensione della cerchia dei suoi lettori; ed il solo modo per arrestarne il corso appare quello di porre un argine alla sua divulgazione. Ma d'altra parte tale modo di procedimento è, in materia di giornali quotidiani, assai pregiudizievole. La condizione essenziale per la prosperità d'un giornale è la sua circolazione e tutto quanto ad essa si riferisce. Ora le notizie che il periodico stampa, e per aver le quali paga spesso ai suoi corrispondenti, sparsi in tutti gli angoli del mondo, rilevanti somme, gli speciali articoli sulle novità che corrono ed i quali esso generalmente compra dalla penna di notevoli autori, e sopratutto poi la fiducia degli abbonati e degli inserenti, tutto ciò viene, con quel sistema, messo in pericolo.

Una volta infatti praticato il sequestro, qualunque regime o garanzia si adotti per la sua pronta revoca o conferma, riesce, per la stampa periodica quotidiana, senza frutto. E indifferente al giornale che del sequestro debbasi provocare, entro poche ore o qualche giorno, una giudiziale risoluzione. Il ritardo solo d'un'ora nell'apparizione d'un grande giornale è un fatto di danno immenso. S'interpreta questo per un difetto di sollecitudine, per un mancamento di parola colla posta, colle agenzie giornalistiche, cogli inserenti, abbonati e lettori. I minuti sono adunque decisivi nell'ufficio del giornale, ed un sequestro, che forse poche ore dura, rende un'edizione inservibile per tutti i suoi pratici scopi.

Quest'arma nelle mani della Stato è, adunque, in caso d'abuso, di grande rovina per tutto il giornalismo e potrebbe, come più d'una volta già avvenne, essere adoprata per imporre, a scopi politici, la completa cessazione d'un'impresa giornalistica.

Nella nostra legislazione unica garanzia contro tendenziosi abusi è quella che il *sequestro* debba considerarsi *provvisorio*, e cioè un mezzo d'istruzione che apra adito all'orale giudizio od alla decisione della giurisdizione istruttoria intorno alla criminosità del contenuto; diversamente costituirebbe una confisca dell'altrui patrimonio, e, sotto i rispetti politici, un'arte tirannica di governo. Ma nella pratica soventi si elude il precetto della legge con sequestri senza seguito. E tuttavia l'inizio di una procedura per quello stesso reato per cui fu ordinato il sequestro in nulla offenderebbe l'operato di chi l'accordò. Infatti il Tribunale non ha, nella decisione di merito, da esaminare lo stato delle cose nei riguardi dell'opportunità di quella misura quale si presentava all'epoca di sua esecuzione: può avvenire, per le diverse contingenze, che, *ab initio*, si addimostrasse con apparenza di fondamento quello stringente pericolo che suggerì il provvedimento, e che all'epoca della decisione rimanga invece tale gravità o l'esistenza stessa del reato esclusa, come è specialmente nei reati politici. Se tuttavia possono la condotta e il convincimento del pubblico ufficiale trovare, anche in tal caso, sufficiente giustificazione, perchè conculcare il precetto della legge che impone l'esperimento del giudizio?

187. — Il sequestro presuppone che vi sia almeno un delitto tentato. Poichè ora negli atti punibili pel contenuto delittuoso dello stampato il punto di inizio dell'esecuzione del reato coincide col principio della pubblicazione, consegue che il sequestro non possa effettuarsi prima che la pubblicazione del giornale sia cominciata (Berner, § 112; Koller, p. 214; *Stengels' Wörterbuch,* V. Beschlagnahme).

Nessun sequestro può adunque darsi di una edizione di giornale non ancora lanciata al pubblico: il materiale di notizie che, per quanto destinato ad essere divulgato, si trova tuttavia ancor nella redazione o nell'ufficio di spedizione del giornale o nella stamperia, non può dirsi abbia di già cominciata la sua circolazione.

Il mero sospetto non giustifica alcun sequestro. Nella pratica si considera principiata la pubblicazione contemporaneamente alla consegna della minuta al P. M., poichè tal fatto fornisce la legale dichiarazione dell'editore che la circolazione del giornale si è iniziata.

Per la nostra legislazione poi non può eseguirsi il sequestro sulle *forme* inservienti alla riproduzione, o adottarsi in sua vece la *scomposizione* dei *caratteri.*

Nella sua *estensione* il sequestro comprende tutti gli esemplari del numero del giornale destinati allo spaccio (Liszt, *op. citata* p. 131).

Riguarda adunque gli esemplari già stati smerciati, ma non ancora pervenuti a mani di private persone, o quelli che, non ancora spacciati, sono però destinati al commercio, ma restano presso l'editore o stampatore in attesa di smercio; infine gli esemplari presso i chioschi, gli strilloni, alla posta, alla ferrovia, nei caffè od altri pubblici luoghi di lettura.

Una privata società di lettura è esente da sequestro. La circostanza che più d' una persona si
trovi in possesso del giornale non muta il concetto
del possesso privato: però si vide che una copia di
giornale in un albergo o caffè destinato a uso degli avventori, e cioè del pubblico, può entrar nel
campo del sequestro (Schwarze, *Pressgesetz,* p. 191 ;
— Thilo, *id.*, p. 108).

Quanto ai singoli cittadini, può esser lecito il
sequestro presso loro dei giornali incriminati quando
li vadano diffondendo ; ma non lo è più quando
semplicemente li detengano senza scopo di diffusione. Intimato, in tali condizioni, un cittadino a
consegnar la copia ch'ei detenga d'un giornale sequestrato, legittimamente vi si rifiuta, e questo non
costituisce rifiuto d' obbedienza all' autorità di cui
all' art. 434 Codice penale (Cassazione Roma, 3
luglio 1894, *Rivista penale,* v. 40, p, 322).

Le *parti del giornale* che sono separatamente divisibili e che nulla di criminoso contengono, possono essere escluse dal sequestro. Può quindi liberamente circolare un supplemento, mentre il foglio
principale è sequestrato e viceversa. È necessaria
però la possibilità d'una divisione fisica, materiale,
e che la rimanente parte non perda poi il carattere
di stampato per sè stante.

Il sequestro si limita infine agli esemplari esistenti entro i termini dello Stato, sebbene torni indifferente non si trovino in un luogo compreso nella
territoriale competenza del Tribunale donde emanò
l'ordine di sequestro.

188. — Le legislazioni di certi Stati accordano
ancora un'arma con cui, a guisa di parziale confisca
o distruzione, rendere inservibili certe parti del
giornale mediante annullamento, specie con tratti
d'inchiostro, dello spazio avente un contenuto criminoso. Questo procedimento è consueto in Austria,
Russia e Germania, o per espressa e generale disposizione del Codice penale (es. § 42 Codice penale

germanico) o per legge della stampa. Non è certamente tale misura di grande intralcio alla stampa periodica, come è invece del sequestro, rendendosi ancor possibile la circolazione del foglio coll'annullamento della sola parte incriminata; però le nostre leggi non l'hanno accolta.

VI.

189. — Il giornale, nei rapporti intellettuali, quale creazione del pensiero e propaganda di idee, e nei riguardi materiali, come oggetto d'un'impresa industriale, è destinato, una volta composto, ad una illimitata *pubblicità*.

La legge non determina in che consista la *pubblicazione* sua.

Ora questa ha luogo quando il giornale passa nel dominio del pubblico, diventa accessibile alla generalità, ad una individualmente non determinata quantità di persone. Decide, in proposito, lo *scopo* della comunicazione. La quistione adunque se una pubblicazione abbia avuto luogo è evidentemente materia di fatto (Liszt, p. 150).

Sino a che il giornale non abbia varcato lo stretto campo delle persone partecipi alla sua creazione, non può parlarsi di pubblicazione. L'azione di chiunque partecipa ad atti precedenti alla pubblicazione è, in riguardo al delitto di stampa, un atto preparatorio non punibile. Ciò non toglie tuttavia che tal fatto possa rivestir il carattere d'un reato ordinario per sè stante, ad es. un' ingiuria comune, e non un'ingiuria a mezzo della stampa.

L'invio degli esemplari del giornale dalla stamperia all'editore per l'ulteriore spedizione non costituisce ancora atto di pubblicazione, ma atto preparatorio d'una pubblicazione ancor da effettuarsi. Invece la pubblicazione è da riputarsi già iniziata coll'invio del giornale dal proprietario agli abbonati, ai libraî, ecc. (Koller, p. 21; — Liszt, p. 151; — Klöppel, p. 155).

È pur tale la consegna-del giornale alla posta a scopo di trasporto e distribuzione. Poichè questo fatto, colle conseguenze che necessariamente, per le disposizioni stesse sul servizio postale e indipendentemente dalla volontà del mittente, vengono a derivarne, implica già in sè il render accessibile lo stampato ai destinatarî; che poi il giornale non sia effettivamente giunto nelle mani loro, non è cosa che interessi la presente indagine, poichè al concetto della pubblicazione soltanto un'azione diretta a tale scopo si richiede, non eziandio un effetto materiale come conseguenza della prima.

Gli è perciò che la stessa consegna delle copie del giornale a chi ne abbia assunto lo spaccio costituisce del pari pubblicazione sua, e che questo ha pur luogo quando il giornale sia soltanto ad una singola persona divenuto accessibile oltre a quelle che concorsero nella sua formazione e stampa. Se è sufficiente, pel concetto di pubblicazione, che l'azione sia diretta a far prender ad altri conoscenza del contenuto del giornale, segue tornar indifferente che questo effettivamente avvenga o che il destinatario o possessore comprenda o no il tenore suo (Liszt, p. 152; — Berner, p. 168).

La pubblicazione, tostochè iniziata, è anche *consumata:* essa non permette, una volta ciò sia, alcun sostanziale tratto di decorrenza, ma unicamente una quantitativa estensione nello spaccio. L'esposizione d'un singolo esemplare in un pubblico caffè rende il reato già perfetto, per quanto non faccia ancora presupporre l'esistenza d'una pluralità di copie.

Segue eziandio che il *tentativo* di pubblicazione è inconcepibile, chè dovrebbe allora solo aver principio coll'inizio della pubblicazione, nel qual momento però il delitto è già consumato.

190. — Solo per quei particolari reati di stampa per la cui consumazione, oltre alla manifestazione del pensiero in un prodotto giornalistico e la sua pubblicazione, è richiesto un *ulteriore materiale evento* (es. nella truffa, estorsione ecc, a mezzo di giornali) deve pur questo requisito verificarsi onde il relativo delitto esista completo e *perfetto*. In questo speciale caso è anche possibile il *tentativo*. Lo stadio suo comincia colla pubblicazione del giornale, cioè coll'inizio di essa e continua sino al verificarsi dell'evento necessario a render perfetto il reato. E trattasi di tentativo il quale sottostà eziandio alle norme particolari di responsabilità in materia di stampa (V. Parte VIII).

191. — Speciale difficoltà presenta il *luogo* in cui considerare perfetto il reato a mezzo della stampa. Derivano le difficoltà da ciò che vengono spesso in campo politiche considerazioni, le quali nessun valore giuridico hanno; che lo speciale concetto della stampa spinge a teorie che si diversificano dai generali principî; che concorrono infine pratici vantaggi per la scelta di dati sistemi.

Il nostro Codice di rito accenna al *luogo del commesso reato,* ma senza definirlo. L'art. 14 dice che « la competenza è determinata dal luogo del commesso reato ». L'art. 15 soggiunge che « il giudice del luogo del commesso reato è preferito ad ogni altro... ». Ma dove la consumazione avviene? là dove l'autore ha compiuto l'atto o dove la pubblicazione segue o dove l'evento si verifica?

La risoluzione deve muovere dalle norme del Codice penale: è esso che determina gli estremi del reato. Anche in senso processuale, nota Loewe (*Komm. z. Strafproz. Ordn.*, su § 7, identico al nostro art. 14), deve quel luogo valere che il materiale diritto considera quale luogo di consumazione. Taluno (es. *Olshausen, Komm. z. Strafg.*, su § 3) pensa che in procedura penale si parta da altro punto di vista, e si tratti solo di delimitar la competenza fra diversi uguali organi d'uno stesso Stato. Ora è vero che le norme sulla competenza

locale hanno il compito d'una divisione d'affari nel
senso ora indicato: d'altra parte però vi si collega
la risoluzione di questioni di diritto materiale. Ogni
giudice il quale applica la legge penale forma una
autentica interpretazione, una legge, a così dire,
per ogni singolo caso, nella qual ipotesi l'assogget-
tamento degli elementi del reato alle legali norme
e la misura della relativa pena così diverse possono essere presso i varî tribunali da metter in
giuoco per l'imputato interessi vitali; come se, ad
esempio, si trattasse di reati ritenuti consumati in
uno anzichè in altro distretto dove sussistesse lo
stato d'assedio, o considerazioni d'opportunità sug-
gerissero al giudice severità di pena per frenare
l'aumento della delinquenza, o si trattasse di reato
di cui si contenda se commesso nello Stato ovvero
all' estero, chè, pur se possibile nel regno il procedimento, diversa sarebbe la pena.

192. — Varie opinioni si disputano il campo:
ecco le più salienti:

a) Il Binding *(Handb. des Strafr.,* 1885, I,
p. 421) reputa che il reato di stampa abbia a considerarsi commesso anche in Germania, quando uno
dei numeri del giornale sia stato introdotto ivi.
Questo sistema assicura la protezione contro i prodotti d'una sfrenata stampa estera, e potrebbe quindi
anche il legislatore aver avuto verisimilmente di
mira questo intendimento. Ma, secondo il concetto
di Binding, dovrebbe conchiudersi che il reato pur
là sia da ritenersi consumato, dove anche sol accidentalmente le relative stampe si trovino o queste
vengano colpite con sequestro, senza che in quel
luogo stesso vengano deliberatamente pubblicate o
spacciate.

A questo modo di vedere si sono veramente in-
spirate alcune recenti decisioni della giurisprudenza
germanica (Trib. Impero, 3 aprile 1897 in *Goltd.
Archiv.,* v. 39, p. 28 e 17 giugno 1892 in *Entsch.
in Strafs.,* v. 23, p. 155) che ritennero consumata

l'ingiuria a mezzo di stampa in ogni luogo dove sia pervenuta una copia del pubblicato giornale. Da ciò per altro conseguirebbe che in un giornale mondiale come il *Times, forum delicti commissi* potrebbe ritenersi presso a poco tutta la terra, e potrebbe anche verificarsi allora il caso addotto da Bar (in *Gerichtssaal,* 1876, p. 486) che uno scrittore di giornali il quale abbia anche una sola volta espresso apprezzamenti su fatti d'estero Stato, si troverebbe esposto al pericolo, in un eventuale viaggio in tale Stato, all' arresto ed alla condanna ;

b) V' è chi sostiene che in *ogni luogo* dove una *pubblicazione,* e rispettivamente divulgazione, abbia avuto luogo, ivi sia commesso il reato di stampa. Così la pensa John (*Comm. zur St. P. O.,* I, 1884, p. 220) e pur la giurisprudenza francese (Barbier, *Code de la presse,* III. 1895, n. 836 *bis*). Il criterio dell'evento, come nella truffa e ricatto a mezzo di giornali, non dovrebbe influire, dicesi, sul luogo della consumazione. Concordano Oppenhoff (*Strafgesetzb.* § 3, n. 9) e, secondo Glaser, eziandio la dottrina inglese. Anche qui tuttavia valgono le osservazioni precedenti. La conseguenza sarebbe la poca sicurezza dei rapporti internazionali ;

c) Il Codice di proc. penale austriaco, § 486. sceglie, come esclusivo luogo di consumazione, quello di *stampa* del giornale ;

d) Altri ritengono per ogni singolo partecipe nel reato, questo consumato là dove ciascuno abbia compiuto il proprio atto criminoso. La speciale natura del reato di stampa non dovrebbe in proposito esercitare alcuna influenza.

Secondo i principî della responsabilità penale in materia di stampa, più classi di persone possono cadere sotto di essa, l'autore, il corrispondente, il gerente, lo stampatore, il divulgatore, ecc. Adottando come criterio il luogo dell' azione criminosa d'ognun d'essi, si verrebbe ad escludere allora che il luogo di stampa o di pubblicazione valga per tutti.

Invece il luogo di consumazione potrà essere diverso assai ; ad es. per lo scrittore là dove il suo manoscritto abbia consegnato alla posta, pello stampatore il luogo dove ha sede la stamperia, pel redattore e gerente il luogo dove la redazione fu tenuta, pel distributore il luogo dello spaccio del giornale.

E un sistema che discende dagli insegnamenti del Merkel (*Lehrb. d. strafr.*, 1889, § 103), del Meyer (*id.*, 1888, p. 174) e d'altri ancora, e che ha portato il Bulling (*Ortliche Gerichtsstand in Presstrafsachen*, 1894) a riassumerlo nella regola generale secondo cui « competente per ragion di territorio nei reati di stampa non è il tribunale nel cui distretto il·prodotto della stampa viene pubblicato, ma il tribunale del luogo dove chi effettua la pubblicazione e vi coopera si trova ».

193. — Ma la maggior parte degli scrittori sono pel *luogo* dove si verifica la *pubblicazione* del giornale (Schwarze, *Pressges.* 1885, p. 96 ; Berner, *id.* 1876, p. 279 ; Löwe, *op. cit.*, § 7 ; Rüdorff, *Strafgesetzb.* su § 3 ; Liszt, *Reichspressr.*, 1881, § 52 ; Catastini, *Consumazione dei delitti mediante la scritt.*, 1883, p. 179. ecc., ecc.).

Senza dubbio deve valer come luogo di consumazione quello in cui l'autore abbia estrinsecata l'azione necessaria alla sussistenza del fatto. Ma la criminosa attività non giunge sempre, col termine dell'azione compiuta, al suo fine, potendo invece perdurare coll'efficacia della forza posta in movimento dall'autore.

Quest'efficacia di un'estranea forza (agenti per la stampa del giornale) è un elemento dell'atto dell'autore. Il luogo adunque in cui essa è risultata (pubblicazione), anche se diverso dal luogo della personale attività dell'autore (ad es. corrispondente d'altra città) può assai logicamente riputarsi luogo di consumazione del criminoso atto.

Questo sistema ha il vantaggio di indicar un fermo

punto di partenza, evitando gl'inconvenienti delle altre teorie. Per esso adunque è nel luogo di pubblicazione dove si consuma il reato da tutte quelle persone che, per la loro partecipazione nella creazione del giornale, assumono una responsabilità rispetto al suo contenuto; e così l'autore, il gerente, lo stampatore, ecc.

PARTE VII.

Commercio dei giornali.

CAPO I.

Spaccio del giornale.

I.

194. — Nel giornale non va solo considerata la parte intellettuale, nè quella concernente la stampa, ma pure lo *smercio* suo. Il giornale tende infatti ad essere distribuito ed arrivar nelle mani dei lettori. Come nella economia politica, così del pari nei riguardi commerciali dell'impresa giornalistica l'uso e i mezzi di propagazione che pongono l'editore in relazione coi consumatori (lettori) devono ben esser presi ad esame per aversi un esatto e completo concetto della scienza del giornalismo. Essi sono così strettamente connessi colla funzione dell'impresa editrice da non poter ammettersi alcuna separazione di uno dall'altro studio. Quanto viene prodotto deve essere usato, e se la esatta misura non vi sia, tosto la produzione resta modificata sino a che mediante aumento, diminuzione o direzione per altre vie, i due rami dell'industria giungano di nuovo ad equilibrarsi. Qual *medium* fra i due sta la branca commerciale del giornalismo che assume la vendita e spedizione del giornale. Senza siffatto ajuto non potrebbe il produttore conseguir lo spaccio che è la misura finale della sua impresa.

I *modi* principali *con cui un giornale perviene ai lettori* sono i seguenti:

II.

195. — 1.º Il metodo dell'*abbonamento*, effettuato, o direttamente coll'editore, o mediante la posta;

2.º Lo smercio a mezzo di *venditori* o *distributori* che nelle vie e pubbliche piazze esercitano un commercio mobile, il così detto *esercizio ambulante (strilloni, colporteurs, crieurs, distributeurs publiques)*;

3.º Lo spaccio di vendita ad opera di *librai;*

4.º Cooperazione nello spaccio e facilitazione sua colle *affissioni,* cogli annunzî, ecc.

196. — 1.º Una importante e sicura parte di circolazione del giornale è fornita dalla *lista* degli *abbonati*.

A questa classe di consumatori devesi riconoscere una grande influenza sul compito del fattore redazionale e sull'indirizzo dell'impresa economica del giornale. La lista degli abbonati contiene i nomi di coloro i quali sufficiente fiducia hanno riposta nel periodico e che lo commissionano prima che esso appaja, nè limitatamente ad una sola o poche copie, ma per tutti i numeri i quali appajono nel successivo mese, trimestre od anno. L'abbonamento assicura al giornale una stabile base commerciale: una vólta poi assicurato un permanente e sufficiente appoggio dei lettori, possono i finanziarî interessi del periodico essere diretti in modo da recar all'impresa un rilevante vantaggio.

Nei limiti dello Stato nel quale il giornale si pubblica, la consegna agli abbonati si effettua, o mediante persone di recapito, quando nel luogo della pubblicazione, o mediante spedizione del giornale, se altrove. Gli abbonati i quali dimoran fuori dello Stato ricevono il giornale ordinariamente a mezzo della posta.

L'accrescimento della lista degli abbonati con nuovi sottoscrittori può effettuarsi variamente; ad esempio, mediante agenti viaggiatori fuori della sede commerciale del giornale perchè cerchino di ottener appunto abbonamenti, al modo istesso con cui gli editori di libri o riviste ricercano, col mezzo di agenti, sottoscrittori ed abbonati. Tali commessi viaggiatori sono da tenersi ben distinti dalla specie dei venditori ambulanti, i quali vanno sottoposti all'osservanza di certe prescrizioni.

197. — Nel numero dei *contratti* che si formano mediante corrispondenza vanno appunto compresi quelli di abbonamento o di *associazione libraria,* con i quali l'editore s'obbliga di fornir ad altri un'opera dell'ingegno che si pubblica a dispense, a numeri od a volumi, a misura che questi si stampano, e ciò in un determinato tempo e per un certo prezzo pagabile all'atto della consegna e ad epoche definite.

Siccome è l'editore che fa le offerte con annuncio della pubblicazione dell'opera e diffusione del manifesto o programma contenente l'esposizione sommaria e le condizioni del contratto, così, con l'accettazione di tali condizioni e patti, il contratto si reputa definitivamente concluso senz'uopo d'ulteriore accettazione da parte del primo, perchè implicita nell'annunzio dei manifesti. Di solito ai programmi va unita una scheda di associazione che il ricevente, dopo appostavi la firma, a prova di sua adesione ritorna all'editore. Dal momento quindi che questi l'abbia ricevuta, il contratto è perfetto e nascono gli obblighi per ambe le parti; mentre prima di tal punto ognun di essi potrebbe revocare il prestato consenso.

E poichè il contratto di cui si discorre non è di quelli ritenuti formali pei quali la conclusione è subordinata all'osservanza di date formalità, così potrà indifferentemente provarsi o con l'uso comune della sottoscrizione della scheda, che è un atto in parte a stampa e in parte autografo e che assume la forma d'una lettera o modulo di commissione, o con lettere, o testi, o con produzione dei libri di commercio od anche verbalmente.

198. — Non è raro il caso che l'editore invii numeri di saggio d'una pubblicazione in corso, e così di giornali o altri periodici, con l'avvertimento a stampa che, non respingendo il numero ricevuto, si intenderà conchiuso l'abbonamento. Però tali condizioni non possono aver alcun valore rispetto al destinatario, nè far argomentare, dal suo silenzio, una tacita accettazione dell'acquisto. Trattandosi di contratto bilaterale è chiaro non poter una parte, per esclusivo suo vantaggio e senza il libero concorso di volontà dell'altra, obbligar questa a compiere un atto qualsiasi o ad uscire dallo stato di inazione. La situazione reciproca delle parti esclude in siffatta ipotesi tutte le circostanze che in certi casi fanno presumere il consenso per quanto non espressamente dichiarato; nè tra il destinatario ed il proponente sussistono relazioni precedenti che l'obblighino a rinviare quanto gli fu spedito, ovvero a rispondere, fosse magari per notificar il proprio rifiuto al contratto. Il ricevente non è quindi obbligato se non alla restituzione dei giornali o fascicoli che gli sono pervenuti, ove alcuno si presenti a ritirarli, ma non sarà tenuto ad altro, e **neppure** all'indennizzo delle spese di porto, non **avendo** queste causa in alcun ingiusto e colpevole **di lui** silenzio.

Nè quel consenso può presumersi nel caso **in cui** l'editore d'un'opera periodica v'inserisca l'**avviso** che, in mancanza di diffida prima della **scadenza** dell'abbonamento, l'associazione debba **intendersi** rinnovata; chè il solo fatto d'aver, dopo una **tale** scadenza, continuato a ricevere un giornale **senza** mai curarsi di rifiutarlo o di diffidare **altrimenti** l'editore di esso, non basta a far riputare **tacita-** mente e per regola rinnovata l'associazione, e **quindi** obbligato, chi riceve il giornale, a pagarne il **prezzo** d'abbonamento. D'altronde una convenzione **limi-** tata nella sua durata non può prorogarsi per vo- lontà d'una sola delle parti per la semplice circo- stanza che l'altra non abbia formalmente espressa una volontà contraria. Infine il semplice fatto che chi era precedentemente abbonato accetti ancora l'invio del giornale non implica che egli siasi sot- toposto a pagarne il prezzo d'abbonamento, la sua negligenza od incuria non potendo equivalere al consenso necessario perchè vi sia contratto. Onde pure in tal caso altro obbligo non sorge che di restituir i giornali ricevuti e non pagati, senza che il destinatario abbia a rispondere delle deteriora- zioni fortuite o delle perdite loro, a meno che ne abbia tratto profitto.

Diversa soluzione si confà al caso in cui la tacita rinnovazione faccia parte delle condizioni di abbo- namento, essendovi allora l'accettazione dell'ab- bonato.

Sarà inoltre ben frequente il caso in cui la per- sona che riceve i numeri del giornale e non li re- stituisce incontrerà l'obbligo di pagar il prezzo d'abbonamento in considerazione del quale fu fatta la spedizione, e ciò è quando si tratta di persone che si trovino fra loro in relazione d'affari; poichè tale condizione di cose rende incompatibile la ritenzione della cosa indipendentemente dalla causale per cui la spedizione fu effettuata. È appunto in vista di questi precedenti rapporti che colui il quale, spirato un suo abbonamento, continui a ricever il giornale od altro periodico senza protesta, potrebbe in certi casi essere ritenuto d'averlo rinnovato per durata uguale all'abbonamento precedente.

199. — 2.º Il mezzo principale di smercio dei giornali ha luogo ad opera dei *rivenditori, distributori, proprietarî o conduttori di chioschi nelle vie pubbliche*, o di *biblioteche nelle stazioni ferroviarie*, ecc.

Ora per l'esercizio del *mestiere ambulante* di *venditore o distributore* occorre la previa inscrizione in apposito registro presso l'autorità locale di P. S. (art. 72 Legge di P. S.).

Sotto il nome di *venditori o distributori ambulanti* la legge contempla certi agenti dediti alla propagazione di stampati con un modo particolare di pubblicità che si caratterizza specialmente colla provocazione alla compra od al ricevimento, risultanti dall'offerta fatta altrui in *luoghi pubblici* (piazze, vie, ecc.) o *privati* (di casa in casa, a domicilio).

Da tale larghissimo concetto non devesi però concludere che chi vende, espone in vendita o distribuisce giornali nel suo proprio domicilio sia un distributore nel senso della legge. Questa infatti contempla il distributore *ambulante*, che dà la caccia al cliente fuori di determinati locali di vendita (il commercio volante), mentre nell'altro caso il venditore è sedentario, attende il pubblico nel suo esercizio d'industria, non va dinanzi a lui a sollecitarlo; per cui, se egli vende un giornale, è sol perchè piace al compratore farne acquisto, in modo che la vendita od esposizione in vendita non è accompagnata da quella provocazione che è la caratteristica del *colporteur o distributore pubblico*, e che costituisce quel modo particolare di spaccio considerato dalla legge tanto più dannoso in quanto la persona che l'esercita, a causa della mobilità stessa della sua professione, sfugge il più di soventi all'azione della giustizia.

La *vendita* o *distribuzione* sta nel fatto di rimettere, o almeno offrire al pubblico, cioè ad ogni persona indistintamente, i giornali, sia gratuitamente, sia dietro pagamento. Il fatto solo del trasporto dei giornali attraverso la via pubblica non sarebbe sufficiente, quando non vi vada congiunta, come condizione necessaria, la vendita.

Coloro i quali, incaricati dagli editori o proprietarî, portano i giornali, e li recapitano ai sottoscrittori ed abbonati, non possono essere riputati venditori pubblici. La distribuzione di un giornale ai proprî abbonati non presenta punto il carattere di provocazione, o eccitamento alla compra che viene diretto a tutto il pubblico indistintamente, ma rappresenta, rispetto agli abbonati, soltanto l'esecuzione di un precedente contratto perfettamente lecito, con cui l'editore si è obbligato, mediante un prezzo anticipatamente fissato, a far portare il giornale al loro domicilio.

Devono assimilarsi agli abbonati le persone a cui l'amministrazione del giornale fa gratuitamente e regolarmente distribuire il periodico, sia in causa delle loro funzioni o qualità, sia perchè collaboratori, sia infine per causa del beneficio che ad essa procurano con inserzione di annunzî o con altre comunicazioni.

Ma il fattorino incaricato del servizio di abbonamento, il quale porta e distribuisce un numero di copie superiore a quello destinato ai veri abbonati, diventa venditore o distributore pubblico.

La legge non ha poi in vista che i *colporteurs* o distributori di *professione,* e non già l'atto per sè stante della vendita o *colportage;* ogni atto di tal natura compiuto da persona che non fu inscritta nei registri di polizia non diventa punibile quando esso sia puramente accidentale.

Sottoposto all'inscrizione è soltanto chi *esercita* il *mestiere ambulante;* quando non vi sia il mestiere, la professione, cioè l'abitudine di distribuire giornali, quando si sia in presenza d'un fatto particolare o di più fatti isolati di *colportage,* che possan pur riprodursi a diversi intervalli, ma che non si riattaccano ad un'opera di propagazione intrapresa con intendimento di darvi seguito, non si può assoggettare l'individuo che ne è autore alla inscrizione. Così, ad esempio, la persona che, avendo pubblicato un articolo in un giornale, recapita una o più copie di quest'ultimo, è un *colporteur* accidentale che gode di piena libertà di distribuzione. Questo è pure il caso della distribuzione di giornali o fogli nelle ricorrenze di elezioni. Vi è il carattere accidentale, in quanto lo spaccio cessa necessariamente passato tale. periodo.

Devesi per altro ritenere che esercitino la professione di venditore, a senso dell'art. 72, non soltanto i distributori che comprano i giornali e li rivendono poi per proprio conto, ovvero quei che locano la loro opera a chiunque ne fa richiesta, ma eziandio tutti gli individui che si dedicano a fatti di *colportage,* ossia di distribuzione, che si riattaccano ad una impresa di propaganda regolare, avvenga questa per loro proprio conto o per conto altrui, e tanto con intendimento di lucro quanto con iscopo disinteressato.

Va quindi considerato venditore ambulante di professione l'individuo specialmente addetto al servizio d'un librajo, d'un editore o proprietario di giornale, che abbia l'abituale mansione di spacciar nel pubblico i giornali del suo committente.

200. — La vigilanza dell'autorità su tale classe di rivenditori si esercita coll'obbligo loro, *se italiani,* della *inscrizione* in un registro presso l'autorità locale di P. S. del circondario, *se stranieri,* del *permesso* dell'autorità di P. S. del circondario: certificato di inscrizione e permesso da rinnovarsi ogni anno, e che possono anche essere *ricusati,* o per *età* (ai minori di 18 anni, se idonei ad altri mestieri, chè, trattandosi di professione girovaga, è ufficio di buon governo distoglierli dal pericolo di ozio o vagabondaggio): o per *condotta* (persone pregiudicate o pericolose); ovvero *ritirati* (in caso d'abuso, e per ragioni d'ordine pubblico: formola quest'ultima assai elastica e piena d'arbitrî).

La contravvenzione a tali prescrizioni e la mancata esibizione del certificato e permesso su richiesta della P. S., fanno incorrere nella pena dell'ammenda (art. 72 a 77).

Il certificato o la licenza non occorrono a colui per cui conto le stampe e i giornali vengono venduti, ma unicamente a chi spaccia, vende, grida le pubblicazioni stesse, sia poi per vendita o per gratuita distribuzione, e ciò ei faccia dietro pagamento ovvero senza percepire alcuna rimunerazione.

201. — 3.º Dopo che l'industria libraria è divenuta libera, il *librajo*, e così pure il venditore di giornali non ambulante, ma in locale stabile, può ritenersi un ordinario commerciante non sottoposto ad alcun obbligo d'avviso o licenza.

Il progetto di Codice penale italiano puniva, all'art. 420, lo smercio, in luogo pubblico od aperto al pubblico, di stampati e manoscritti senza licenza dell'autorità, oppure, se si tratta di periodici, avanti che ne sia presentata la prima copia all'autorità (art. 42 Legge sulla stampa); ma quest'ultima sanzione fu tolta (art. 443 Cod. pen.) poichè non si volle disporre intorno a materia regolata dalla stampa, e disporre in modo da mettere ostacoli e indugi a quella rapida e libera diffusione che è forza e condizione di vita della stampa moderna.

Conformemente dispone l'art. 65 della Legge di P. S., che appunto mantiene salve le disposizioni della Legge sulla stampa pei giornali e periodici. Al commercio adunque dei giornali da parte dei librai in permanenti luoghi di vendita non sono imposte speciali limitazioni , salvo, per l'impianto ed esercizio delle tipografie, la preventiva dichiarazione all'autorità di P. S., con indicazione del luogo d'esercizio e del nome del proprietario o di chi lo rappresenta (art. 63, ivi).

Il commercio dei giornali gode, in tali casi, libertà assoluta, senza distinzione fra commercio librario permanente od accidentale. Si è adunque librajo, nel senso legale della parola, dal momento in cui si spacciano in un locale d'esercizio, anche accidentalmente, anche accessoriamente ad altra industria, giornali od altre pubblicazioni periodiche.

Non vi è poi dubbio che una tale industria permetta di poter utilizzare liberamente i servizî degli impiegati o commessi in tutto ciò che ha tratto al commercio dei giornali. Soltanto non sarebbe possibile ritenere che ad un dipendente di librajo, addetto esclusivamente al suo negozio, sia lecito, senza preventiva inscrizione, vendere o distribuire sulla via pubblica o di casa in casa libri o giornali che il librajo detenga e venda nel suo stabile locale. Quando infatti un librajo, o editore di giornali, o per sè stesso o a mezzo di suoi impiegati, anzichè attendere il compratore nel suo negozio ne va in cerca per provocarlo all'acquisto, cessa d'essere librajo, e diviene *colporteur* o venditore ambulante di professione.

Non debbono tuttavia confondersi con tali fatti di distribuzione pubblica le operazioni dei *mediatori* e *rappresentanti* di libraî, intraprese nello scopo di provocare la clientela alla sottoscrizione ed alla compra di libri o giornali. Queste operazioni rientrano evidentemente nell'esercizio normale del commercio librario.

D'altronde fra il *colporteur* che trasporta seco le merci che vuol vendere a tutti indistintamente ed il vero mediatore del commercio librario il quale ricerca, con certa discrezione, ordini, commissioni, abbonamenti presso una categoria speciale di compratori, vi sono differenze che non isfuggono e rendono facile la distinzione tra i due casi.

La legge nostra non contempla entrambi le ipotesi, e si limita solo alla prima specie: ma lo spirito di essa suffraga la nostra interpretazione. Anche la Legge germanica sulle industrie governa con separate disposizioni l'offerta di vendita da parte del *colporteur* e la ricerca di commissioni, associazioni e così via.

202. — Coloro che spacciano giornali in *chioschi*, sulle vie pubbliche, od in *biblioteche* di *stazioni ferroviarie*, per quanto esercitino rispettivamente la loro professione in luoghi pubblici o riputati pubblici, sono tuttavia venditori sedentarî. Non è di essi come dei venditori ambulanti che si muovono senza posa, che parlano, sollecitano o provocano alla vendita; invece i primi si limitano ad esporre in vendita i loro giornali senza eccitar in altro modo all'acquisto; costituiscono adunque una specie di libraî, e non possono conseguentemente sottoporsi ad alcuna dichiarazione preventiva. In pratica avviene talvolta il contrario, ma disconoscendo l'intendimento della legge.

Nell'esercizio però di tale industria non può farsi valere alcun diritto sugli spazî pubblici o di privata proprietà contro il volere dei possessori. La vendita in un determinato spazio d'una via o piazza pubblica, come è appunto dei chioschi, ha luogo in virtù d'una concessione dell'amministrazione comunale: è una concessione o locazione che interessa la città dal punto di vista economico, ma non si riattacca punto ad alcuno scopo di restrizione di quel commercio.

Certamente gli esercenti quelle industrie sulla via pubblica o nei luoghi pubblici devono conformarsi, nell'esercizio della loro professione, ai regolamenti di polizia adottati dalle autorità municipali. Ma questi non hanno la possibilità d'interdire, sia pure per misura d'ordine pubblico o di sicurezza pubblica, la vendita o lo smercio dei giornali sulla via pubblica, chè tal diritto non compete neanco all'autorità di pubblica sicurezza, sia perchè sarebbe questo un mezzo troppo comodo per porre restrizioni ai soli giornali d'opposizione, e colpire, attraverso allo spaccio, scrittori e giornalisti, sia perchè è ora libero assolutamente il commercio librario. All'autorità amministrativa compete soltanto provvedere al buon ordine ed alla sicurezza dei cittadini per le vie ed altri luoghi destinati alla circolazione del pubblico, e rimuovere o prevenire gli ingombri al libero passaggio. Ma da ciò non può dedursi che l'autorizzazione di vendita dei giornali sulla via pubblica dipenda dalla volontà dell'autorità amministrativa. Ogni distributore può quindi rivendicare il suo posto sulla via pubblica, a sola condizione di rispettare le ordinanze ed i regolamenti di edilità riguardanti le vie, piazze ed altri luoghi lasciati alla libera circolazione.

203. — 4.° Un grande ajuto al commercio del giornale reca il sistema seguìto in certi Stati di far noti al pubblico, mediante *affissione,* i più importanti avvenimenti dei quali sia pervenuta notizia al giornale coi mezzi di comunicazione esistenti a suo servizio. Da ciò deriva, non soltanto la possibilità d'un finanziario vantaggio pel giornale, che da tale pronta pubblicazione di notizie trae occasione per convincere il pubblico della potenza della sua impresa ed estender così il campo dei suoi lettori, ma pur un grande utile pel pubblico stesso, il quale, nel più breve tempo possibile, vien fatto consapevole di fatti che talvolta sono causa di rilevanti conseguenze per ogni classe di persone.

Prima della spedizione di giornali si usa, in taluni paesi, ad esempio in America, quasi sempre esporre una nota brevemente composta delle novità del giorno. È riconosciuto là primo dovere del redattore dei telegrammi, quando sia giunta una importante notizia, di prepararne in massima fretta un breve compendio in un grande leggibile scritto che poi vien collocato nelle vetrine dell'ufficio di spedizione dei giornali o sulla fronte dello stabilimento dell'impresa editrice.

In questa materia deve però tenersi conto delle disposizioni legali sulle *affissioni*. L'art. 65 della Legge di P. S. divieta infatti l'*affissione* di stampati o manoscritti in luogo pubblico o aperto al pubblico senza la licenza dell'autorità locale di Pubblica sicurezza, salvo quelli relativi... ad *affari commerciali* ed a vendite o locazioni.

Nel concetto della legge si ritiene certo compresa anche l'esposizione dello stampato.

Ora l'esposizione di vetri trasparenti o d'altri congegni di indicazione, l'esposizione o l'affissione, nelle vetrine dell'ufficio di spedizione del giornale, di un numero del foglio o di parte di esso recante importanti notizie, ecc., cadono in quel divieto? A tutta prima parrebbe di sì, chè trattasi di comunicazioni portate a conoscenza del pubblico, e che formano quindi oggetto dell'affissione (Marquardsen, *Reichspressg.*, p. 260).

Devesi però considerare che la notizia vien comunicata ai lettori soltanto a scopo di *réclame* e nell'interesse professionale dell'editore, e concerne pertanto *affari commerciali* pei quali non occorre licenza (Trib. imp. germ. 7 dicembre 1891, *Goltd. Archiv*, v. 39, p. 377).

Capo II.

Influenza della posta sullo spaccio dei giornali.

I.

204. — L'influenza che i mezzi di comunicazione (posta, telegrafo, telefono) costituenti nel loro complesso il *commercio* in senso stretto, esercitano sul giornalismo, si manifesta in duplice modo, o come manifestazione della vita sociale, e così quale strumento di istruzione e di incivilimento, ovvero in quanto essi agevolano la vita materiale, sono base cioè d'un esteso scambio di beni, tanto per la *produzione* loro (nel caso nostro le *notizie* di cui si compone il giornale), quanto pel loro *consumo,* rendendone possibile (almeno la posta) lo scambio con persone lontane, e così offrendo il mezzo per cui il giornale passa dalle mani dei produttori *(editori)* in quelle dei consumatori *(lettori).*

Sotto questo secondo aspetto (del primo già dicemmo) la posta spedisce stampe d'ogni specie, in una parola, le trattazioni letterarie divenute prodotto e suscettibili di scambio; il suo intervento in tale branca è più decisivo che in tutte le altre (lettere, pacchi postali, ecc.), chè, grazie alla natura ed alla quantità degli oggetti spediti, alla speciale e pronta circolazione per essi richiesta ed ottenuta, alle relazioni le più svariate su tale punto, la posta è, di preferenza alla ferrovia, il mezzo principale di comunicazione utilizzato dal commercio dei periodici.

Specialmente nella creazione dei nuovi giornali o riviste occorre il loro annuncio e diffusione a mezzo di prospetti, programmi, o d'invio di numeri di saggio a clienti od estranei; ed è allor pure che il commercio si vale della posta per la loro distribuzione.

Ora importa assai il sapere se hanno prevalenza gli interessi fiscali ovvero se l'amministrazione felicemente questi concilî col lato sociale della sua missione, di contribuire cioè alla propagazione della coltura intellettuale. Non è indifferente, per la ra-

pidità e facilità delle transazioni, che uno stretto
e minuzioso formalismo le sorvegli o che invece i
regolamenti siano concepiti in un senso liberale e
meno imbarazzante.

Se si pensa poi che l' elemento primordiale che
avviva l'attività postale è il commercio, doveasi
certamente nelle prescrizioni relative assegnare ai
giornali un posto privilegiato diretto a far sì che
tali sorgenti di coltura intellettuale sieno abbondanti ed accessibili a tutti.

Coordinando tra loro le disposizioni in materia, si
constata che certi paesi sono in ciò più progrediti
di altri, stante la maggior efficacia di protezione
assicurata ai giornali e l' internazionalità di tale
protezione che apre un più vasto campo allo smercio dei medesimi. Tutti però hanno, quanto al loro
trattamento, introdotto, sebbene in diverso grado,
prezzi di spedizione minori degli altri generi di
corrispondenza, il che ha per effetto un aumento
d'intensità in questi invii, aumento che, a sua volta,
rende minore il costo del servizio.

205. — Secondo le leggi di certi Stati *il trasporto
e la distribuzione dei giornali* costituisce un *monopolio*, una privativa dell'amministrazione delle poste.
Così in Germania il privilegio dello Stato si estende
appunto ai *giornali* (non alle riviste) di *carattere
politico*, i quali appajano più·di una volta per settimana. E poichè, secondo gli attuali atteggiamenti
della stampa periodica, specie quotidiana, ogni genere di giornali, se non esclusivamente o in modo
preponderante, almeno parzialmente reca notizie,
trattazioni o rassegne che riguardano avvenimenti
dello Stato, all'interno o all'estero, o di altre pubbliche amministrazioni, e che cadono pertanto nel
campo politico, segue che, secondo tali norme, non
vi sarebbe più alcun giornale che vada escluso dal
monopolio postale.

Ivi adunque niun pacco di giornali potrebbe essere spedito a mezzo ferroviario. Nè si fa differenza

alcuna tra la spedizione eseguita direttamente da editore ad abbonato e spedizione a mezzo di loro intermediarî. Se quindi un editore spedisse ad agenti di altre località un rilevante numero di giornali in pacco per la distribuzione poi delle singole copie agli abbonati, dovrebbe far sempre l'invio a mezzo della posta. Il monopolio non si estende tuttavia alla spedizione dei giornali dallo stampatore all'editore, la quale può effettuarsi altrimenti, ma si limita alle spedizioni ai committenti od altri compratori, poichè prima della pubblicazione, e cioè prima della distribuzione o impostazione pegli abbonati e rivenditori, il *giornale* ancora non esiste.

In Francia pure il trasporto dei giornali ed opere periodiche era da prima attribuito esclusivamente all'amministrazione postale. E si discuteva se il trasporto dei giornali da una ad altra città, a mezzo di chi li aveva comprati per rivenderli, costituisse o no reato. Una Legge del 25 giugno 1856 soppresse il privilegio pei giornali di scienze, lettere ed arti, mantenendolo per quelli politici. Ma nel 1870 fu reso assolutamente libero il trasporto di tali stampe, senza che siavi a preoccuparsi della natura degli scritti.

Il sistema di cui si discorre merita attenzione pel caso di spedizione dei giornali a mezzo ferroviario, da un paese dove il monopolio non esiste ad altro dove è stabilito, e per cui il trasporto non potrebbe essere attuato con quel modo.

Ma nella maggior parte delle legislazioni l'editore di giornali può, pel loro trasporto e distribuzione, valersi, oltre che della posta, pure della ferrovia o d'altri diversi mezzi. Tale sistema è quello vigente in Italia, costituendo ivi privativa soltanto il trasporto e la distribuzione delle *corrispondenze epistolari* e non quello delle *stampe*, che comprendono i giornali e le riviste (Legge postale 20 giugno 1889, art. 1 ; Regolamento 2 luglio 1890, art. 5, 70 e 71), e pure in altri paesi, ad es. in America, dove il concetto del giornalismo ha raggiunto un alto grado di sviluppo.

I due sistemi in questo tuttavia convengono che eziandio quello a base di monopolio concede la spedizione dei giornali per mezzo *di espresso,* inviato da una ad altra persona, a condizione di non ricever da altri, nè per altri riportare, oggetti sottoposti al monopolio. Così dispone il § 2 della Legge postale germanica 28 ottobre 1871, e pure l'art. 2 della Legge italiana 20 giugno 1889, il quale, con più lata disposizione, esenta dal monopolio le *lettere che una persona spedisce ad un'altra per mezzo di espresso.*

Tale via pertanto rimane dovunque a libero uso degli editori per il recapito dei giornali ai loro abbonati, specie nelle città dove il periodico si pubblica (Dambach, *Gesetz über das Postwesen,* 1892, p. 26).

II.

206. — Quanto al regime distributore a cui sono sottoposti i giornali, importa esaminare varie quistioni che al riguardo si presentano :

a) Che s'intende per giornale?

b) Qual *modo di sottoscrizione* fu previsto e come, in ispecie, si esercita, e con quali effetti, *l'abbonamento postale?*

c) Che norme si applicano alla *spedizione* e *francatura* dei giornali?

d) I *supplementi* dei giornali e

e) le *annotazioni* che talvolta i mittenti appongono a mano sui giornali formano oggetto di prescrizioni speciali?

f) Incombe alcuna *responsabilità* all' amministrazione nel caso di *perdita o ritardo di consegna dei giornali?*

207. — *a)* Certi Stati hanno in materia postale disposizioni legali in cui il carattere delle *pubblica-*

zioni periodiche e dei *giornali,* e le condizioni per essi necessarie, sono fissate espressamente, sol allora potendo godere della *moderazione di porto* accordata a tale categoria.

Ad es. negli Stati Uniti si richiede che gli stampati appajano almeno quattro volte all'anno, ad intervalli prefissi ; inoltre devono provenire da un ufficio di pubblicazione conosciuto...; essere pubblicati in vista della diffusione di notizie di carattere generale o nell'interesse della letteratura, delle scienze, arti o industria speciale; aver una lista di abbonati regolari. In nessun modo possono avere come scopo principale la pubblicazione di annunci.

In Inghilterra, le pubblicazioni devono essere registrate al *Géneral Post Office,* inoltre constare in tutto o in gran parte di notizie politiche o diverse, di articoli concernenti tali notizie, o di altra materia, con o senza annunci ; essere stampate e pubblicate nel regno e comparir ad intervalli non maggiori di 7 giorni ; portare impresso in capo della prima pagina, ed in modo apparente, il titolo e la data senza abbreviatura, e in capo di ciascuna pagina seguente il titolo con o senza abbreviazione e la data.

Al Giappone deve la pubblicazione apparir almeno una volta al mese ed essere registrata al Dipartimento delle comunicazioni.

In Francia solo le Leggi 9 giugno 1819 e 18 luglio 1828 definivano, pegli effetti penali e di polizia della stampa, gli scritti periodici, ritenendo tali gli stampati che veggon la luce più d'una volta al mese, sia a data fissa, sia per dispensa e irregolarmente: nulla si prescriveva quanto alla durata della pubblicazione. La Legge 29 luglio 1881 non dà definizione delle *pubblicazioni periodiche* (art. 5). Tutto ivi è rimesso al criterio della dottrina e della giurisprudenza, le quali si attaccano specialmente all'illimitata durata della pubblicazione: criterio peraltro senza base, poichè, in tal modo, un giornale destinato ad apparire per una certa durata o che fin da principio abbia lo scopo di uscire solo un determinato numero di volte, ad es. per cooperar alla riuscita d'un certo candidato o per far della *réclame* in una data operazione di commercio, ecc., non rivestirebbe più la qualità di pubblicazione periodica, il che ci pare assurdo.

La Legge germanica sulla stampa del 7 maggio 1874 (art. 7) esige soltanto che la pubblicazione esca a mesi o a periodi più brevi, per rientrar nel novero delle pubblicazioni periodiche.

In Italia l'art. 71 del Regolamento 2 luglio 1890 dichiara essere *stampe periodiche,* nei sensi degli articoli 8 e 9 della Legge 12 giugno 1890 (n.º 218). quelle che, uscendo regolarmente almeno una volta per trimestre, non costituendo opere determinate. ed essendo sottoposte alle disposizioni del Capo VIII della Legge sulla stampa 26 marzo 1848, abbiano per iscopo di tener informato il pubblico delle vicende politiche, scientifiche, tecniche, artistiche, letterarie, religiose, ecc., e sieno tali da poter durare indefinitamente, con materie diverse da un numero all'altro, come i giornali, le gazzette, le riviste, le rassegne e simili. Sono escluse le pubblicazioni che costituiscano unicamente o principalmeute mezzi · di pubblicità di case di commercio, come listini, cataloghi, ecc. Le pubblicazioni periodiche debbono avere stampato in testa alla prima pagina il rispettivo titolo, seguito dalla data e dalle indicazioni della loro periodicità, ed i singoli fogli o dispense delle medesime debbono essere numerati progressivamente.

Per l'art. 72 sono *stampe non periodiche* i libri, le pubblicazioui in genere fatte a dispensa, con o senza associazione, che non abbiano i caratteri di cui nel precedente articolo, gli opuscoli, i cataloghi, sebbene pubblicati a periodi fissi, i manifesti, i programmi, salvo l'eccezione di cui nel penultimo capoverso del successivo art. 75 (Vedi quest'art. al n.º 218).

Si ricava adunque che una pubblicazione anche constante di parti distinte, ma talmente coordinate che il loro insieme formi un' opera sola, ovvero una raccolta avente uno scopo determinato, rientra sempre nei termini dell'art. 72; mentre nelle *pubblicazioni periodiche* non è la singola parte, numero, dispensa ecc. collegata sistematicamente al tutto mediante un organico concetto od un piano predeterminato. Ciò che alle pubblicazioni dà il carattere di *periodiche* è la fattura organica delle medesime; è necessario che gli scritti appajano periodicamente in un determinato o indeterminato spazio di tempo, e che le *pubblicazioni* constino di più articoli fra loro non collegati e di diverso contenuto.

208. — Le *pubblicazioni periodiche* sono specialmente costituite dalle *riviste* e dai *giornali*.

Vi è una logica differenza fra questi scritti. Non è criterio distintivo l'essere o no illustrati, o la maggiore o minore diffusione. La distinzione sta sopratutto nell'essere i *giornali* compresi in singoli fogli, le *riviste* in fascicoli, inoltre in ciò che i primi recano notizie del giorno, le seconde s'applicano alle cognizioni che hanno maggior attinenza colla scienza, colla letteratura, ecc. Là è la novità, l'abbondanza di notizie, i fatti di cronaca di momentaneo interesse che si comunicano al pubblico, quì le gravi e ragionate trattazioni in istretto rapporto coll'attività letteraria, scientifica, ecc.

Tuttavia dal punto di vista postale, come, del resto, dal punto di vista della legge sulla stampa, i giornali e le riviste sono sottoposte allo stesso trattamento, qualunque ne sia il contenuto e la forma.

Soltanto certe leggi (es. la nostra, art. 8 Legge 1890) concedono un'ulteriore riduzione di porto per le *pubblicazioni periodiche quotidiane*, ossia pei *giornali*, come quelli che, per loro natura, hanno soli la possibilità d'essere pubblicati a intervalli così brevi.

209. — *b)* La prima condizione d'esistenza d'un

giornale è che esso abbia *sottoscrittori*. Ora due sistemi sono in uso. In un certo numero di Stati, gli uffici postali sono autorizzati a ricevere *abbonamenti* e ad incassarne il montare : in altri paesi la posta non s'occupa di tale servizio e si limita a trasmettere e distribuire i giornali dei quali si sia fatto abbonamento per altra via.

Hanno adottato l'*abbonamento a mezzo della posta* il Belgio, il Brasile, la Bulgaria, la Danimarca, la Francia, la Tunisia, il Lussemburgo, la Norvegia, Prussia, Portogallo, la Serbia, Svizzera, Svezia (dove è anzi il modo più in uso), la Germania, Rumenia (solo pei giornali all'interno), l'Austria (pei giornali ufficiali), l'Olanda e l'Egitto.

In Italia gli uffici postali, compresi quelli fuori del regno, sono pure autorizzati a ricevere associazioni a giornali e ad altre pubblicazioni tanto dell'interno quanto dell'estero, a favore di persone residenti nelle stesse o in altre località. Ricevono gli abbonamenti, trasmettono le somme incassate a tale titolo ai direttori dei giornali e delle pubblicazioni, spediscono i giornali stessi e ne curano il recapito ai singoli associati, e .tutto ciò mediante un determinato compenso (art. 26 Legge 20 giugno 1889; art. 208 Regolamento 1890).

La retribuzione che la posta si riserva per tale branca di servizio consiste in un diritto di commissione sulle sottoscrizioni o in un diritto di abbonamento (ad es. in Isvizzera 10 cent. per abbonamento), secondo i casi a carico dell'amministrazione del giornale o a carico dell'abbonato; può essere una tassa in soprappiù, o venir compresa nel prezzo d'abbonamento indicato in capo del giornale.

Nei paesi, e sono i più, dove non sussiste, in materia di spedizione di giornali, il monopolio della posta, si è ancor meno obbligati, qualora ad essa si ricorra, di seguire il sistema dell'abbonamento, mezzo neppure prescritto dalle legislazioni che quella privativa riconoscono.

La posta non serve d'intermediario per l'abbonamento ai giornali nei paesi seguenti: Austria (pei giornali non ufficiali), Bolivia, Chilì, Colombia, Congo, Costarica, Repubblica Dominicana, Spagna, Inghilterra, Stati Uniti, Haïti, Grecia, Indie inglesi, Giappone, Messico. Paraguay, Salvador, Siam, Uruguay. In essi l'editore fa pervenire agli abbonati i giornali seguendo le regole riguardanti la spedizione degli stampati in genere.

210. — È assai controverso fra gli scrittori quale sia la *natura giuridica dei rapporti derivanti dall'abbonamento a mezzo postale* (V. Gad, *Haftpflicht der Postanstalten*, 1863, p. 35; — Meili, id., 1877, p. 34; — Cosack, *Handelsrecht*, 2.ª edizione, § 78; — Löning, *Deutsches Verwaltungsrecht*, 1884, p. 606).

Per taluni l'operazione che l'amministrazione compie consta di due ben distinti atti di vendita: quello con cui la posta compra dall'editore le copie dei giornali per sè a suo proprio nome; l'altro con cui essa vende e spedisce tali copie agli abbonati. Secondo siffatto insegnamento l'amministrazione della posta sarebbe tenuta a completare i numeri di giornali che andassero eventualmente smarriti; similmente, ove il giornale venisse a cessare dalle sue pubblicazioni, dovrebbe restituire. in tutto o in parte l'ammontare dell'abbonamento.

Per altri invece si ha bensì un *atto di compravendita,* ma solo da parte dell'abbonato al giornale ed in rapporto all'editore, mentre la posta con tale servizio assume soltanto l'ufficio d'intermediaria, cooperando alla conclusione e adempimento del contratto d'abbonamento fra editore e abbonato, ed effettuando essa il trasporto dei giornali acquistati. Per l'intermediazione sua ottiene la posta una provvigione, pel trasporto un porto, per la consegna una tassa relativa; anche compete ad essa un compenso per le eventuali tasse imposte all'estero sui giornali e riviste. Qui si manifesta la differenza tra il prezzo che l'abbonato rimette alla posta ed il prezzo d'acquisto del giornale, cioè la somma da sborsare all'editore. Il prezzo di rimessa alla posta comprende infatti il prezzo d'acquisto, ma insieme la provvigione, il porto, il diritto per consegna e l'eventuale tassa sui periodici. Tali circostanze stabiliscono che la posta è incaricata dall'abbonato di effettuar per lui l'abbonamento del giornale presso l'editore. A questo riguardo l'abbonato le paga il prezzo di compera del giornale ed una provvigione per le pratiche all'uopo occorrenti.

Lo sviluppo pratico di quell'operazione maggiormente si rileva distinguendo:

1.º Il *contratto fra l'abbonato al giornale e la posta,* col quale il primo commette alla seconda l'acquisto per di lui conto, e dall'editore, dei numeri del giornale e la relativa spedizione. La posta non compra quindi per suo conto, ma limita la sua attività a cooperare alla conclusione e adempimento del contratto fra abbonato ed editore, con diritto di esigere, per tale sua incombenza, e dal richiedente, la provvigione determinata dal regolamento (art. 209 Regolamento postale 1890);

2.º il *contratto fra la posta e l'editore,* che è caratterizzato quale intermediazione nell'accennata vendita e quale trasporto per la spedizione dei giornali;

3.º Ma non vanno dimenticati pure *i rapporti fra l'abbonato e l'editore.* La posta infatti compra dall'editore i giornali, non per sè e suo conto, ma a nome e su richiesta dell'abbonato. Contro l'ammessione d'una diretta compra fra abbonato ed editore potrebbe objettarsi che l'editore non sa e conosce a chi egli venda i giornali; ma è da osservare che in materia di trasporto di corrispondenza sono numerosi i casi di contratti conchiusi col mittente senza conoscere la di lui persona od aver la possibilità di conoscerla. Per la natura del contratto e celerità delle sue operazioni la posta non ha anzi, nel più dei casi, interesse a conoscerla o ad accertarsi della sua identità. Ciò è, del resto, consentaneo all'obbligo dell'amministrazione di non poter ricusare l'invio della corrispondenza che sia conforme alle prescrizioni postali, e pure a quanto avviene in fatto, chè il contratto si attua semplicemente ed unicamente per effetto della consegna alla posta e dell'accettazione da parte dell'impiegato, senz'uopo d'altro. Si verifica, in certo qual modo, quanto accade nella vita stessa quotidiana degli affari e del piccolo commercio, dove le parti contraenti restano spesso fra loro sconosciute, chè al creditore il quale riceve il contemporaneo pagamento, vien a restare indifferente chi abbia comprato le merci, essendo abbastanza garantito da tale immediata prestazione.

211. — L'abbonamento non è limitato esclusivamente ai giornali quotidiani, ma esteso anche ad altre *pubblicazioni periodiche* (art. 208 cit.); non si riferisce inoltre soltanto a giornali e pubblicazioni di carattere politico, ma pur a quelli d'altro genere, nulla dicendone la legge ed il regolamento, a diversità di qualche legislazione estera (es. Legge germanica, § 3) che concede gli abbonamenti ai soli giornali politici. In fine, l'abbonamento si estende pure ai giornali ed alle pubblicazioni periodiche da e per l'estero. È poi di per sè evidente che scopo del legislatore non potea esser quello di recar ostacolo all'applicazione delle disposizioni penali divietanti la pubblicazione di determinati giornali o periodici. Così, a tenore dell'art. 40 del regio Editto sulla stampa del 26 marzo 1848, non può seguir la pubblicazione d'un giornale senza l'adempimento delle condizioni prefisse dall'art. 36, ovvero dopo pronunciata la sua sospensione, o dopo la sua cessazione. Per l'art. 46 deve sospendersi la pubblicazione d'un giornale durante l'espiazione del gerente condannato a pena afflittiva. In tutti tali casi è certo che l'amministrazione postale non potrebbe cooperare alla diffusione del giornale. Se quindi non potrà l'accettazione di abbonamenti a giornali in consimili condizioni venire dalla posta ricusata, non essendovi disposizioni in tal senso, dovrà però quest'ultima diniegar il ricapito agli abbonati dei numeri di detti giornali che le siano pervenuti.

Infine *abbonati postali* non possono essere che quelle persone le quali abbiano commissionato presso l'ufficio postale il giornale dietro il pagamento del relativo prezzo. Onde quei *liberi esemplari* che l'editore abbia gratuitamente spediti per saggio a determinate persone non godono di quel beneficio, nè è quindi la posta tenuta ad assumer di essi l'esercizio, per quanto, per considerazioni d'equità, possa ciò fare quando il numero degli esemplari liberi si mantenga in proporzionato rapporto colla quantità di copie effettivamente commesse contro pagamento.

212. — L'art. 9 della Legge postale riconosce l'*inviolabilità del segreto delle lettere*. Gli articoli 159 e seguenti del Cod. pen. assicurano del pari l'inviolabilità della *corrispondenza epistolare, telegrafica* o di un *piego*.

Consegue che i giornali i quali vengono spediti a mezzo di abbonamento postale non cadono sotto tale divieto. La violazione di quel segreto si verifica quando l'impiegato postale, senza speciale autorizzazione della legge, apre o lascia aprire corrispondenze consegnate alla posta, o lascia prendere in qualunque modo cognizione del loro contenuto (Legge postale 1889, art. 9; Cod. pen., art. 162). Ma oltre a questo possono esservi comunicazioni sul punto tra quali persone vengono scambiate corrispondenze postali, se a taluno siano pervenute lettere od altre corrispondenze, e da qual luogo, ecc. (art. 14 Legge citata).

Parrebbe adunque lecito di poter comunicare ad altre persone, specie a pubblici ufficiali, ad es. di polizia, i nomi di *abbonati* a giornali. Di regola le amministrazioni postali ricusano simili comunicazioni, e così rifiutano render noto pur agli editori il nome delle persone abbonate, limitandosi ad indicare, dietro loro richiesta, soltanto i luoghi di smercio dei giornali.

Ma non mancano esempî in contrario. Non è raro il caso d'ingerenze del Governo per combattere, oltre che coi sequestri, ecc., anche in tal modo la stampa democratica o quella di partiti ancor più avanzati. Che fa? Esamina le liste ufficiali degli ·abbonati a quei determinati giornali che vuol osteggiare, accerta il nome degli abbonati specialmente pubblici impiegati, e tenta con intimidazioni e con indebita influenza sottrarre clienti all'editore del periodico avversato. Questo si verificò, e non sono tanti anni, in Germania, a danno della *Norddeutsche Post*, prima, e poi della *Demokratischen Zeitung*, provocando vivaci discussioni al Parlamento contro l'abuso di lasciar verificare le liste degli abbonati per prender conoscenza di questi e sottoporli a vessazioni con danno pure dei giornali perseguitati (V. i resoconti delle sedute in König, *Gesch. der briefgeheimnissverletzungen*, 1879).

Senonchè, per quanto tali fatti non cadano nelle sanzioni sul *segreto epistolare*, rientrano però in quelle sull'ordinario *segreto d'ufficio* o *professionale*. A causa del carattere obbligatorio del loro ufficio, non possono gli agenti postali ricusar il proprio concorso per atti del loro ministero, e rimangono quindi sottoposti pur essi ai doveri di cui all'articolo 163 Cod. pen., e cioè all'osservanza del segreto, per tutela di quella necessaria confidenza che il privato è tenuto a riporre nella loro opera.

Adunque la propalazione e le informazioni che non rientrano nei termini del segreto epistolare, quando sieno fatte a tutt'altri che all'*autorità giudiziaria in sede penale* (art. 13 Regolamento 1890), faranno incorrere nelle sanzioni più lievi dell'articolo 163 Cod. pen. (V. Meyer, *Verwaltungsrecht*, 1883, p. 576; — Zorn, *Staatsrecht*, 1883, p. 19).

213. — *c) La tariffa per la trasmissione e distribuzione dei periodici* a mezzo della posta è ridotta,

Per fruirne gli editori di giornali debbono seguire speciali disposizioni. La maggior parte degli Stati esige, in cambio dei favori accordati alla stampa, il porto obbligatorio, nè accetta la spedizione dei giornali non affrancati. Le prescrizioni sopra i giornali non francati, o francati insufficientemente, sono, per regola generale, assai severe e varie. Inoltre le spedizioni di giornali in pacchi vengono sottoposte quasi ogni dove a limiti ristrettivi di peso, dimensione, ecc. Certe amministrazioni prescrivono che tutti i numeri d'un giornale spediti ad uno stesso luogo e da un medesimo ufficio formino un fascio distinto portante l'indirizzo di tale ufficio.

È *obbligatoria la francatura* dei giornali in Italia (art. 27 Legge 1889), Germania, Austria, Brasile, Bulgaria, Danimarca, Republica Dominicana, Spagna, Francia, Stati Uniti, Haïti, Norvegia, Olanda, Persia, Portogallo, Rumenia, Svezia e Svizzera. L'Inghilterra ha il porto obbligatorio pei giornali registrati, la Colombia, Costarica, Salvador l'hanno pei giornali spediti nell'interno dello Stato : agli Stati Uniti il porto è obbligatorio, ma la tassa varia secondochè i giornali sono spediti da editori, da agenzie o venditori di giornali ad abbonati regolari, ad agenzie o a venditori di giornali, ovvero sieno spediti dal pubblico stesso.

E *facoltativa la francatura* al Congo, nelle Indie inglesi, Egitto, Belgio (salvo qui pegli abbonamenti a mezzo della posta), Giappone (fatta eccezione pei giornali diretti ufficialmente ad uffici governativi o a funzionarî, che devono essere firmati).

Il Lussemburgo, Haway, Messico e Siam ammettono la *parziale francatura.*

Altri Stati di recente formazione hanno ritenuto la diffusione dei giornali un'opera talmente utile allo sviluppo della civiltà, da accordare completa *franchigia* al trasporto dei periodici. Tali la Bolivia, Chilì, Colombia, Costarica, Paraguay, Salvador, Uruguay e Serbia. Solo che la Serbia esige che la spedizione non sia fatta sotto fascia, o in rotolo, o in busta ; la Colombia, Costarica e Salvador assoggettano a tassa il trasporto nel circuito locale ; la Bolivia, Chilì, Colombia, Paraguay e Uruguay hanno inoltre stabilito un limite massimo quanto al peso: la Bolivia ed il Chilì quanto alle dimensioni. La Colombia infine ha ancora la precauzione di non accordare franchigia se non ai giornali che rivestono propriamente tale qualità, e la cui pubblicazione non rimonti a più di sei mesi. Il Salvador e Costarica non impongono restrizione alcuna alla spedizione fatta nel circuito generale.

214. — *d)* Una importante materia che assai si riattacca alla letteratura propriamente detta è quella del trattamento, in materia postale, dei *supplementi* di giornali. Per l'Inghilterra il *supplemento* deve essere composto in tutto o in parte di materie identiche a quelle del giornale di cui forma seguito, di annunci stampati su fogli volanti, di incisioni o litografie illustrative degli articoli. Devono essere pubblicati col giornale, portarne il titolo e la data stampati in ciascuna pagina o foglio, secondo i casi.

Per gli Stati Uniti sono supplementi quelle stampe il cui testo, essendo della medesima natura dei giornali o delle pubblicazioni periodiche a cui sono relativi, non può negli stessi venir inserto per mancanza di spazio, di tempo, o per ragioni di comodità.

In Olanda il carattere di supplemento non è attribuito che alle stampe redatte nello stesso concetto dei fogli principali di cui costituiscono un seguito.

Nella Svizzera hanno qualità di supplementi quelli annessi che formano parte integrante del giornale, che servono cioè unicamente a completare, illustrare o commentare il testo del giornale o che son compresi nell'abbonamento regolare.

Per la Colombia è necessario, al supplemento, il concorso :

a) di una condizione esteriore, cioè un formato non superiore a quello del giornale principale ;

b) di una condizione intrinseca, cioè vi si trattino soltanto materie in relazione col carattere e scopo del giornale.

Gli esempî di tali diverse definizioni potrebbero moltiplicarsi.

Ma fin d'ora si scorge quanto varie sieno le categorie dei supplementi di giornali. Vi sono infatti i supplementi *regolari* (che per lo più risultano dal titolo del giornale), i supplementi *irregolari,* cioè non periodici, uniti ai giornali, quelli *letterarî* o *politici,* in relazione diretta, necessaria coi giornali, quelli destinati agli annuncî e uniti ai giornali a dimanda dei privati, quelli di formato e distribuzione simili al giornale ed altri no, supplementi spediti insieme ai giornali e supplementi spediti separatamente, ecc.

Tutte categorie non sempre ben definite con criterî logici, e per le quali poi, secondo le diverse combinazioni e regimi, possono aver vigore diverse disposizioni e tasse. Così sonvi supplementi gratuiti non sottoposti ad alcuna tassa speciale, come è ad es. in Francia per quei supplementi di giornali, circolanti nell'interno o nelle colonie, la cui metà di spazio almeno sia destinata a resoconti parlamentari, all'esposizione dei motivi di progetti di legge, a riproduzione di atti e documenti ufficiali, ecc., a condizione che tali supplementi non oltrepassino in dimensione ed estensione la parte del giornale soggetta a tassa; vi sono supplementi pesati col giornale e sul cui peso totale si determina la misura di tassazione; supplementi colpiti di tassa speciale o sottoposti a tassa ordinaria dei giornali.

Per l'Italia valgono le disposizioni di cui al n. 221.

215. — *e)* Le *annotazioni* sono generalmente rette in modo identico pei giornali e per le altre stampe. Taluni Stati divietano ogni altra annotazione oltre all'indirizzo (Chilì, Spagna, Haïti). Altri (Bolivia, Egitto, Inghilterra, Indie inglesi, Giappone) permettono ogni annotazione che non abbia il carattere di corrispondenza attuale e personale, criterio questo adottato dall'Unione postale universale. La maggior parte dei paesi permette, oltre alla menzione del luogo e data della spedizione ed altre consimili indicazioni, l'apposizione di segni per richiamo dell'attenzione su dati punti. Così è in Francia, Belgio, Brasile, Messico, Inghilterra, Colombia (unica annotazione da quest'ultima permessa). Il Belgio e la Francia concedono ancora l'indicazione della scadenza d'abbonamento e pur l'indicazione di parole quali *invio gratuito, per cambio* e simili.

La Francia però ha pure la liberale concessione di libera iscrizione a mano sui giornali di riflessioni o critiche concernenti l'articolo in quistione e prive di carattere di corrispondenza per la persona a cui il giornale sia spedito.

Rinviamo al n.° 222 l'esame delle regole adottate in proposito dalla nostra legislazione postale.

216. — *f*) Per la *corrispondenza ordinaria* (cioè non raccomandata, nè assicurata), e per gli altri oggetti, come appunto i *giornali* e le *stampe,* ecc., il cui trasporto può venir effettuato dalla posta, questa, per principio da molto tempo in vigore, è esonerata da qualsiasi *responsabilità* pel caso di *perdita, deterioramento o ritardo* (V. Sourdat, *Traité de la responsabilité,* 3.ª ediz., n. 1315; — Batbie, *Tr. droit adm.,* 1885, VI, n. 352; — Wirsing, *Civilr. Haftung der Post,* 1892, p. 19).

La legge postale italiana nulla dispone in proposito, a diversità delle chiare disposizioni esentanti da responsabilità delle leggi francesi (art. 19, Legge 17-22 agosto 1791; 37 e 42 Legge 24 luglio 1793 concernenti le lettere ordinarie), e della legge postale germanica (§ 6 Legge 28 ottobre 1871 riguardo alle lettere e ad altri oggetti ordinarî); ma un identico principio risulta implicito dal non aver essa, fra i precisi e determinati casi di responsabilità, annoverato quello di cui si ragiona, del che si ha riprova nell'art. 4 del Regolamento 2 luglio 1890 secondo cui « tranne nei casi e nei limiti indicati nelle. leggi postali, non incombe all'amministrazione delle poste veruna responsabilità per eventuali errori o ritardi nella spedizione, nel trasporto o nella consegna di oggetti ad essa affidati, per dispersione totale o parziale o per deteriorazione di questi o per altri errori o ritardi in genere ».

Se anche (cosa difficile e ragione precipua dell'irresponsabilità) si raggiungesse la prova della consegna dei giornali, e quindi della perdita o ritardo loro, e del danno derivatone, non cámbierebbe la cosa, chè l'irresponsabilità è, in questa parte, assoluta, nè ammette distinzione neppure quanto alle circostanze che hanno potuto causare la perdita od il ritardo, ovvero influire sulle stesse.

Per altro la *responsabilità di diritto comune*, regolata dalle norme del Codice di commercio, dagli usi relativi e dal diritto civile, troverà applicazione rispetto agli *impiegati postali*. Il concetto o le ragioni d'interesse superiore che suggerirono l'esonero e la limitazione della responsabilità dello Stato non importano limitazione della responsabilità degli agenti postali verso i mittenti per le colpe loro imputabili. D'altronde l'esenzione della responsabilità a favore dello Stato è d'indole eccezionale e contraria all'equità naturale, e non può quindi ricevere applicazione estensiva. Onde, se non può il mittente richiedere indennità dallo Stato per la comprovata perdita d'un giornale, nè pei disguidi o ritardi di trasporto e distribuzione, potrà ben richiedere dagli impiegati, autori di tali fatti, il risarcimento di tutto il danno derivatone.

217. — Ma, a parte i rapporti colla posta o cogli ufficiali postali, chi, nei *riguardi fra l'editore mittente e il destinatario*, sia abbonato, sia rivenditore per conto proprio, sopporterà il rischio quando il giornale vada perduto o per altre ragioni non venga ricapitato, oppure sì, ma in ritardo?

Secondo i principî, la vendita di *cosa certa* e ben

determinata è perfetta, e la proprietà passa al compratore per effetto del semplice consenso, senza che sia necessaria la tradizione, la consegna sua. Da tale punto, i rischî della cosa venduta, anche se questa debba essere spedita da un luogo ad un altro (vendita a distanza, *distanceverkaufen*) debbono passare nel compratore, secondo le regole *casum sentit dominus; res perit domino.* Adunque nella vendita di giornali l'editore soddisfa la sua obbligazione col rimettere regolarmente alla posta l'oggetto venduto, il giornale; del seguito, fino alla consegna, non deve più rispondere.

Certo quando la cosa dedotta in contratto costituisce un *genere* od una *specie,* deve previamente risolversi in qual modo e da qual momento essa venga ad individualizzarsi nei riguardi con ciascun compratore (abbonato o rivenditore) perchè a di lui carico passino i rischî. Ma evidentemente delle varie teorie proposte su tale materia, la sola adatta ed ammessibile al caso presente è quella che la merce cessi di essere un genere e diventi corpo certo e determinato pel solo fatto del venditore senza intérvento del compratore, e così colla consegna del giornale alla posta, o esemplare per esemplare coi relativi indirizzi, ovvero in un unico pacco senza altre indicazioni perchè già note alla posta, come avviene negli abbonamenti. L'invio della merce e la consegna al vettore pel trasporto e ricapito al destinatario fanno passare senz'altro il pericolo della perdita e ritardo in quest'ultimo. La natura della cosa formante oggetto d'acquisto non consente l'intervento del committente o compratore nella sua individuazione, poichè questi compra il giornale per leggerlo e in vista del suo contenuto, che è uguale in tutti i numeri d'una stessa edizione nè può subire speciali variazioni in di lui riguardo, e non per servirsene come cosa materiale, essendo, al riguardo, privo di valore apprezzabile.

È pur in analogia a tali considerazioni che la

semplice *impostazione* del giornale viene ritenuta come *pubblicazione*, indipendentemente dalla distribuzione sua effettiva; tanto più che, dicendosi nell'art. 42 della Legge sulla stampa, che l'obbligo di rimetter la prima copia al Pubblico Ministero non potrà sospendere o ritardare la spedizione o distribuzione del giornale, si viene a parificare la spedizione alla distribuzione ai venditori.

III.

218. — Il sistema della legge postale italiana si fonda sulla distinzione fra pubblicazioni periodiche *quotidiane* (art. 8 Legge 1890), pubblicazioni periodiche *non quotidiane* (art. 9), ed altre *stampe non periodiche* (art. 30 Legge 1889): per ognuna delle quali categorie adotta diverso regime e tassazione.

a) Che s'intenda per *pubblicazione periodica* fu già detto (n.° 207).

La pubblicazione periodica è ritenuta *quotidiana* se si pubblica almeno sei volte per settimana (articolo 8 Legge 1890). Evidentemente se la stessa appaja due volte in un giorno, devono computarsi due numeri, anche quando il secondo foglio rivesta la qualità di supplemento della pubblicazione principale.

Ora (art. 73 Regolamento 1890) « le stampe periodiche... sono ammesse al trattamento indicato nell'art. 8 della Legge 12 giugno 1890 se quotidiane o pareggiate alle quotidiane, oppure a quello di cui all'art. 9 se non quotidiane; a condizione sempre che siano spedite di prima mano dai rispettivi editori o da altri in loro vece, ed a condizione pure che sieno presentate agli uffici postali di partenza in una sola partita per ciascun numero o quantomeno in grosse partite ed in ogni caso già divise, nei modi che saranno prescritti dall'amministrazione, per località di destinazione ».

219. — *b)* Quanto alla *tassa di francatura,* essa

(art. 8 Legge 1890) « pei giornali *quotidiani* pubblicati nel regno e spediti direttamente dalle amministrazioni o dagli editori, inclusi quelli che escono sei volte per settimana, è di 6 millesimi per esemplare non eccedente 50 grammi, comprese le fascie, oltre a 6 millesimi per ogni 50 grammi o frazioni di 50 grammi di maggior pèso. Il pagamento deve eseguirsi anticipatamente aprendosi conti correnti fra posta ed editori o amministratori dei giornali. Il giornale va consegnato agli uffici con dichiarazione che ne indichi la quantità. Il riscontro è fatto dalla posta... ».

Per l'art. 9 « la tassa di francatura dei rimanenti giornali, riviste e di tutti gli altri periodici sottoposti. alle disposizioni del capo VIII della Legge sulla stampa, pubblicati ugualmente nel regno e spediti direttamente da editori o da amministratori è di 1 centesimo per esemplare, nei limiti di peso di cui in precedente articolo... ».

Per l'art. 10, onde profittar della tassa di cui agli articoli 8 e 9, i giornali e gli altri periodici vanno consegnati alla posta ripartiti per linee e località... é almeno 15 minuti prima della partenza delle corrispondenze per quelle date linee...; in difetto possono essere ritenuti fino alla corsa successiva.

Art. 13. I giornali spediti di seconda mano sono trattati come stampe non periodiche.

Art. 29 Legge 1889. I giornali e le opere periodiche gettate nelle buche postali, od altrimenti consegnate alla posta isolatamente saranno soggette a tassa di francatura di cent. 2 per ogni esemplare e per ogni 50 grammi o frazione di 50 grammi.

Art. 30 id. Le stampe non periodiche pagano la tassa di 2 centesimi per ogni 50 grammi o frazione di 50 grammi. Il peso d'ogni pacco non può superare 5 chilogrammi.

Art. 76 Regolamento 1890. Per poter profittare delle tasse stabilite per le stampe, queste debbono essere sotto fascie mobili, od anche in buste aperte...

o in forma di rotoli... Sono ammesse pur senza fascie, coll'indirizzo sopra una delle faccie, sulle copertine o nei margini.

Art. 80 id. Nessun limite di peso e di dimensioni è fissato pei pieghi dei giornali e degli altri periodici.

220. — *c)* Quanto agli *abbonamenti a mezzo della posta,* per l'art. 208 del Regolamento 1890 le direzioni e gli uffici, compresi quelli fuori del Regno, accettano associazioni a giornali e ad altre pubblicazioni, tanto dell'interno quanto dell'estero. Le collettorie di prima classe solo dell'interno, ma possono essere autorizzate anche per giornali stranieri.

Art. 209 id. Il diritto dovuto dai richiedenti associazioni... è:

1.° 20 centesimi per ciascuna associazione, qualunque ne sia la durata e per ciascun esemplare commesso, se trattasi di giornali... dell'interno per l'interno, o per località estere ove esistono uffici postali italiani e viceversa;

2.° Il 3 per cento, con un minimo di cent. 25 sul prezzo dovuto all'editore per ciascuna associazione, se trattasi di giornali dall'estero per l'interno o viceversa, salvo disposizioni contrarie delle convenzioni in vigore.

Nei diritti di cui sopra è compresa la spesa pel pagamento agli editori delle somme loro dovute. Non è compresa invece la tassa di spedizione delle pubblicazioni stesse agli associati.

Art. 210. Si fa dal ministero delle Poste annualmente un elenco dei giornali e pubblicazioni in corso, i cui editori abbiano chiesto che la posta si incarichi delle relative associazioni... Debbono in essi risultare i prezzi e le condizioni,.. È concessa però pur l'associazione a giornali... che non figurano nell'elenco, o vi figurano, ma a condizioni diverse, ecc.

Art. 211. Le associazioni... debbono decorrer dal

1.º al 16 d'ogni mese ed esser commesse per uno o più mesi intieri, salvo per quei giornali che abbiano fissato decorrenze a periodi diversi.

Art. 212. L'amministrazione non assume responsabilità pel mantenimento degli impegni degli editori verso gli associati. È tenuta soltanto a dar corso ai reclami di questi per irregolarità nelle spedizioni.

Qualora il prezzo di qualche giornale... sia variato durante il corso di un'associazione, l'amministrazione non interviene nel compenso delle differenze.

224. — *d*) Quale una specie di pubblicazioni periodiche vengon considerati anche i *supplementi,* straordinari o no (art. 28 Legge 1889), che sono infatti assoggettati alla tassa stessa dei fogli principali, sebbene spediti insieme a loro, tranne pei supplementi del giornale ufficiale, che contengano atti del Governo o del Parlamento, i quali sono esenti se spediti unitamente al giornale.

Sono ritenuti supplementi le pubblicazioni di formato uguale a quello dei fogli principali a cui vanno uniti, trattanti di materie affini, aventi tutti i requisiti prescritti per le stampe periodiche, nè costituenti pubblicazioni distinte alle quali sieno accordate associazioni a parte (art. 75, Regolamento 1890).

(Ivi). Sono assimilati ai supplementi anche i programmi, qualunque ne sia il formato, con o senza schede di associazioni stampate assieme, purchè siano spediti a corredo dei fogli principali e si riferiscano esclusivamente ai medesimi.

Al contrario (stesso articolo) sono considerati *parti integranti* dei giornali o periodici cui vanno uniti :

1.º I disegni, le incisioni, i modelli, ecc. che corredino pubblicazioni tecniche, giornali di mode e giornali illustrati in genere e sieno spediti insieme, purchè portino stampata l'indicazione della pubblicazione cui riferiscansi e del numero di questa... :

2.º I fogli di annunzî attaccati a riviste o ad altri periodici pubblicati a fascicoli, che non abbiano una o più pagine dèstinate appunto ad annunzî e che non trattino essi stessi esclusivamente di annunzî, purchè il peso complessivo dei detti fogli non superi il decimo di quello degli intieri fascicoli.

Tali fogli od oggetti, quali parti integranti dei giornali o periodici cui si riferiscono, non vanno sottoposti a tassazione a parte, ma si comprendono nel rispettivo peso dei fogli principali, formano con essi un solo esemplare, e così, se il tutto non eccede il peso di 50 grammi, vengono sottoposti ad una sola tassa di trasporto senza aumento sull'accessorio.

Quando il contenuto del periodico non abbia verun rapporto con questi, essi sono considerati come fogli principali e compresi fra le stampe non periodiche a seconda dei casi (art. 75 Regolamento 1890 in fine).

222. — *e*) Quanto alle *annotazioni*, non sono ammessi nelle stampe scritti di sorta, tranne l'indirizzo o l'indicazione (concessa anche per altri oggetti) a stampa o a mano o altrimenti del mittente e della sua abitazione (art. 23 Legge 1889). Tuttavia per le stampe ammesse al trattamento delle pubblicazioni periodiche è ancora concesso:

1.° L'indicazione di scadenze d'associazione o di residui prezzi da pagare, o della natura degli invii, p. es. *gratuiti* o *per cambio;*

2.° Correzioni di errori tipografici ;

3.° Segni tendenti a richiamare l'attenzione su determinati punti.

IV.

223. — Le regole sui *trasporti internazionali dei giornali e pubblicazioni periodiche* sono contenute nella Legge 28 giugno 1892 che dà piena ed intera esecuzione agli *atti postali internazionali di Vienna.*

L'annesso VII concerne l'accordo sugli *abbonamenti* dall'estero e per l'estero. Per l'art. 1.° l'associazione a mezzo postale è ammessa tra i paesi dell'Unione che abbiano in proposito così convenuto. In tal caso (art. 2) gli uffici postali dei paesi contraenti ricevono le sottoscrizioni del pubblico ai giornali e opere periodiche pubblicate nei medesimi. Il prezzo d'abbonamento è esigibile al momento della sottoscrizione (art. 3). Le amministrazioni postali, quali semplici intermediarî, non assumono responsabilità per le obbligazioni incombenti agli editori; non sono quindi tenute a rimborso in caso di cessazione o interruzione di pubblicazioni in corso d'abbonamento (art. 4). Ogni amministrazione fissa il prezzo a cui essa fornisce alle altre le sue pubblicazioni nazionali, e, se occorre, le pubblicazioni d'altri paesi.

Tali prezzi non possono però esser mai superiori a quelli imposti agli abbonati all'interno, salvo l'aumento per diritti di transito se la spedizione si effettua tra paesi non limitrofi (art. 6). Le amministrazioni postali sono tenute a dar seguito, senza spese per gli abbonati, ad ogni reclamo circa ritardi od irregolarità qualunque nel servizio di abbonamenti.

Il *regolamento di dettaglio,* di pari data, provvede per lo scambio tra le amministrazioni delle liste dei giornali, ecc., per cui ha luogo l'abbonamento, con indicazione delle condizioni relative; tende a facilitare pur l'abbonamento a pubblicazioni non portate in lista; determina il corso dell'abbonamento; prescrive il modo di spedizione dei giornali; cioè in pacchi da inviarsi, o direttamente all'ufficio di destinazione, o in blocco agli uffici intermedî, secondo gli accordi; facilita agli abbonati, in caso di cambio di residenza, la mutazione dell'indirizzo del giornale, salva l'eventuale percezione di un diritto, ed impone, in caso d'interruzione o cessazione, per parte di editori, della pubblicazione di giornali, la prestazione di buoni uffici delle amministrazioni, onde gli abbonati possano conseguire il dovuto rimborso del residuo; in ultimo dispone che gli uffici si comunichino l'elenco dei giornali colpiti da interdizione.

224. — Quanto ai *diritti per trasporto delle stampe*, l'art. 5 della convenzione di Vienna stabilisce che in tutta l'estensione dell'Unione la tassa di porto e consegna è... 3.° per le stampe d'ogni natura, carte d'affari e campioni di merci, di 5 centesimi per ogni oggetto o pacchetto avente un indirizzo particolare e per ciascun peso di 50 grammi o frazione di 50 grammi, purchè gli stessi non contengano alcuna lettera o nota manoscritta avente il carattere di corrispondenza attuale e personale, e siano facilmente verificabili. Lo stesso articolo esige una francatura, almeno parziale, per gli oggetti diversi da lettere, e prescrive il peso (2 Kg.) e la dimensione massima (45 centimetri) per ciascun lato pei pacchi di carte d'affari e di stampati, con qualche maggiore facilitazione se questi sieno in forma di rotolo.

Il regolamento di dettaglio considera *stampe*, e ammette quindi alla suindicata riduzione di porto i giornali e le opere periodiche, i libri, prospetti, annunzî e avvisi diversi, ecc., stampati, litografati, e in generale tutte le stampe o riproduzioni su carta, ecc., a mezzo tipografico, litografico, ecc.

Nelle stampe non sono permesse, dopo la tiratura, *modificazioni* a mano o con procedimenti meccanici, e neppur *segni* qualunque convenzionali... Possono però indicarsi o cambiarsi, a mano o con altri mezzi meccanici, la data di spedizione, la firma, professione e domicilio del mittente; correggersi errori di stampa; annullarsi e rendersi illeggibili parti dello stampato; apporsi segni per richiamo d'attenzione su dati punti; mettersi o correggersi anche a mano prezzi su annunzî, circolari, ecc.; aggiungersi dedica su libri e giornali, ecc. o la fattura relativa; nei bollettini di commissione libraria (stampati e aperti, e aventi ad oggetto la richiesta di libri, giornali, ecc.) indicarsi, a mano, le opere domandate od offerte ed annullare o sottolineare tutte o parte delle comunicazioni stampate. Sono poi divietate le aggiunte, a mano o altrimenti, che tolgano alla stampa il suo carattere di generalità dandole l'indole di una corrispondenza individuale. Inoltre è prescritto che le stampe si spediscano sotto fascia, o in forma di rotolo, o in busta aperta, ovvero semplicemente piegate in modo da non dissimulare la natura della spedizione.

Le disposizioni vigenti nell'Unione postale universale, che presso a poco riproducono le norme della Convenzione di Parigi del primo giugno 1878, son certo ispirate ad una grande altezza di vedute e ad uno spirito largamente liberale. Non farà quindi maraviglia che le traccie della loro benefica influenza sieno così vive nel regime interno dei paesi dell'Unione, almeno nei casi in cui fu possibile la loro adozione senza urtar contro le consuetudini speciali radicatesi nei varî Stati. Talora l'Unione rappresenta il termine medio del progresso che potè realizzarsi in certi rami della posta, talora ha preso il primo posto, seguita soltanto da poche legislazioni animate da tendenze di ben marcato progresso.

Tra queste non è certo la nostra dove le tariffe postali sono invece superiori a quasi tutte quelle in vigore nei principali Stati esteri, dove difettano semplicità ed unità di regolamenti per modo che siano applicabili ugualmente al servizio interno ed a quello internazionale, dove non è concesso, ad esempio, l'accluder nel giornale la circolare d'invito alla rinnovazione dell'abbonamento, al contrario di quanto consente il regolamento postale internazionale, dove, insomma, si è ispirati a tutt'altro principio che a quello seguito dai diversi Stati, che le facilitazioni interne sieno maggiori di quelle concesse all'estero.

PARTE VIII.

Responsabilità derivanti dal giornale.

I.

225. — Il giornale una volta formato, pubblicato e messo in commercio, può cader sotto le sanzioni della legge penale. Indi la naturale ricerca dell'*esistenza ed estensione della responsabilità* di coloro che alla creazione e smercio del periodico abbiano concorso, e delle regole generali o speciali applicabili a tal caso.

I principî sulla responsabilità pei reati contenuti in un giornale si riconnettono anzitutto coll'esame della *libertà di stampa*. Questa, che è conquista dei tempi moderni e per la prima volta fu consacrata dall'Assemblea costituente di Francia nella dichiarazione dei diritti dell'uomo e del cittadino, non è definita nelle leggi. Il suo concetto però sta in ciò che il legislatore rinunzia, in genere, di influire, mediante qualche regola, sulla tendenza e sullo spirito delle produzioni della stampa, e soltanto si limita a colpirne il contenuto realmente ed effettivamente punibile.

La libertà di stampa forma quindi la regola, e *limitazioni* alla medesima possono venire attuate soltanto mediante speciali disposizioni legislative. Essa importa la libertà degli atti diretti alla formazione e pubblicazione del giornale da ogni giuridica restrizione che non sia stata espressamente imposta dalla legge alla manifestazione del pensiero a mezzo della stampa. Limitazioni per vero non mancano, sia contenute nella legge stessa sulla stampa, sia, quali *disiecta membra*, nel Codice penale, nella legge di P. S., sui diritti d'autore, ecc. Sopratutto poi sono ammessibili quelle limitazioni alle quali è pure sottoposta ogni ordinaria manifestazione del pensiero.

La libertà di stampa importa eziandio l'esenzione sua da *preventive misure* dirette ad aver notizia del contenuto del giornale prima che ne sia compiuta la stampa o se ne effettui lo spaccio, all' intento d'escludere dalla pubblicazione tutto quanto appaja urtare le leggi dello Stato ; ma unicamente l'esclusiva applicazione di *norme* che *reprimano* gli abusi di pensiero a cui la stampa possa trascendere. Qui la manifestazione del pensiero contenuto nel prodotto giornalistico non incontra freni prima ch'essa sia avvenuta, e soltanto può contro della medesima procedersi giudizialmente. La violazione del diritto altrui forma adunque il naturale limite della libertà di stampa, sia che trattisi di diritto privato o pubblico, civile o penale.

226. — In che consiste ora la *speciale natura del reato contenuto nel giornale?*

Taluni fanno consistere siffatto particolare carattere nella *pubblicità* della manifestazione del pensiero concretato in un prodotto della stampa, cioè nella comunicazione sua ad indeterminato numero e qualità di persone, e ritengono formi questo il distintivo essenziale di tali delitti. Non tutti i reati adunque il cui criminoso contenuto si estrinseca nel giornale sarebbero da considerarsi reati di stampa, ma soltanto una parte d'essi (Liszt, p. 139 ; Löning, *Strafr. verantw. Redakt.*, p. 117 ; Oetker, *Pressvergehen in Goltd. Arch.*, v. 26 p. 258).

Certamente al tempo delle assolute monarchie e degli autocratici governi, si ravvisava nella stampa un grande pericolo pel potere dominante, per lo Stato e per l'indirizzo suo ; si riguardava con diffidenza e ostilità, e si sottoponeva a speciali e rigorose sanzioni, distintamente e più gravemente che non pei comuni delitti. Ma, di conseguenza, si contemplavano solamente le manifestazioni di pensiero destinate ad essere conosciute in un più o men vasto campo di persone e ad esercitare un influsso sulla generale opinione, sul pubblico. A tale concetto s'inspirarono gran parte delle prime leggi ; ed ancor oggi la stessa Legge francese del 1881 enumera singolarmente i delitti di stampa e li reprime con pene speciali (articoli 23-41). Poichè trattasi di delitti non in altro consistenti che nell'aver lo scrittore diretta al pubblico una manifestazione di carattere criminoso, si ritiene ancora, qual legittima conseguenza, di doverli riputare consumati pel fatto stesso della pubblicazione del giornale. Seguirebbe che certi reati contenuti nel giornale e diretti non al pubblico, ma ad una sola persona od a più determinate, ad esempio la truffa, l'estorsione *(chantage)*, non sarebbero delitti di stampa perchè privi del carattere di pubblicità.

Ma questo è falso : che uno stampato generalmente si crei perchè entri nel dominio del pubblico, è vero, ma ciò non è sempre, potendo anche essere destinato a singoli individui. Anche in questo caso concorre un delitto di stampa se l'articolo abbia carattere criminoso.

La specialità del delitto di stampa consiste unicamente nell'aver norme differenziali da quelle ordinarie sul concorso di più persone in uno stesso reato, e ciò pel motivo che molti hanno parte nel delitto a mezzo della stampa senza che, pel particolare atteggiamento dell'industria tipografica, possa la misura della loro responsabilità essere tanto facilmente determinata. Ma tale difficoltà sussiste sempre per tutti i delitti che si estrinsecano in uno stampato, sia questo destinato ad una sola, o a certe persone, o al pubblico in generale: la pubblicità non è ragione per separar determinati delitti di stampa dai rimanenti commessi collo stesso mezzo, e trattar soltanto i primi con ispeciali sanzioni. Sono adunque delitti di stampa anche la truffa e l'estorsione quando i raggiri, la frode o la minaccia si concretino in una manifestazione di pensiero a mezzo della stampa, specialmente in prodotti giornalistici. Per vero senza la stampa possono darsi ugualmente la truffa, l'estorsione, ciò che dimostra che la stampa è un accessorio, uno strumento per la consumazione d'un reato comune, non già un suo elemento costitutivo.

227. — Non mancano *legislazioni* in tal senso. Così è in *Germania*, in *Austria*, in *Ungheria*, ecc. In quest'ultimo Stato fu, nel 1880, modificata la legge sulla stampa, limitandola a disciplinar le norme organiche, fra cui l'imputabilità del gerente, rimandando poi al diritto ordinario quanto concerne i reati che possono consumarsi a mezzo della stampa e la relativa sanzione.

Ben prima (nel 1874) la Legge germanica (§ 20-22), regolando la responsabilità in materia di stampa, lasciava alla legge penale il còmpito di determinar il carattere e la pena dei reati che pur con quel modo possono commettersi, non ravvisandovi diversità di concetto, nè intendendo adottar sanzioni diverse dal Codice penale. Ed anzi le regole stesse generali di responsabilità estese loro, salvo sussidiariamente, e in vista dei particolari rapporti creati dall'industria della stampa e dalla pluralità dei compartecipi nel reato, l'applicazione di speciali norme. Ivi adunque son di dominio del Codice penale non soltanto i delitti comuni, ma pur i delitti politici commessi mediante la stampa. La legge speciale regola i reati di stampa propriamente detti, quelli cioè in cui il fatto emerge dalla qualità di chi lo commette, es. gerente, e dall'essenza particolare di quel ramo d'industria, e limitasi ad assicurare, per tutti gli altri, accanto alla responsabilità ordinaria dei redattori, autori, ecc.. una responsabilità speciale di altre persone che ebbero o son presunte aver preso parte nella pubblicazione.

Il recente Cod. pen. del 1891 di Neoburgo (Svizzera) dispone : « Lés délits commis par la voie de la presse seront comme le seraient les délits commis par une autre voie. »

Questi principî trovano costante applicazione sempre che si tratti di delitti il cui contenuto punibile risulti dallo stampato, chè in tutti i casi vengono in quistione le varie persone che cooperarono alla sua produzione, e così tanto nei delitti che si perfezionano colla creazione e pubblicazione dello stampato, quanto in quelli che esigono ancora il concorso d'un ulteriore requisito, e cioè un materiale evento. Non si vede perchè pur tali stampati, che, oltre all'inserzione degli articoli, richieggono pel loro compimento un ulteriore pecuniario vantaggio, debbano escludersi dalla categoria dei delitti di stampa mentre la loro punibilità trova pur base nel contenuto del prodotto giornalistico. L'inserzione dell'articolo criminoso è, infatti, l'atto primo, la causa dell'illecito lucro il quale si consegue in virtù della stessa. Si può ben dir adunque che il contenuto d'ogni fraudolenta inserzione costituisca il fondamento di punibilità della truffa o estorsione che ne siano poi derivate.

Si è quindi indotti a considerare delitti di stampa tutti quelli, anche previsti dal Codice penale, che vengono commessi con manifestazione criminosa del pensiero impressa in un prodotto della stampa. Questo concetto è pur sostenuto dalla maggioranza degli scrittori tedeschi, e da parte di quelli stessi che esigono ancora, all'esistenza del delitto di stampa, l'estremo della pubblicità dell'atto (Liszt, in sua *Zeitschrift,* ecc., VI, 405 ; — Honigmann, *Verant-wortl. des Redakt.,* 1885, pag. 84 e seg., — Schmid, *Presswergehen,* 1894, p. 6).

Qualche legislazione accolse tali principî, ma li applicò solo a certuni reati del Codice penale. Ad esempio i Cod. pen. di Turgovia e di Sciaffusa espressamente limitano il delitto di stampa alle violazioni dell' onore (articoli 231, e § 204).

Or veramente son questi i delitti più frequenti commessi in quel modo, ma non i soli. Questo metodo di legislazioni che s'indussero a seguire l'arbifrario sistema di responsabilità della legge belga, prova l' intendimento loro di voler poi di .questo restringere il più che sia possibile l'applicazione. Ma se può tale intento apparire giustificato, non è ·così della restrizione di concetto dei delitti a mezzo della stampa, tanto più che niuna definizione fu da esse leggi adottata pei delitti di stampa, la quale corrisponda alla natura delle cose, nè una distinzione loro dai delitti ordinarî introdotta, la quale abbia un particolare carattere a suo fondamento.

228. — Nello stato attuale della *nostra legislazione,* e per effetto dell'art. 4 della Legge 22 novembre 1888 che abroga gli articoli 17, 27, 28, 29 dell'Editto, cadono espressamente sotto il diritto comune, e quindi sotto i corrispondenti articoli 339, 393, 395, Cod. pen., ed ancorchè commessi a mezzo della stampa, i delitti d'ordine privato costituenti ingiuria, diffamazione, libello famoso, o contro i buoni costumi e pur le offese contro i depositarî e agenti della forza pubblica; ed eziandio certi reati d'ordine politico commessi a mezzo della stampa e che il regio Editto non prevede e sì invece il Cod. pen., ad esempio, l'offesa pubblica per ricusa di duello e incitamento allo stesso (art. 244), l'istigazione a delinquere in reati non compresi nell'Editto (art. 247), rimanendo applicabile, in caso diverso, l'art. 13 di quest'ultimo. Sopravvivono ancora al Cod. pen. pochi delitti speciali (art. 13, 15, 16, 18 a 26), ossia certuni reati d'indole esclusivamente politica, quali il vilipendio delle istituzioni costituzionali, l'offesa pubblica contro la persona del Re, contro il Senato o la Camera dei deputati, il voto e la minaccia di distruzione dell'ordine monarchico, ecc., nei quali casi però troverà tuttavia applicazione, in ciò che la legge speciale non ha disposto, il Codice penale.

Più opportuno veramente sarebbe stato, sull'esempio di altre leggi, il comprender nel Codice pur tali pochi reati, lasciando alla legge sulla stampa la disciplina delle norme di polizia e l'adozione di particolari disposizioni sulla responsabilità delle persone che sono concorse nei reati a mezzo della stampa commessi. Però l'omissione, se è prova di difetto di sistema, non autorizza tuttavia diversità di concetti nè dimostra contraddizione coi principî da noi accolti.

II.

229. — Se i reati di stampa niun'altra particolarità presentano che quella del mezzo con cui son commessi, questa circostanza tuttavia importa grande difficoltà nel precisar le persone responsabili, e la difficoltà della ricerca loro è il solo fondamento degli speciali principî sulla *responsabilità nei reati di stampa*.

Il principio fondamentale del delitto di stampa è che colui soltanto che abbia commessa un'azione la quale cade sotto la legge penale debba essere punito. Non è scopo esclusivo del diritto penale rintracciar e punir il colpevole, ma quello ancora di punir esso solo e non uno innocente per le colpe altrui. Questo è còmpito d'ogni legge penale e quindi pur di quella sulla stampa, le cui norme intorno alla responsabilità devono, fin dove è possibile, uniformarsi alla prima. Adunque neppur ivi deve ammettersi penale responsabilità per le violazioni da altri commesse, se non vi si sia, o come causa ovvero per complicità, concorso. Nelle materie civili si riconosce talvolta una responsabilità per gli altrui atti delittuosi anche quando chi ne risponde non vi abbia contribuito, ma non è così in penale dove la condanna assai più gravemente ferisce che non quella civile, di molto più preziosi beni giuridici priva che non questa, poichè l'onore del condannato in tutt'altra guisa che non là viene in discussione.

Devesi quindi in materia di stampa partir dal principio fondamentale di trarre possibilmente in giudizio soltanto il responsabile, o quantomeno soltanto colui che si sia reso indiziato del delitto commesso, ed esso unicamente, e per le sole sue colpe, chiamar responsabile e punire.

Senonchè la difficoltà di colpir, in questa materia, l'effettivo autore del reato, ha portato ad una serie di *sistemi* così diversi sulla responsabilità nella stampa, da esser indispensabile un loro breve cenno prima d'esaminar le disposizioni della nostra legge.

III.

230. — Un sistema assai antico ma molto in voga è quello *belga*.

Vige in Belgio e con tal nome senz'altro è designato. Si chiama anche sistema della responsabilità per *cascades*, o sistema della *responsabilité successive et isolée*. La responsabilità del contenuto criminoso dell'articolo è ivi limitato ad una sola persona o ad un solo grado di persone. Essa soltanto è punita qual autore, tutte le rimanenti, che pur concorsero nella creazione e divulgazione del giornale, rimangono invece esenti da responsabilità. Nella serie di queste persone si comprendono l'autore, il redattore, lo stampatore, il distributore: ognuna può vedersi tratta a rispondere del reato. Tuttavia (art. 18 Costituz. belga 7 febbrajo 1831) « Lorsque l'auteur est connu et domicilié en Belgique, l'éditeur, l'imprimeur, ou le distributeur ne peut être poursuivi. » Tutto il sistema tende quindi all'accertamento dell'autore o redattore del giornale. E si ha speranza di riuscirvi punendo colla pena di autore chi all'autore vero tien dietro in quella serie : gli si accorda però l'esenzione da responsabilità se indica il suo predecessore e offre il mezzo per giungere alla punizione dell'autore. Colla punizione di questo considera la legge sufficientemente punito il delitto in guisa da poter accordare impunità agli ulteriori compartecipi nella formazione e divulgazione del criminoso articolo. D'altronde in quella scala ogni persona che segue presenta meno responsabilità della precedente ; non si punisce quindi se l'anteriore responsabile sia noto o venga fatto conoscere dal successivo. Niuno però di essi può essere costretto a declinare, se nol voglia, il nome di chi lo precede (Schuermans, *Code de la presse*, 1882, II, pag. 207 ; — Marquardsen, pag. 123 ; — Löning, pag. 202, ecc.).

Altre legislazioni seguirono il sistema belga; la Legge prussiana sulla stampa 30 giugno 1849, § 12, il vigente Cod. pen., di Zurigo § 223, altri cantoni svizzeri (Stoos, *Schweiz. Strafges.*, 1890, pag. 843 e seg.), e la recente Costituzione serba 22 dicembre 1888 : (« L'autore è responsabile in primo luogo. Se l'autore è sconosciuto, o s'egli non abita la Serbia, o se è irresponsabile, la responsabilità cade sul redattore, stampatore o distributore. »)

231. — Il sistema belga si riconnette al principio fondamentale che quando un reato di stampa sia commesso, anche quello possa ritenersene autore che abbia incontrato per esso una responsabilità ed eventualmente una pena. Ha un solo vantaggio pratico per la giustizia quello d'aver, non soltanto in ogni caso e sicuramente un responsabile, ma anche di poterlo facilmente, e senz'uopo di lunghe e spesso infruttuose indagini, punire. Fu introdotto in Belgio per reazione al cosidetto *sistema di Maanen* che stabiliva bensì l'applicazione delle norme generali sulla responsabilità penale, ma dava adito con ciò a poter trarre in giudizio molte persone le quali una qualche minima parte ebbero nella formazione e divulgazione del giornale di contenuto criminoso. Non furono però le considerazioni giuridiche le quali portarono a respinger le norme sulla responsabilità ordinaria, cioè all'esclusione delle disposizioni del Codice penale intorno alla complicità nei reati di stampa (art. 100 Cod. pen. « Quant aux délits de presse il ne peut jamais y avoir de complicité »), ma soltanto riguardi politici. Il nuovo sistema sorse infatti come criterio di combattimento contro il Ministero di Maanen che osteggiava la libertà di stampa, a protezione della libera manifestazione delle opinioni, specialmente nelle cose politiche, e per lottare quindi contro una giustizia arbitraria e nemica della libertà.

Questo sistema, anche per tal ragione e pel forte movimento in senso liberale dispiegatosi dalla prima metà del secolo, trovò accoglienza in buona parte degli Stati che sorsero a lottare contro la reazione. Così fu adottato in tutti i cantoni svizzeri e vi vige ancora, o invariato, o con modificazioni che però non immutano i principî suoi fondamentali (Stoos, ivi e *Grundzüge d. schweiz., strafr.,* I, 1892, pagg. 208-210).

Si vantano qui la semplicità e la sicurezza di repressione, chè, quando avvenuto il reato, sempre si ha chi ne risponde; così nessun delitto di stampa può restar impunito per non potersene rinvenir l'autore o gli autori, come è spesso invece nei casi ordinarî.

Inoltre, poichè esso conduce a ritener responsabile una sola persona, cioè l'autore, si rende pos-

sibile la libera manifestazione del pensiero in quanto
l'autore è libero dalla censura del redattore, stampatore o distributore, non avendo queste persone
ragione alcuna per opporsi alla stampa, dal momento
che indicando il nome del predecessore sono eso-
nerate da qualsiasi responsabilità. Di qui altro vantaggio, perchè non hanno le stesse necessità veruna
d'esaminar e sorvegliar, per loro salvaguardia, il
contenuto della trattazione. Si facilita in fine l'esercizio dell'azienda giornalistica e si rende superfluo
un còmpito che per lo più non potrebbe rettamente
esercitarsi, chè, specie nei grandi e quotidiani giornali, nell'impossibilità o incapacità di distinguer
quanto deve e quanto non deve essere stampato,
ciò che urta, ovvero no, colla legge. Questo bene-
fizio non si avrebbe se per dette persone la responsabilità venisse regolata secondo le norme ordinarie.
Col presente sistema adunque si favorisce, da una
parte, la libera manifestazione del pensiero a mezzo
della stampa, dall'altra, il libero esercizio dell'impresa del giornale.

232. — Ma non difettano gli *inconvenienti*.

Da un lato infatti si punisce l'innocente, o il
meno colpevole, qual autore, sol che non sappia o
non voglia indicar il predecessore, dall'altro resta
libero chi pur è responsabile, ove riveli l'antecessore. Si viola così il principio fondamentale che,
per un reato, il colpevole e soltanto esso debba punirsi, e con pena proporzionata alla sua colpa,
e che pur i compartecipi vadano incontro a pena
se chiara appare la loro responsabilità. Invece
quella legge colpisce con divisato intento chi capita
fra le mani, cioè l'eventualmente noto che non indica il predecessore. Inoltre rende la punizione dipendente dall'arbitrio di un partecipe che può, o
innocente o meno reo, addossarsi la responsabilità
delle altrui colpe, del vero colpevole, contraddi-
cendo in ambo i casi al concetto e intendimento
della legge. Questo sistema, come nota Berner (*Press-*

recht, pag. 270), pone una quistione di precedenza al posto di quella della responsabilità. In luogo di risolvere quest'ultima, s'affida ad un meccanismo, mediante il quale il non colpevole forse si punisce e libero si lascia il reo.

Quanto all'affermazione che si facilita la manifestazione del pensiero, si libera lo scrittore dalla censura dello stampatore, ecc., si osserva che l'autore non si rende del tutto libero, chè gli aventi parte nella pubblicazione sono esposti al pericolo di rispondere, anche se fatto noto l'autore, quando questo, o perchè irreperibile o perchè all'estero, non possa essere tratto in giudizio. Non basta la prova che il predecessore al tempo almeno del commesso reato aveva il suo personale domicilio nello Stato, come qualche altra legge concede (ad esempio Leg. badese 2 maggio 1868, § 13). Esso può sottrarsi al dominio della legge, vincolando il successore, anche quando al tempo della pubblicazione fosse presente e perseguibile.

Ciò porta ad esaminar ancora la criminosità dell'articolo e respingerlo, ove non siasi sicuri d'aver un antecessore che non voglia o possa sottrarsi all'impero della giustizia.

Circa l'applicazione dei principî generali ai reati di stampa, la cui limitazione si ritiene utile per l'esercizio dell'impresa giornalistica e per la manifestazione della propria opinione, non è detto che tali diritti, quando quella rettamente intesa, trovino alcuno ostacolo, unicamente richiedendosi che non si vengano a colpir persone che, dal punto di vista delle regole generali, nessuna responsabilità hanno incontrata. In una giusta applicazione dei principî comuni, la punizione dei reati di stampa non incontrerebbe difficoltà, specialmente se venissero adottate regole complementari.

Di altri inconvenienti discorreremo esponendo le norme della legge francese.

IV.

233. — Si tentò, con altro sistema, di rimediare a tali errori, accogliendo il principio che anche nei reati di stampa debbano applicarsi le regole ordinarie sulla responsabilità, solo che, non bastando esse da sole, quando le persone partecipi nella redazione del giornale non risultino responsabili per non aver avuta conoscenza del suo contenuto criminoso, e non possa quindi a loro riguardo parlarsi di dolosa consumazione del reato, debba comminarsi una *pena per colpa (fahrlässigkeitstrafe)*, per non aver il redattore, lo stampatore, il distributore, ecc., adoperato, nell'esecuzione del proprio incarico, la cura necessaria per evitar il reato. La qualità della professione importerebbe d'accertarsi del contenuto dell'articolo prima di portar la propria cooperazione alla formazione e pubblicazione del giornale ; ora, se essi hanno omesso un tale esame, la loro responsabilità consisterà almeno nel non aver applicato quella vigilanza che lo stato delle cose importerebbe (Liszt, pag. 176).

Questo sistema fu specialmente in uso negli anteriori stati germanici, perdura in Austria (Legge 15 maggio 1868), ed è, con particolari garanzie, applicato eziandio in Germania (Legge 7 maggio 1874).

Dette legislazioni combinano il sistema attuale col precedente. Dall'uno (il primo) traggono la regola che l'indicazione dell'antecessore possa liberare da procedimento, dall'altro (l'attuale) il principio che con tale indicazione l'imputato possa sottrarsi alla pena pel titolo di colpa, ma non da quella eventualmente secondo i principî generali risultante dalla dimostrata qualità di autore e complice.

Quanto al *carattere della colpa*, questa, secondo certi scrittori (Liszt, pag. 177; — Honigmann, pag. 108), non sarebbe altro che la colpa ordinaria, e si verrebbe quindi effettivamente puniti per colposa esecuzione d' un fatto di carattere criminoso, ad esempio di ingiuria colposa, di offesa colposa al buon costume, ecc. : delitti sinora non sussistenti. Ma la maggioranza degli autori (Schwarze, pag. 102; — Berner, pag. 270 ; — Koller, pag. 151 ; — Löning, pag. 270), vi vede un delitto colposo per sè stante e proprio dell' industria della stampa. Non di colposa ingiuria si tratterebbe, ma di omissione della cura incombente ai singoli aventi parte nella pubblicazione in causa degli speciali rapporti creati dalla stampa. Non è quindi altro che l' ordinaria colpa penale consistente nella trascuranza di quel doveroso còmpito che risulta dalla situazione particolare delle cose. Le persone che cooperano alla redazione del giornale vengono punite per colposo esercizio della loro professione , non per colposa commissione d'un delitto il cui contenuto punibile si ricavi dallo stampato. Sarebbero, del resto, anzichè autori o complici del reato, tutto al più complici colposi : ora il diritto penale non ammette la complicità colposa. La pena per tali persone riposa adunque tutta su considerazioni politiche, chè esse, a tenore dei principî ordinarî, non potrebbero quasi mai venire punite , perchè difficile dimostrar la loro conoscenza del contenuto punibile del giornale.

In tal modo le persone stesse sono spinte ad usar la necessaria vigilanza perchè i reati di stampa siano impediti. Di più viene, a loro opera, agevolata la punizione degli autori del reato (scrittori o corrispondenti), inquantochè sono sicure dell'impunità dalla pena speciale se indicano un antecessore, e così, in prima linea, l'autore. E con ragione, chè la loro mancanza, si rende assai minima quando assicurano ancora il nome di chi precede e ajutano allo scoprimento e punizione dell'autore principale.

Però certe leggi (esempio l'austriaca e la germanica), accordano l'esenzione da pena non solo in tal caso, ma pur quando provino d' aver usata la speciale cura ad essi incombente, ovvero che alla sua applicazione sono stati impediti senza loro colpa : e così si riconnette la pena all' esistenza d'una effettiva trascuranza ; mentre altre leggi (badese 1871, sassone 1870, ecc.) respinsero tale altra eccezione.

234. — Se non si può disconoscere che l'esposta dottrina riconduca più o meno alla finzione, tuttavia in minor misura questo si verifica che non nel sistema belga. Non contraddice poi nè ai principî del diritto nè all'equità l'imporre all'editore o redattore o stampatore l'obbligo di non accettar da persone anonime, o conosciute, ma in grado di facilmente sottrarsi all'azione della giustizia, scritti o corrispondenze senza esame del contenuto loro, e di punir quindi con pena quella violazione di tale dovere.

Però l'esperienza ha dimostrato che l'attuale sistema è, per la stampa periodica, insufficiente, chè, nel più dei casi, l'insormontabile difficoltà di fornir a carico dei varî compartecipi la giuridica dimostrazione della conoscenza del carattere criminoso dello scritto, porta la giustizia a dovere, con assai inadegnata soddisfazione, contentarsi di minime penalità d'omissioni, di trascuranze, ecc. (Marquardsen, p. 154).

Per la tenuità stessa della sanzione si incorre poi nell'inconveniente che il redattore non si trovi abbastanza spinto a rivelar lo scrittore o corrispondente solo colpevole, e, quando esso sia corresponsabile, ma non si riesca a fornir contro di lui la prova, vada incontro a repressione quasi irrisoria. Lo Stato non raggiunge perciò il suo intento di punir il vero responsabile quanto si merita.

La legislazione germanica che applicò in parte tale dottrina dovette completarla con altre adatte disposizioni.

V.

235. — Il sistema della legge germanica sulla stampa è infatti concretato nei §§ 20 e 21.

Pel § 20, la responsabilità penale, quanto agli stampati di carattere punibile, si determina secondo le regole ordinarie del Codice penale,

Se si tratta di periodici, il redattore responsabile è presunto e punito quale autore ove non escluda, mediante speciali circostanze, tale presunzione.

Pel § 21, quando lo scritto sia criminoso ed il redattore responsabile, l'editore, lo stampatore o distributore, e cioè tutti coloro che hanno cooperato alla pubblicazione, non vengano ritenuti quali autori o complici, a norma del § 20, sono presunti aver negletto i loro doveri professionali e vengono quindi puniti per questo titolo, a meno provino che non sia loro imputabile alcuna colpa, o designino il colpevole che si trovi sotto la giurisdizione d'uno stato germanico.

Questo sistema è quello della responsabilità secondo i principî generali combinato colle pene per colpa di cui nei precendenti numeri e con una ulteriore sanzione pei redattori responsabili.

Con quest'ultima disposizione s'introduce una legale presunzione che supplisce ai difetti lamentati nell'anteriore teoria. Si è tolto l'obbligo d'una prova di difficile accertamento, quella che il redattore, pur conoscendo il criminoso carattere dell'articolo, abbia questo fatto inserire nel giornale, assumendo la qualità d'autore dello scritto.

Nel che la legge parte dal principio che il redattore sia autore di tutto il periodico, che questo sia estrinsecazione del suo concetto, e così soltanto vi contenga ciò ch'egli voglia, e sia quindi il redattore da punir come autore di esso (Marquardsen, p. 132, Liszt, p. 179).

Non si tratta però di presunzione assoluta, *juris et de jure,* chè è ammessa la controprova, dedotta da *speciali circostanze*. Queste sono unicamente quelle particolari contingenze, da determinarsi nei singoli casi, mediante cui resta esclusa la qualità d'autore, e cioè distrutta la presunzione che il redattore scientemente e con cognizione della criminosità dello scritto abbia accettata la sua pubblicazione. Una diversa interpretazione renderebbe il principio dominante di tale sistema, d'essere il più possibile appropriato agli effettivi rapporti delle cose, affatto illusorio.

Sono nel novero di tali *circostanze speciali* l'aver un altro scritto quell'articolo che il redattore ha, per di lui incarico, inserto nel giornale; l'essere il pensiero contenuto in uno scritto non il suo proprio, ma quello d'altri, cui egli ha, tutto al più, prestato ajuto, assumendo quindi la veste di complice, mentre autore è l'altro; o il non aver il redattore conosciuta la punibilità dell'articolo, o l'essersi questo senza sua notizia inserto nel giornale, specialmente, ad esempio, per non aver egli curata la redazione del relativo numero; allor devesi quello punire, il quale, in sua vece, ha redatto, o a sua insaputa ha ricevuto l'articolo, ma non lui che collo stesso non ha avuto da fare.

Se egli non ha redatto, deve questo provare, ed allora viene esonerato dalla responsabilità d'autore.

Se ha redatto, può del pari andar libero provando, o di non aver potuto conoscere la criminosità dello scritto — non semplicemente di non averlo letto, chè vi è tenuto, e conseguentemente si deve ritener abbia ciò fatto, ma di non averne, ciò non ostante, compresa la punibilità; — o che l'articolo a sua insaputa, sia pur per sua colpa, fu inserto, o che un altro lo scrisse ed egli per suo ordine lo pubblicò, rimanendo quindi semplicemente complice.

In tal modo il § 20 cap. niuna finzione può dirsi contenga, ma soltanto una disposizione adatta ai veri rapporti delle cose.

Quando il redattore provi ch'egli non prese conoscenza dell'articolo, e che inoltre quest'omissione e la pubblicazione avvennero senza sua colpa, può andar esente da ogni responsabilità; mentre se la non fatta lettura dell'articolo o la sua pubblicazione dipesero da sua colpa, andrà incontro almeno alla pena del § 21.

236. — Mentre l'esposta soluzione del problema intorno alla responsabilità dei reati di stampa fu generalmente apprezzata e ritenuta degna d'imitazione, non mancarono però avversarî. Ad esempio, Liszt (p. 179) impugna la concezione di riputar il redattore responsabile quale scrittore di tutto il giornale, scambiando così la redazione effettiva col redattore responsabile, le mansioni dei singoli redattori di professione con quelle del redattore capo. Essa potrebbe spiegarsi nei piccoli giornali in cui, eccettuate le firmate corrispondenze, le inserzioni e le riproduzioni, con o senza indicazione della fonte, può la rimanente parte porsi al nome e sotto la responsabilità del redattore, mentre, se si vuol estendere ai grandi giornali, dei quali ognuno è, propriamente, una somma di giornali i quali secondo il principio della divisione del lavoro e ad un tempo secondo quello della reciproca rappresentanza nelle assunte funzioni procedono, allora si cadrebbe nella finzione, chè non sarebbe serio ritener che il redattore, il quale ha assunta la responsabilità del giornale, abbia in questo impressa l'impronta generale della sua personalità.

L'objezione è peraltro insussistente, chè il § 20 cap. racchiude una norma probatoria, la quale mediante la prova contraria può essere messa nel nulla, una semplice *præsumptio juris,* niuna presunzione *juris et de jure*, e quindi niuna finzione.

Non difettarono altri attacchi, ad esempio del Baumgarten, del Marquardsen, del Löning, ecc., però vittoriosamente combattuti, specie dallo Schwarze.

Il limite del nostro tema non ci consente tuttavia un ulteriore svolgimento di questa dottrina e delle critiche sue.

VI.

237. — *Il sistema della legislazione francese* si concreta negli art. 42 e 43 della Legge 29 luglio 1881.

Per l'art. 42 rispondono quali autori principali dei reati di stampa, e nell'ordine seguente:

1.° I gerenti o editori;

2.° In loro difetto (cioè se sconosciuti) gli autori;

3.° In difetto di questi, gli stampàtori;

4.° In difetto degli stampatori, i venditori, distributori, affiggitori.

Per l'art. 43, quando i gerenti o editori sono in causa, gli autori sono puniti come complici. Può esserlo, allo stesso titolo e in tutti i casi, ogni persona a cui l'art. 60 Codice penale (che determina gli elementi della complicità) possa applicarsi. Tale articolo non potrà applicarsi agli stampatori pei soli fatti di stamperia, salva l'eccezione dell'art. 6, Legge 7 giugno 1848 sugli attruppamenti, sebbene consapevoli (così deve intendersi chè inutile, diversamente, la disposizione) del contenuto criminoso dello stampato.

I principî fondamentali da cui partì il legislatore francese, e che distinguono il suo sistema dai precedenti, sta in ciò che nella *pubblicazione* esso ha ravvisato il rilevante atto con cui si consuma il delitto di stampa.

In teoria, l'*autore* d'un delitto di stampa è, come in ogni altro, chi ne è la *causa*. Ora, come il reato di stampa ha due elementi essenziali, lo *scritto* incriminato e la sua *pubblicazione*, chi ha dato origine a tutti e due od all'uno o all'altro elemento è *causa* del delitto, chè ha contribuito in modo principale e diretto alla sua esistenza.

Se lo stesso agente ha scritto e pubblicato l'articolo, è certo autore del reato. Ma, per regola, le funzioni si dividono; chi scrive l'articolo lo fa pubblicare da altri. Allora scrittore e editore sono causa e quindi autori del reato.

Però in Francia si parte dal concetto che la pubblicazione costituisca il delitto ; il pubblicatore è quindi autore del reato e lo scrittore è soltanto complice. Questi, pertanto, quando il primo è noto, in guisa da non potergli essere personalmente addebitato il fatto materiale della pubblicazione, non deve essere ricercato che come agente secondario del reato, dato, ben inteso, abbia acconsentito alla pubblicazione col rimettere all'uopo lo scritto al gerente, e fornito così a lui scientemente i mezzi di commettere il delitto.

L'applicazione del diritto comune porterebbe a ritenere che l'editore o pubblicatore del giornale sia il proprietario.

Ma la necessità delle cose impone, per regola, alla direzione del giornale, un capo che ne sorvegli la redazione e il coordinamento dei diversi articoli, imprimendo unità di indirizzo all'opera collettiva. È tal direttore, il quale personifica il giornale, che ne diviene editore, e dovrebbe quindi risponderne. Ma il legislatore, sostituendo la finzione alla realtà, ha imposto la scelta d'una persona la cui funzione consiste nell'essere responsabile dei reati, cioè il gerente.

E esso l'agente del fatto materiale e principale costitutivo della pubblicazione degli scritti incriminati.

Gli altri compartecipi nel delitto possono essere, compreso l'autore, soltanto complici, se scientemente, conoscendo il carattere delittuoso degli articoli, abbiano concorso alla loro pubblicazione.

238. — Qui si ha adunque una concezione dei rapporti derivanti dai reati di stampa ben diversa dalla dottrina tedesca e svizzera. Infatti, non lo *scrittore* (*verfasser*) o il *corrispondente* (*einsender*) che inviarono gli articoli, sono l'*autore principale* (*urheber, thäter*), ma il responsabile redattore, il *gerente*; laddove nelle leggi precitate, in caso di pubblicazione d'articoli a scienza, e per incarico dello scrittore, si hanno bensì più partecipi nel reato, ma tutti sono complici nel fatto dello scrittore o corrispondente, mentre autore è questo. Ora segnata mente nel diverso intendimento dei rapporti di responsabilità dell'autore e gerente sta la grave differenza fra i due sistemi.

Ma altra singolare divergenza passa tra la legge francese e la germanica in ordine alla qualifica del fatto dello stampatore, chè, secondo la prima, non può esso venir punito come complice (salva l'eccezione indicata) quandò non altro abbia fatto che stampare l'articolo incriminato, mentre evidentemente sarebbe punibile se con atti, non aventi relazione colla stampa, partecipasse al reato secondo le regole del diritto penale. Però in questa esenzione dello stampatore dalla pena sta una non necessaria deviazione dal sistema della responsabilità secondo i principî della legge penale.

Nel resto la legge francese è una mescolanza di quella belga è del sistema di resposabilità secondo le regole ordinarie. Si discosta dalla prima in quanto la legge belga punisce una sola persona, e le altre, anche colpevoli, esenta da pena, mentre tale restrizione non è accolta nella legge francese.

239. — L'arbitrario ed esclusivo carattere di responsabilità cui è informata la legge belga, e quello pur difettoso della legge francese dove autore principale è il gerente e mai lo scrittore, portò la dottrina e la giurisprudenza dei due paesi a limitarne l'applicazione nei casi pratici. Così fu trovato difficile e inadeguata l'applicazione loro ai delitti di materiale evento (estorsione, truffa a mezzo della stampa) in cui la consumazione si verifica posteriormente alla pubblicazione del giornale. Si ritiene quindi che il procedimento contro il complice d'un delitto di ricatto a mezzo della stampa (*chantage*), fondandosi sul diritto comune, sfugga al regolamento delle responsabilità determinate dagli art. 42 e seg. della Legge francese e dall'art. 18 della Costituzione belga (Garraud, *Droit pén. fr.*, V, 1894, n. 211).

Si argomenta che tali disposizioni abbiano a valere solo pei delitti di stampa propriamente detti, quelli cioè previsti e puniti dalla Legge sulla stampa, mentre pei delitti che hanno per istrumento la stampa, ma son contemplati dal Codice penale o da altre leggi, segnatamente se la pubblicità non entra a titolo di elemento essenziale, riprendono vigore le regole ordinarie della legge comune. Eppure anche per simili reati, la cui punibilità si trae ognora dal contenuto dello stampato, si presenta quello speciale atteggiamento della responsabilità delle persone che concorsero nella redazione e pubblicazione dello scritto.

Anche la legislazione svizzera, che pur segue il sistema belga, portò modificazioni al principio della responsabilità esclusiva. Così la Legge 22 aprile 1894, per la repressione dei delitti anarchici, in definitiva però contro i delitti d'opinione, colpisce contemporaneamente di responsabilità, quand'anche tali reati sieno commessi a mezzo della stampa, tutti i complici, ausiliatori, ecc., secondo i principî generali (Lenz, *Der anarchismus,* in *Rivista di Liszt,* vol. 16, 1896, p. 30).

VII.

240. — Il sistema che pone i reati di stampa sotto le *norme ordinarie* implica l'applicazione di queste per ogni caso e pure per la responsabilità.

Fu adottato dalle leggi bavarese e lubecchese (17 maggio 1850 ; 22 settembre 1869), di poi sostituite dalla legge germanica. Nè il concetto loro è rimasto infecondo. La stessa legge tedesca ha premesso, qual norma direttiva del suo sistema, che

« la responsabilità pei reati di stampa si determina secondo le regole ordinarie del Codice penale », e unicamente provvide, con altre disposizioni, a completare questo principio. Adottando simile teoria, niuna norma dovrebbe più contenersi nella Legge sulla stampa, od una sola, tutt'al più, in virtù della quale i reati commessi a mezzo della stampa abbiano a decidersi secondo la legge penale ordinaria.

241. — Ma non mancano difficoltà al suo accoglimento.

Con detto sistema non potrebbe tanto facilmente conseguirsi la colpabilità del redattore del giornale, dovendo l'accusa dimostrare che del contenuto delittuoso dell'articolo, o prima, o al suo ricevimento, o in altra qualsiasi guisa, egli ebbe a prendere conoscenza, e che falsa è quindi l'asserzione sua che dello scritto, soltanto dopo la pubblicazione, ebbe notizia, come ogni altro del pubblico.

Sarebbe poi comune l'eccezione di non aver letto il manoscritto dell'articolo e d'averlo subito trasmesso per la stampa anche in riguardo alla conosciuta personalità dell'autore che rendeva sovrabbondante quella lettura. D'altronde una presunzione fattizia che il redattore prima della stampa abbia attinta notizia dell'articolo non potrebbe, in difetto d'altre circostanze, considerarsi sufficiente a fondar su ciò la di lui condanna. Indi la difficoltà a cui la prova del dolo, della scienza, a carico dello stampatore, redattore, ecc., è vincolata, quando queste persone pongono in dubbio la conoscenza del tenore dell'articolo (Schwarze, p. 101; — Liszt, p. 173).

Altra objezione è che la partecipazione d'una serie completa di persone, nella creazione e spaccio del giornale di carattere criminoso, possa presentare difficoltà se venga sottoposta ai semplici concetti del Codice penale intorno alla correità e complicità, ossia al concorso di più persone in uno stesso reato: preoccupazione tuttavia non tanto giustificata, come si vedrà in seguito.

Ma ostacolo davvero insormontabile contro l'applicazione di quel sistema è l'anonimità della stampa che porta grave incaglio alla scoperta dei principali responsabili, lo scrittore o il corrispondente, senza che l'obbligo della testimonianza valga a rimuoverlo.

Di vero il redattore o gerente può objettare trattarsi di scritto anonimo, di articolo ricevuto e stampato a sua insaputa, d'articolo il cui manoscritto andò disperso, o ricusare di nominarne, anche sapendolo, l'autore. Come giungere in tali casi alla sua conoscenza?

Specialmente poi quando il redattore o gerente siá corresponsabile, ben può esso allora rifiutarsi, secondo i principî generali del diritto penale, di prestar testimonianza in ordine alle persone che concorsero nel reato; oppur egli sarà ordinariamente il solo consapevole, nel qual caso sarà tolta la possibilità di giungerne alla scoperta.

Può darsi però che il redattore o gerente non abbia avuta parte alcuna nel reato o nessuna prova risulti a suo carico. Sarà allora obbligato a deporre, ma se afferma di ignorare chi sia l'autore dell'articolo, o di non rammentarlo, ecc., non avrà il giudice, anche se convinto del contrario, alcun mezzo per costringerlo a rivelare il reo, chè nell'impossibilità di comprovarne la reticenza. In tale guisa lo scrittore giunge spesso a sottrarsi alla pena, pur essendo il principale responsabile.

Non bastano adunque le sole norme ordinarie; queste vanno almeno sussidiate con particolari disposizioni appropriate allo speciale atteggiamento della redazione e pubblicazione del giornale.

VIII.

242. — Come si comportò la *nostra legislazione?*
Il sistema del regio Editto 26 marzo 1848 si riassume in un unico concetto, nella creazione del

gerente responsabile. Tutte le azioni penali sono dirette contro di lui, nè si estendono all'autore se non abbia *sottoscritto* l'articolo.

« Tutte le disposizioni penali portate da questo capo sono applicabili ai gerenti dei giornali e agli autori che avranno sottoscritto gli articoli in essi giornali inseriti.

« La condanna pronunciata contro l'autore sarà pure estesa al gerente, che verrà sempre considerato come complice dei delitti e contravvenzioni commesse con pubblicazioni fatte nel suo giornale » (art. 47).

Credette il legislatore di poter camminare sulle orme della legge inglese e francese, ma ne falsò essenzialmente il concetto.

In Inghilterra il *publisher* è responsabile, ma questi è il direttore effettivo del giornale, quegli che scrive o fa scrivere tutto quanto vi si pubblica, di guisa che nulla vi si contenga senza revisione od approvazione sua.

In Francia il gerente, quale fu concepito nella Legge 18 luglio 1828, aveva gli stessi caratteri : in vero, l'art. 5 imponeva ai gerenti di sorvegliare e di diriger *par eux mêmes* la redazione del giornale, stabiliva pur guerentigie finanziarie a carico loro (V. n. 176). La responsabilità del gerente rispondeva quindi in tali leggi alla realtà delle cose e presentava efficaci garanzie.

Ma il nostro Editto, non richiedendo nel gerente se non la maggior età e il libero esercizio dei diritti civili, ha costituito un gerente nominale senza autorità per la pubblicazione, o meno, dello scritto, senza intelligenza per comprenderlo.

L'Editto ha ancora spinto tant'oltre la finzione da assicurar impunità all'autore, tranne il caso di sua *sottoscrizione ;* sia altrimenti noto, va immune da pena. Ben vero che una diversa opinione, come più conforme ai principî di giustizia e di moralità, è ora prevalsa, e fu autenticamente tradotta nell'articolo 48 Decr. 1.º dic. 1860 per le prov. meridionali, ove si sanziona la responsabilità penale degli scrittori «... *sia che abbiano sottoscritto, sia che venissero ad essere altrimenti conosciuti* », però in flagrante contraddizione colla letterale espressione dell'Editto e coi primi e più genuini suoi interpreti. Sol per le pubblicazioni non periodiche è sancita (art. 4) la responsabilità contro l'autore o editore «... se l'uno o l'altro siano sottoscritti *od altrimenti conosciuti* »; pei giornali non venne dichiarato altrettanto.

Un progresso però v'è, sulla legge francese, quanto alla proporzionalità della pena, chè, quando perseguibile l'autore, il gerente, all'inverso di quella, assume la figura secondaria di complice, il che è più conforme ai principî comuni sulla responsabilità.

243. — Ciò posto, quale è il *campo d'applicazione della responsabilità del gerente?*

Il gerente risponde anzitutto delle *contravvenzioni* per inosservanza delle formalità prescritte dal *capo VIII* (dichiarazione, notifica delle mutazioni, firma, consegna del giornale, inserzioni, ecc.) (Articolo 47, 1.ª p.).

Ma risponde anche *d'altro genere di contravvenzioni*. Infatti la 2.ª p. dell'art. 47 dispone che il gerente « ... verrà sempre considerato complice dei delitti e delle contravvenzioni commesse con pubblicazioni fatte nel suo giornale ». Queste contravvenzioni sono ben distinte da quelle della 1.ª parte, le quali consistono tutte in omissioni, mentre nel caso sono commesse con azioni, cioè con pubblicazioni. Dunque tali contravvenzioni sono quelle per violazione degli art. 9, 10, 11 (riproduzione di scritto già stato condannato, pubblicazione delle interne deliberazioni dei giudici e dei giurati, resoconto di procedimenti a porte chiuse). Segue che per le prime il gerente risponde quale autore principale, chè obblighi incombenti, per espressa legge, al gerente personalmente, e quindi si presume sua colpa l'inosservanza; per le seconde non v'è ragione per ritener che la pubblicazione sia avvenuta per opera esclusiva del gerente, ed egli quindi ne risponde solo come gerente nella stessa guisa e misura cioè che deve risponder d'ogni pubblicazione delittuosa fatta nel suo giornale, e così anche come complice se sottoscritto l'autore del resoconto, ecc.

Il gerente risponde poi anche dei *delitti* commessi mediante pubblicazioni nel suo giornale.

In che grado? Per taluni sempre come *complice*, sia o no in causa l'autore, perchè il legislatore, come dalla voce *sempre*, volle porre una norma generale riferibile a tutti i casi indistintamente, e perchè la misura di colpabilità del gerente, ossia della sua partecipazione al reato, è, nell'un caso come nell'altro, la stessa, nè v'è motivo per un diverso trattamento (Grassi, *Legisl. ingl. sulla st.*, 1895, p. 324; — Cassazione Roma, 28 febbrajo 1885, *Riv. Pen.*, v. 21, p. 565).

Preferiamo l'opposto concetto per cui il gerente risponda come *autore principale* se ignoto l'autore dello scritto, e come *complice* solo nel caso contrario (Crivellari, *Legge sulla st.* p. 271; — Pincherle, *idem*, p. 154; — giur. attuale concorde).

L'art. 47, anzichè derogare, rispetto all'autore firmato dello scritto, ai principî generali sulla responsabilità, vi si è invece riferito applicando a lui le sanzioni stesse che altrimenti dovrebbero colpir il gerente pei reati tutti che si riscontrassero nel giornale di cui sarebbe allora considerato autore (1ª p.); solo che, non ritenendo opportuno in tal caso esonerar il gerente da qualsiasi responsabilità, stante la sua particolare situazione col giornale, dispose che la condanna contro l'autore sia *pure estesa* al gerente, però con diminuzione di pena, considerandolo *sempre come complice* del reato (2ª p.).

244. — Poichè per l'art. 4 della legge 22 novembre 1888 furono aboliti gli articoli 17, 27, 28, 29, dell'Editto sulla stampa e sostituiti dagli articoli 393, 395 e 339 del Codice penale (ingiurie, diffamazioni, offese al pudore), sorse disputa se per essi torni ancor applicabile l'art. 47, che obbliga il gerente a risponderne sempre. Per la loro natura di reati comuni sottratti al dominio della Legge sulla stampa e inclusi nel Codice penale, dovrebbero applicarsi per certuni soltanto le norme di responsabilità sancite nel Codice penale (Frassati, *Irrespon. del ger. per del. comuni, Riv. Pen.*, v. 39, 1 e s. ; — Bocchialini, *idem*, ivi, *Suppl.* III, p. 174 e s., ecc.).

Come ammettere, si ragiona, che l'articolo 47 continui a regolare una categoria di delitti che alla legge speciale più non appartengono e che per ogni loro attinenza rientrano nel dominio dei principî del diritto? Invece continuerà il gerente a rispondere pei reati politici di cui agli articoli 14-16, 18-26 dell'Editto, e dei reati di stampa propriamente intesi, ossia delle contravvenzioni alle norme di polizia (inserzioni, divieto di ristampa di scritti condannati, sottoscrizione di minuta del giornale, ecc.). Si soggiunge ancora che l'applicazione dell'art. 47 non troverebbe neppur base nelle regole generali del Codice, che cioè il gerente sia precisamente colui che somministra il mezzo per l'esecuzione del reato, a senso dell'art. 64, n. 2 ; poichè tale articolo presuppone sempre il concorso d'una volontà consapevole del criminoso proposito. Se dunque il gerente fornì, col giornale, il mezzo per la pubblicazione di scritti, sarà sol complice quando sia provato il concorso del dolo nel reato, ciò che è ben diverso da quella incondizionata complicità dedotta dall'art. 47.

Ma questo insegnamento è inattendibile. L'assoggettar quei reati alle norme ordinarie di responsabilità equivarrebbe a lasciarli, in massima parte, impuniti. Di vero, la pena potrebbe colpir l'autore o il direttore soltanto se ne sia dimostrata la cor-

reità o complicità. Ora se l'autore non ha firmato
potrà difficilmente scoprirsi. Pel direttore raramente
riuscirà la prova della penale sua responsabilità.
Così è d'ogni altro preteso complice o correo. Sarebbe pertanto lettera morta la responsabilità per
tali reati. Dunque il legislatore, che ciò ben dovette
prevedere, nulla avendo disposto, non intese certo,
con quell'inclusione, far appello alle norme ordinarie di responsabilità. D'altronde la Legge del 1888,
art. 4, lascia in vigore gli altri articoli dell'Editto,
anche se contrarî al Codice penale, quindi pur l'articolo 47. Se il legislatore avesse voluto che quest'articolo sussistesse sol pei reati politici previsti
dall'Editto, l'avrebbe dichiarato come chiaramente
s'espresse a proposito dell'art. 13. Si tratta adunque
di semplice trasposizione di articoli da una ad altra
legge, e per essi continua ad aver vigore la responsabilità assoluta, d'autore o complice, addossata al
gerente dall'art. 47.

Infine l'istituzione del gerente, la sua disciplina
e le condizioni di sua responsabilità fanno parte
delle norme organiche della Legge sulla stampa e
sono attinenti al modo speciale d'atteggiamento di
questa industria.

Coll'art. 47 si volle fissar una norma pel regolare andamento della stampa periodica. Onde la responsabilità speciale del gerente non fu introdotta
per attenuar le penalità dall'Editto stesso comminate,
nè si ebber in mente quei dati reati soltanto, ma
tutti quelli che col mezzo della stampa si potessero
commettere ancorchè nell'Editto non contemplati.
Di fronte pertanto alla Legge del 1888, tutte le regole attinenti al reato (prescrizione, amnistia, penalità, ecc.) e che erano previste nell'Editto sono
state bensì abrogate e sostituite dal Codice penale;
ma la parte organica, quella che s'attiene alla vita
del giornalismo, non subì cambiamento (Grassi,
p. 327; — Bonolis, *Riv. Pen.*, *Suppl.* IV, p. 296;
— Cassazione Roma costante).

245. — Il successivo art. 49 dell'Editto prescrive che « i gerenti saranno tenuti a pubblicar, non più tardi di due giorni, dopo che loro ne sarà fatta l'intimazione, le sentenze di condanna pronunciate contro di essi pei fatti previsti da questo Editto... sotto pena della multa da lire 100 a 500 ».

Trattasi di pubblicazione che è effetto o complemento della condanna, una misura penale, di guisa che nei casi in cui la legge non l'autorizza non sarebbe lecito al magistrato di aggiungerla alla pena principale.

E poi misura di pubblicità da effettuarsi in linea di esecuzione, indipendentemente dalla sentenza di condanna, tanto che la cosa giudicata e la condanna alla pena sussistono, ciò nondimeno, in tutta la loro forza legale (Saluto, *Comm. Cod. pr. p.*, IV, n. 1367; — Garraud, *Droit pén. fr.*, I, p. 599).

Ora, precisati per l'Editto stesso i casi in cui a titolo di pena accessoria deve effettuarsi la pubblicazione nel giornale, e cioè *pei fatti in esso previsti*, deve ritenersi ancor applicabile l'art. 49, pei reati ora compresi nel Codice penale ?

Quanto alle *ingiurie* e *diffamazione* a mezzo della stampa, è vero che il Codice penale autorizza la speciale pubblicazione « ... a spese del condannato, per una o due volte nei giornali indicati, in numero non maggiore di tre, della sentenza di condanna (art. 399, cap.) ». Però questa pubblicazione e quella dell'Editto possono coesistere perfettamente. Di fatti la pubblicazione del Codice penale è misura esclusivamente civile, serve a scopo privato di riparazione (Liszt, *Strafrecht*, § 59; — Klöppel, *Pressrecht*, 1894, p. 445; — Cassazione Roma, 4 febbrajo 92, *Riv. Pen.*, v. 36, p. 53, ecc., costante), la pubblicazione voluta dall'art. 49 ha natura di pena ; l'inadempimento della prima importa il rifacimento dei danni, l'omissione della seconda è repressa da pena ; là occorre alla pubblicazione l'istanza di parte, qui si esegue per forza di legge ; nel primo caso deve il richiedente anticipar le spese, nel secondo l'inserzione è a carico dello stesso giornale. Diversi sono pertanto il fondamento e l'estensione e scopo delle due disposizioni, nè v'è possibilità di loro sostituzione o incompatibilità.

Quanto all'*offesa* al *pudore,* già prevista dall'articolo 17 dell'Editto, l'art. 339 Codice penale nessuna inserzione più impone pel caso di condanna.

Per questi e gli altri consimili casi deve considerarsi abrogato l'art. 49? Specialmente trattandosi di misura penale, ed essendo la pena di quei reati determinata dal Codice penale, dovrebbesi rispondere affermativamente. Ma noi crediamo per quelle stesse ragioni per cui si ritenne pure in vigore in questa materia l'art. 47. L'inserzione ordinata dall'art. 49 non è per singoli reati, e in contemplazione loro, ma generale per tutti i fatti previsti dall'Editto; forma adunque parte ed è complemento delle norme organiche sull'istituzione del gerente e sulla responsabilità sua.

IX.

246. — All'infuori, per altro, delle eccezionali disposizioni sin qui esposte in materia di stampa periodica, riprenderanno vigore le regole comuni della legge penale sia per quanto ha relazione alla responsabilità delle varie persone che hanno partecipato nei reati, sia per ciò che concerne la competenza a conoscere degli stessi, alla prescrizione loro, e via dicendo.

247. — Il *concorso di più persone* nel reato contenuto sul giornale è adunque regolato dalle norme ordinarie.

I reati che si commettono a mezzo della stampa richiedono necessariamente, per la loro esecuzione, l'intervento di più persone. Dall'umile tipografo che si contenta di disporre e coordinare i caratteri, e dal *reporter* la cui attività si concentra nella raccolta da ogni parte di notizie da riferire, salendo fino ai redattori, specie quelli di materia politica, di scienza o d'arte, od ai romanzieri d'appendice, i quali vi fanno opera d'artista, o di scrittore, vi è tutta una serie di persone che svolgono la loro opera più o meno importante nella formazione del periodico.

Ora i principî generali del Codice penale sul concorso di reati decideranno chi, nei singoli casi, possa essere tratto a rispondere quale autore, o coautore, o complice del delitto commesso mediante il contenuto dello stampato. Ognuno, chiunque sia, va incontro a pena se la sua imputabilità si manifesta secondo i principî generali. Così non vi può esser dubbio che, non solo i *reporters*, i cronisti o i redattori, ma gli stessi compositori possano essere puniti, dato soltanto che a loro riguardo si riesca a comprovare l'esistenza del *dolus* necessario per la consumazione del reato, e cioè ch'essi abbiano pure avuto causa nella pubblicazione del contenuto criminoso dell'articolo.

I concetti d'autore, coautore e complice, ossia dei varî partecipi nel reato ai sensi degli articoli 63 e 64 del Codice penale, verranno a trovare, accanto alle speciali norme della responsabilità del gerente, la loro perfetta, illimitata e indipendente applicazione (Berner, *Pressrecht*, p. 281; — Mintz, *Lehre von der beihilfe*, 1892, p. 174; — Garraud, II, n. 274; — Barbier, II, n. 280; — Mia opera « *I redattori della St. Period.* », in *Enciclop. Giur.* n. 66 e seg.).

248. — Il *corrispondente* che per proprio conto ed iniziativa spedisca suoi criminosi articoli ad un giornale, o il *redattore* che del giornale si valga per estrinsecar, a carico d'altri, la manifestazione dei proprî concetti offensivi, dovranno, pei principî del diritto, ritenersi unici autori punibili del delitto a mezzo della stampa.

Talora corrispondente e autore sono persone di-

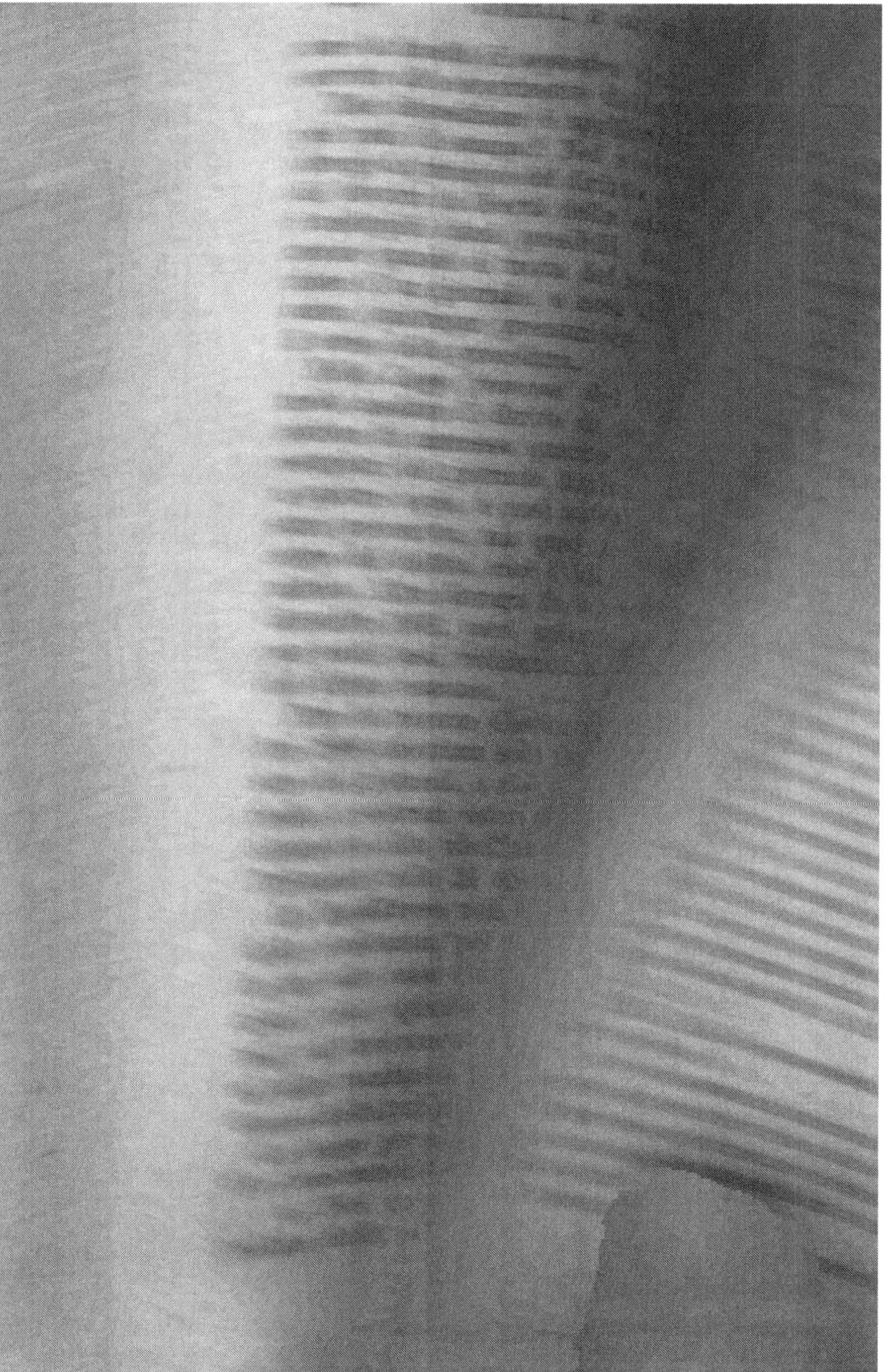

[...] rispondere dei fatti [...] pondere inoltre, e secondo [...] civ., della propria colpa [...] pio è espressamente sancito [...] (Legge 1881, art. 44), [...] (§ 21), ed è eziandio pro- [...] nostra dottrina e giurispru- [...] 115; Frola, p. 338. V. pure [...] *Loi sur la Presse*, p. 565; Bar-

[...] *tore e redattore capo* d'un giornale [...] un controllo sul contenuto di [...] di una parte sua. Agli stessi è [...] concesso di accettare nel giornale [...] conveniente.

[...] determinano in modo assoluto il [...] giornale; tutti gli altri collaboratori [...] star loro sottoposti. Per tale loro ope- [...] rità possono essere *penalmente respon-*

[...] dunque, il direttore e redattore capo [...] penale responsabilità, anche se diverso [...] l'autore dell'articolo?

[...] sulla stampa non conosce la figura giu- [...] redattore capo e del direttore; in tale loro [...] non potrebbero pertanto incontrare altra re- [...] lità che quella incombente all'autore dello [...] Tuttavia non può dirsi che le azioni eser- [...] contro l'autore o il gerente esauriscano ogni [...] procedimento contro ulteriori persone e per [...] titolo. Questa distinzione è anzi presupposto [...] mentale della Legge sulla stampa, la quale, re- [...] norme per meglio assicurare la responsabilità [...] quanto si pubblica nel giornale, non intese certo [...] ogare alle norme ordinarie in materia.

[...] Per altro, anche quanto al redattore capo o diret- [...] re deve esser fornita la prova della loro compli- [...] ità (giurispr. incontrastata).

[...] condanna basata unicamente sulle sole loro

verse, il che è quando il primo, a solo richiesta del secondo, invia il di lui scritto al direttore per inserzione nel giornale: allora è lo scrittore autore del delitto di stampa, e il mittente soltanto complice per ausilio, ed eventualmente, semplice istrumento. Vi può esser anche correità se il primo faccia collo scrittore causa comune e spedisca con intenzione offensiva la manifestazione ingiuriosa, ecc., da costui vergata.

249. — Altre persone vi sono le quali, per trovarsi in diretti rapporti col periodico, possono incontrare una penale o civile responsabilità pel suo contenuto punibile.

Si presenta anzitutto *l'impresa giornalistica.*

Sotto l'aspetto politico ed in relazione all'indirizzo generale ed a quel determinato colore che assume il giornale, la *responsabilità* cade sul *proprietario* o editore, ma nei riguardi penali, in relazione cioè ai singoli numeri pubblicati, egli, come tale, non ne risponde, perchè privo di speciale ingerenza nella redazione, ed ignaro degli articoli che giorno per giorno vengono inscriti, e del loro contenuto.

Il proprietario adunque esce dalla serie di persone penalmente responsabili del contenuto del giornale.

Nei soli casi in cui lo scopo evidentemente criminoso prefisso al giornale riveli nel proprietario la scienza che esso era diretto a violare la legge, potrà egli ritenersi complice per concorso nel reato in quanto procacciò i mezzi per consumarlo (Manfredi, *Legge sulla st.*, 1881, p. 341; Frola, *Ing. e diff.*, 1890, p. 339).

250. — La *responsabilità del proprietario* sarà però *civile.*

E esso che assume l'impresa di pubblicazione del giornale, che sceglie e tiene alle sue dipendenze il direttore ed i redattori e che destina gli stessi all'esercizio di incombenze dalla cui violazione deriva il fatto illecito.

Pertanto, in conformità alle regole di diritto comune, deve, qual committente, rispondere dei fatti di tali suoi commessi e rispondere inoltre, e secondo gli articoli 1151 e 1152 Cod. civ., della propria colpa o negligenza. Tale principio è espressamente sancito nella legislazione francese (Legge 1881, art. 44), e in quella germanica (§ 21), ed è eziandio professato dalla costante nostra dottrina e giurisprudenza (Saluto, VI, p. 115 ; Fròla, p. 338. V. pure Celliez et Le Senne, *Loi sur la Presse*, p. 565 ; Barbier, II, n. 825).

251. — Il *direttore* e *redattore capo* d'un giornale debbono esercitare un controllo sul contenuto di tutto il giornale o di una parte sua. Agli stessi è dal proprietario concesso di accettare nel giornale quanto reputano conveniente.

Sono essi che determinano in modo assoluto il contenuto del giornale ; tutti gli altri collaboratori devono quindi star loro sottoposti. Per tale loro operosità ed autòrità possono essere *penalmente responsabili*.

Quando, adunque, il direttore e redattore capo incontrano penale responsabilità, anche se diverso e noto sia l'autore dell'articolo ?

La legge sulla stampa non conosce la figura giuridica del redattore capo e del direttore; in tale loro qualità non potrebbero pertanto incontrare altra responsabilità che quella incombente all'autore dello scritto. Tuttavia non può dirsi che le azioni esercitate contro l'autore o il gerente esauriscano ogni altro procedimento contro ulteriori persone e per altro titolo. Questa distinzione è anzi presupposto fondamentale della Legge sulla stampa, la quale, recando norme per meglio assicurare la responsabilità su quanto si pubblica nel giornale, non intese certo derogare alle norme ordinarie in materia.

Per altro, anche quanto al redattore capo o direttore deve esser fornita la prova della loro complicità (giurispr. incontrastata).

Ogni condanna basata unicamente sulle sole loro

funzioni ed autorità di fatto, su una vaga presunzione di concorso nel reato, sarebbe flagrante violazione della legge.

Adunque una distinzione deve farsi.

Se all'insaputa loro l'articolo venga ricevuto nel giornale, essi rimarranno fuori della cerchia delle persone penalmente responsabili (Schwarze, p. 106; Stenglein, *Strafrechtl. nebenges. d. deutsch. Reiches,* 1893, p. 520).

Se invece l'inserzione avvenga a loro saputa, come sarà ordinariamente se trattasi d'impresa di poca entità, di giornali di scarsa importanza, sicchè essi possano tenersi e si tengano in continua relazione sull'andamento suo e colla redazione, allora deve esaminarsi se il direttore, ecc., ha fatto causa comune col corrispondente o scrittore, e cioè se l'articolo criminoso da questi compilato o spedito ha fatto suo proprio accogliendolo nel suo giornale. In tal caso egli partecipa e divide con essi l'intendimento criminoso, e diventa quindi coautore del reato. Può invece darsi che il direttore o redattore capo senza tale intenzione inserisca l'articolo, però colla conoscenza di prestar mano all'altrui reato. Ciò verificandosi, egli ha semplicemente, ma scientemente, prestato ajuto all'autore, ed è quindi complice, per ausilio, del corrispondente o scrittore dell'articolo.

Il direttore può anche essere scrittore egli stesso di articoli, specie nel caso di articoli di fondo. Ora riguardo a questi ei non si trova in posizione diversa da quella d'ogni altro scrittore.

252. — Per contro, è generalmente ammessa la *responsabilità civile del direttore,* fondandola su che avendo diretta ingerenza nella redazione del giornale, contrae pur il dovere di sorvegliarla per impedire l'inserzione di articoli offensivi: se nol fa, versa in colpa e sorge in lui l'obbligazione di risarcire il danno che ne deriva. E la sua colpa è regolata dal diritto comune (art. 1151 e seg. Cod. civ.).

e quindi sta, tanto nella cattiva scelta delle persone incaricate della redazione delle diverse rubriche, quanto nella negligenza a dirigerne e vigilarne l'opera (Giurispr. gener.; v. pur Frola, p. 334; Benevolo, *La parte civ. nel giud. pen.*, n. 40 bis).

Non potrebbe adunque il direttore esonerarsi da responsabilità indicando l'autore o redattore dell'articolo, o il redattore capo incaricato della sorveglianza, e dimostrando che tali persone non potevano ritenersi incapaci o non prudenti, ecc.

Sarebbe lo stesso se accettasse corrispondenze scritte in lingua a lui ignota; la colpa qui starebbe nell'inserzione di un articolo conoscendo la propria impossibilità ad esaminarne il contenuto (Koller, *Pressgesetz*, 1888, p. 191).

Così è pure se accogliesse corrispondenze anonime, chè, per consuetudine, un direttore di giornali che si rispetti e voglia mantenere autorità alla stampa, si ricusa sempre di fare inserzione di scritti anonimi.

253. — Oltre al direttore, redattore capo, ed alla speciale figura del redattore responsabile o gerente retta da norme particolari, vi è altra serie di persone la cui attività si estrinseca del pari nella compilazione del giornale; tali sono i semplici *redattori* o *conredattori*.

Quale è la posizione loro nei delitti a mezzo della stampa quanto al contenuto criminoso del giornale; e così, come esplicano i medesimi la loro operosità nella formazione del periodico? Se essi pure hanno compilato articoli saranno penalmente responsabili quali scrittori d'un prodotto della stampa e come autori del reato. Similmente, se, per loro volontà o consenso, l'articolo, da altri firmato e spedito, venga inserto nel giornale, dovranno risponderne quali coautori.

254. — Le rimanenti persone pur addette all'ufficio di redazione (copisti, scritturali, ecc.) rimangono senza dubbio esenti da responsabilità pe-

nale ove al contenuto del periòdico non abbiano di
per loro ed intenzionalmente recate mutazioni di carattere criminoso, ovvero, eccedendo i limiti del loro
campo, non abbiano partecipato al delitto di stampa,
ad es. come istigatori. Tranne ciò, essi appajono
soltanto strumenti dei redattori, ecc., debbono fare
ciò che questi loro ordinano e non hanno assolutamente alcuna influenza sulla determinazione del contenuto del giornale.

255. — Dall'ufficio di redazione il giornale passa
allo *stampatore* o *tipografo*.

Chi provvede alla creazione del giornale come
cosa materiale *(corpus)*, a riprodurre la minuta a
mezzo della stampa, è *stampatore* in senso legale.
Nell' esercizio professionale di questa industria e
nell'unità sua vanno compresi tanto l'imprenditore
della tipografia (possessore o proprietario o loro rappresentante) quanto le singole persone che cooperano alle diverse bisogna di essa e tra cui è diviso
il lavoro. Ma sotto quella denominazione è da considerare solo il direttore o impresario della stamperia, ed esso unicamente è soggetto anzitutto a
responsabilità penale per le *contravvenzioni* di polizia (ad es. per mancanza, nello stampato, delle
indicazioni prescritte dall'Editto). E esso, infatti, che
effettivamente dirige lo stabilimento, che trovasi in
grado di sorvegliar l'unione e l'andamento di tutte
le operazioni e di misurare l'importanza d'ogni atto.
A lui adunque incombe di adoperar la cura necessaria perchè si adempiano dai dipendenti le norme
di legge, facendo sì che la loro omissione non si
verifichi.

In quali casi peraltro può ritenersi stabilità la
penale responsabilità dello stampatore pei *delitti* rac-
chiusi nel giornale? Esso ha per compito esclusivo di stampare quanto gl'invia la redazione;
non ha facoltà e spesso neppur la capacità di esaminare il giornale quanto al suo carattere punibile.
Ciò è specialmente se la stamperia sia sottoposta

all'amministrazione del giornale; nel qual caso ancor minore è il potere del tipografo, chè, subordinato alla stessa, tenuto ad eseguirne materialmente gli ordini, e quindi non libero nel suo operato, e per questo esente maggiormente da penale responsabilità circa il contenuto criminoso della pubblicazione.

La legge sulla stampa riconosce bensì un gerente o redattore responsabile, ma non già un responsabile stampatore come tale.

Altrimenti è se egli esce dai limiti del suo dovere e ufficio con atti che eccedono l'esercizio normale e regolare della sua professione, e diventa, a sua volta, autore collaborando nell'articolo o apportando modificazioni punibili al suo contenuto, od anche soltanto partecipando al reato quale complice (Barbier, II, n. 817 ; *Schmid, Pressvergehen*, 1894, p. 78).

Lo stampatore è un imprenditore che cura l'andamento della propria industria e ne cerca il massimo incremento stampando a migliori condizioni degli altri concorrenti. Ma questo stato di cose non l'esonera da pena ove egli scientemente stampi un giornale il cui contenuto appaja fuori dubbio criminoso. Il suo primo dovere, nella stampa di periodici, è anzitutto quello di interessarsi ed informarsi della loro natura e tendenza. Se si trattasse di giornali criminosi sistematicamente diffamatori ed aggressivi delle persone o della società deve abbandonarne la stampa, e se ciò non fa, pur sapendo che il giornale ha un contenuto delittuoso, diventa compartecipe del reato dello scrittore o corrispondente, sia per complicità di ausilio, in quanto loca scientemente a quello scopo il suo personale di stampa, sia quale coautore, se agisca di concerto con dette persone. E pur quando nulla sappia, *ab initio* della stampa, dello scopo criminoso del giornale, non si sottrarrebbe a pena se nella stampa pur d'un singolo numero ravvisi che la materia del periodico sia manifestamente criminosa, poichè dovrebbe del pari risponderne secondo i principî stessi del diritto comune (Koller, pag. 162). In fatto adunque, per quanto non sia lo stampatore tenuto ad esaminare la materia di ogni singolo numero, quando egli si formi, nei concreti casi, la conoscenza della criminosità dell'articolo, non potrà, colla stampa del giornale, andare immune da pena.

256. — Lo stampatore che non esca dai confini del suo còmpito, non contrae, pel contenuto del giornale, neppur la responsabilità civile (Stivanello, *Il quarto potere,* pag. 135; — Castori, in *Arch. Giur.,* v. 45, pag. 249; — Stoppato, in *Temi Ven.,* XV, pag. 354; — Bazille et Constant, *Code de la Presse,* n. 224).

Anzitutto, non essendo egli, come tale, nè autore, nè complice del delitto consumato collo scritto stampato, potrebbe invocarsi la di lui responsabilità civile solo in base al quasi delitto, e pel fatto illecito altrui (Cod. civ., art. 1153), non per il proprio (art 1151, 1152). Ciò però importa che l'obbligato venga vincolato dal fatto d'una persona di cui deve rispondere, e così che il committente risponda pel commesso, non viceversa. Ma nella pubblicazione del giornale committente è il proprietario, il direttore, ecc., e lo stampatore è commesso, locatore d'opere che esegue la commissione affidatagli. Dunque il commesso non può essere responsabile del fatto del committente, l'esecutore del fatto dell'autore. Finchè pertanto non si provi che lo stampatore è complice sciente del redattore, o non s'introduca (come ha fatto la legge tedesca, § 21) una speciale sanzione in proposito, non potrà addossarsi a lui veruna civile responsabilità.

257. — Infine i componenti il *personale di stamperia (compositori, correttori,* ecc.), siano essi dipendenti dall'editore ovvero dallo stampatore, non incontrano responsabilità per la cooperazione alla stampa di articoli criminosi. Posti al servizio del direttore della stamperia, diventano suoi materiali strumenti senza che loro competa alcun diritto d'esame dell'articolo da pubblicare. Anche lo facessero, non starebbe però in loro potere di lasciar o no apparire nel giornale più una che altra corrispondenza.

Non può quindi approvarsi una decisione del Tribunale supremo germanico che ritenne conforme ai principî generali la responsabilità, quale complice del redattore, nel fatto di un correttore che ne aveva letto l'articolo e conosciutone il contenuto diffamatorio (Sent. 16 febbrajo 1891, *Jurist. Wochenschrift*, 1891, pag. 229). Il correttore ha il limitato ufficio di correggere gli errori dei tipografi: spesso è anche nella necessità di correggere gli errori sfuggiti alla redazione nella fretta del lavoro.

In ogni caso però, come potrebbe ravvisarsi in lui un complice per ausilio, mentre, come tale, non sa se l'articolo verrà pubblicato, e, conforme al suo ufficio, deve puramente attendere alla corretta impressione della stampa? Con ugual ragione potrebbero allora punirsi il macchinista che lascia correre la stampa del giornale, ed il fattorino che inconsciamente lo recapita (Klöppel, *Reichspressrecht,* 1894, pag. 383).

Altrimenti è se tali persone, varcando i termini del loro campo, cooperino attivamente al reato recando, ad esempio, punibili modificazioni all'articolo. Questo fu il caso di un correttore, il quale, nel resoconto d'una seduta della Camera dei Signori in Prussia, ebbe dolosamente ad adoperare, nell'intestazione e nel corso dell'articolo, anzichè la vera parola *Herrenhaus* (Camera dei signori), quella di *Irrenhaus* e di *Narrenhaus* (ospedale dei pazzi) (Schwarze, pag. 140).

258. — Composto il giornale, e consumato il delitto col primo atto di pubblicazione, possono verificarsi ulteriori fatti (spedizione, distribuzione, vendita) i quali, pur non esercitando veruna influenza sulle persone la cui opera sia stata di già esaurita, come lo scrittore, il redattore, ecc., danno però luogo a responsabilità di coloro che questi fatti abbiano compiuti.

Chi attende alla spedizione dei giornali non ha verun diritto di controllo sul loro contenuto, spettando questo esclusivamento alla redazione. L'unica sua mansione sta nell'invio delle copie del periodico, ed anche nella diretta loro consegna al pubblico. È adunque un mero strumento a servizio dell'amministrazione del giornale. Chi poi esercita la vendita o distribuzione di giornali, od in dato luogo (edicola), od altrove, (specie gli strilloni), agisce di per sè ed indipendentemente dall'impresa del giornale ; è quindi libero nella sua azienda.

Ora tutte queste persone, le quali fino alla pubblicazione del giornale non compartecipano a reato, vengono però a dar vita ad una nuova sua ulteriore diffusione e, secondo i casi, a rendersi punibili, non per concorso nel precedente già consumato delitto, ma, verificandosi gli estremi del dolo richiesti dall'art. 226 Cod. pen., quali favoreggiatori, quando la divulgazione presenti un nuovo reato per sè stante e dal primo indipendente.

Questo può essere se la diffusione sia divietata come tale senza riguardo al contenuto del periodico (perchè la stampa sia, ad esempio, sequestrata, e ciò consti), o se trattisi di scritti immorali, diffamatorî e la divulgazione si faccia con conoscenza del criminoso contenuto del giornale e concorra il *dolus* necessario alla sussistenza dei relativi reati. In ogni altro caso non offre la legge fondamento per la loro punizione (Liszt, pag. 147 ; — Schwarze, pagina 122 ; — Koller, pag. 139 ; — Barbier, II, n. 821 ; — Garraud, II, n. 260).

X.

259. — Pei reati di stampa in genere le regole di *procedura* sono ora determinate dalla legge ordinaria, non avendo più ragion d'essere le particolari disposizioni contenute nella Legge sulla stampa.

Qnanto alla *competenza*, se si tratta di quella *per materia*, l'art. 54 dell'Editto dichiarava che la cognizione dei delitti previsti dagli articoli 14, 15, 17 (vedi poi), 19, 20 a 25, e della provocazione ad alcuni di essi, è di competenza della Corte d'assise.

Pel Cod. di proc. pen. del 1865 (art. 9) divennero pure di competenza della Corte d'assise i delitti contro la sicurezza dello Stato, e di istigazione o provocazione a commetterli, anche avvenuta col mezzo della stampa, salvo sia il Senato costituito in Alta Corte di Giustizia (sono previsti dagli articoli 104 e seg., 135 Cod. pen.); e pure i delitti degli art. 16 e 18 dell'Editto (offese alla religione).

Per l'art. 2 Legge 13 maggio 1870 sulle prerogative del Sommo Pontefice, ecc., sono attribuiti alla Corte d'assise l'attentato contro la persona del Sommo Pontefice e la provocazione a commetterlo e le offese ed ingiurie pubbliche contro di lui anche col mezzo della stampa.

Infine, per Legge 19 luglió 1894, compete alle Assise la cognizione del reato di chi istiga, a mezzo della stampa, i militari alla disobbedienza delle leggi, o di chi espone l'esercito o l'armata all'odio o al disprezzo, ecc.

Ma l'art. 55 dell'Editto dispone che « la cognizione di tutti gli altri reati si esercita... secondo le leggi ordinarie ». Pertanto, a norma delle regole di competenza, e pel combinato disposto degli articoli 10 e 11 del Cod. di proc. pen., il giudizio di tali reati apparterrà esclusivamente al *Tribunale*. Per lo stesso art. 9 modificato, la competenza per l'offesa ai buoni costumi, di cui all'art. 17, fu sottratta alle Assise e devoluta ai Tribunali.

Circa la competenza del *Pretore*, l'ultimo capoverso dell'art. 11 ne eccettua *tutti i reati di stampa*, cioè previsti dalla Legge sulla stampa, non eziandio se soltanto commessi a mezzo della stampa, quando non vi osti la gravità della pena (esempio le ingiurie a mezzo della stampa, art. 395, ultimo capoverso Cod. pen). Sono adunque escluse, per quanto tenue la pena, le stesse violazioni delle norme di polizia della stampa (art. 3, 7, 8 a 11, 38, 39, 41 a 44, ecc).

Quanto alla *competenza territoriale*, il *forum delicti commissi* è, nei reati *formali*, là dove segue la pubblicazione del giornale ; nei reati *materiali*, per la cui consumazione occorre un ulteriore evento, nel luogo in cui l'evento si verifica. Il *forum domicilii* (art. 14 Cod. proc. pen.: sè cioè non conosciuto il luogo del reato) è dipendente dalla dimora effettiva dell'imputato, non dalla residenza eventualmente designata nel giornale. Per conseguenza, nella contemporanea azione penale contro più persone, esempio stampatore e gerente, può il *forum* per l'uno esser diverso da quello per l'altro. Però delle cause connesse che, singolarmente prese, potrebbero, secondo i principî ordinarî, essere di competenza di diversi tribunali, può quello di essi giudicare il quale sia competente per uno degli imputati.

260. — Poichè nè l'Editto nè il Cod. di proc. pen. alcuna eccezionale disposizione contengono, per cui, quanto alle persone che hanno parte nella creazione e pubblicazione d'un giornale, vada escluso o soggetto a limitazione l'*obbligo* di *testimoniare*, dovranno anche in tal punto applicarsi i principî generali, specialmente allo scopo di conoscere da chi gli articoli del giornale furono scritti, e così *chi ne sia* l'autore. Una generale esenzione dall'obbligo di prestar testimonianza in giudizio non sarebbe ammessibile, non essendo il giornalista, redattore o gerente, qualcosa più degli altri cittadini da vantar simile privilegio, nè formando quella notizia oggetto d'uno dei segreti professionali che la legge permette, per certe ragioni di Stato, d'ufficio o di professione, non siano rivelati in giudizio.

Senonchè è principio non meno certo che l'imputato non possa essere teste, e questo deve valere di tutte le persone già condannate per concorso in reato di stampa o pur quando la deposizione possa espor esse od alcun prossimo congiunto a procedimento penale, od anche solo ad un inevitabile grave nocumento nella libertà o nell'onore (Cod. pen., art. 215). Il gerente adunque tratto in giudizio come autore principale d'un articolo il cui autore non è noto, non potrà essere indotto a testimoniare per accertar chi esso sia, chè, nella necessità di difendersi o d'attenuar la sua responsabilità, non potrebbe vedersi apposto a colpa se mentisse sostenendone la partecipazione, onde prendere egli la veste soltanto di complice.

Rispetto all'editore e stampatore, che nessuna parte hanno nella redazione, non v'è ragione per la loro esenzione dal deporre circa l'autore dell'articolo; anche legalmente è ammessibile sottopor il loro personale dipendente all'obbligo di testimoniare, chè qui non si tratta, a loro riguardo, d'una propria responsabilità, ma unicamente dell'adempimento d'un generale dovere civico. Che se contro tali persone venisse a sorgere qualche sospetto di partecipazione nel reato di stampa, su del che decide il criterio del giudice, nè si procedesse tuttavia contro di loro per l'insufficienza di indizî, sarà allora unicamente quistione di valutazione della testimonianza prestata.

261. — L'art. 12 dell'Editto dichiara « qualunque azione penale nascente da reato di stampa prescritta nello spazio di 3 mesi... dalla pubblicazione del periodico ». L'art. 50 soggiunge « l'azione per le multe dovute per il rifiuto o ritardo della pubblicazione delle inserzioni sarà prescritta collo spazio di due mesi dalla data della contravvenzione o dell'interruzione degli atti giuridici se vi è stato procedimento ».

Ora l'art. 10 Cod. pen. applica le sue disposizioni anche alle materie regolate da altre leggi, in quanto non sia diversamente stabilito. Questo adunque si verifica, non solo per l'imputabilità, la pena, le attenuanti, la complicità, ecc., ma pure per la *prescrizione*.

Pertanto pei reati di stampa già compresi nell'Editto (articoli 17, 27, 28, 29) ed attualmente sostituiti da corrispondenti articoli del Codice penale, questo solo dovrà riputarsi applicabile quanto alla prescrizione. .

Così l'art. 401 Cod. pen. ha uno speciale termine per la prescrizione delle ingiurie, ecc. ; ma poichè disciplina pur questi reati anche se commessi a mezzo della stampa, si comprende quindi debba quell' articolo valer anche in tal caso per la durata della prescrizione, sebbene non ne abbia fatto espresso cenno.

Ma per gli altri reati previsti dall'Editto (art. 14, 15, 16, 18 a 26), e pur dal Codice penale se non siano commessi a mezzo della stampa, rimarrà ancor in vigore la prescrizione dell'art. 12 dell'Editto.

Anche quanto all' *interruzione* della prescrizione l'art. 93 Cod. pen. sarà, per l'art. 10, eziandio applicabile ai reati previsti da leggi speciali, salvo che queste dispongano diversamente quanto alla decorrenza della prescrizione ed ai modi di sua interruzione. E quindi pur pei reati di stampa prescrivibili secondo l' art. 12 dell'Editto sarà ammissibile l' interruzione come è disciplinata dal Codice penale. Se l'Editto ha disposto unicamente in ordine al tempo della prescrizione, limitandolo a tre mesi, è segno ch' esso volle mantener ferme anche le altre disposizioni della legge comune riguardanti la prescrizione. È poi nell' essenza della prescrizione la possibilità d'essere interrotta.

Tutti gli atti preparatorî precedenti la pubblicazione, come la consegna dell'articolo al giornale, sono pur essi colpiti dalla prescrizione, e dal punto d' inizio della pubblicazione (in cui ordinariamente il reato si consuma), senza che possano riputarsi un fatto per sè stante e prescrivibile fin di prima, o con prescrizione diversa.

Se poi l'articolo non venne inserto, non potrà farsi valere la breve prescrizione della Legge sulla stampa, ma solo la prescrizione ordinaria, rimanendo a carico dello scrittore le conseguenze della non avvenuta pubblicazione.

La riproduzione o traduzione d'un articolo, come nuovo reato per sè stante, si prescrive separatamente e indipendentemente dal primo reato.

PARTE IX.

Regime eccezionale
della stampa periodica.

I.

262. — La libertà di stampa, dovunque formalmente riconosciuta, importa l'esclusione d'ogni
preventiva misura. *Una legge ne reprime gli abusi*
(art. 28 dello Statuto), e quindi limitazioni di essa,
permanenti o transitorie, non possono altrimenti che
con legislativi provvedimenti essere introdotte.

Così fu proposta in Germania la quistione se possa
sopprimersi od anche solo sospendersi dal Governo il
diritto di pubblicazione d'un giornale, e fu deciso
in senso negativo, chè abrogato, colla proclamazione

di quel principio, il § 54 della legge prussiana che tale facoltà concedeva (Oppenhoff, *Rechtsprechung des Obertribunals*, XV, 468).

La stessa libertà di circolazione dei giornali *esteri* forma la regola, e il divieto deve risultare da apposita disposizione. Talune leggi vi hanno provveduto (in Germania art. 14, in Francia art. 14) accordando all'Autorità il potere di loro interdizione, ma la nostra legge non contiene norma alcuna in proposito, rimanendo quindi applicabili le sole regole ordinarie sul sequestro e sulla confisca, oltre al procedimento contro gli introduttori e distributori.

Il tribunale del Cairo con sentenza 28 gennajo 1886 (*Journal du dr. intern. privé*, 1889, 323), in applicazione del principio sulla libertà di stampa, ritenne del pari non potersi, per diritto comune, procedere alla chiusura di tipografie pel motivo che vi sono impressi giornali precedentemente condannati, tanto più che le stamperie possono servire e servono ad altri usi industriali.

La possibilità di frenare, con *leggi* temporanee, come altre pubbliche libertà, così quella sulla stampa, ottenne la sua pratica attuazione in Germania nei riguardi d'un determinato partito, il *socialista*.

Nel 17 maggio 1878 il governo presentava al Consiglio federale un progetto di legge contro le mene socialiste. Col § 1.º si concedeva al Consiglio il diritto di vietare le pubblicazioni e sciogliere le Società con tendenze socialiste, con obbligo di riferirne al Reichstag, cui competeva la revoca del provvedimento. Col § 6 si puniva chi « pubblicamente con discorsi o scritti s'adoprasse pel conseguimento degli scopi della democrazia sociale: il sovvertimento dell'ordine morale e legale esistente. » Si osservò esser ben lungi l'intenzione di sottoporre a generali e permanenti limitazioni il diritto della libera manifestazione del pensiero; reclamare però il pubblico interesse un freno agli eccessi che i socialisti continuatamente commettevano con tale libertà e quindi la restrizione del campo delle loro agitazioni.

L'indeterminatezza della legge, la poca attitudine del Consiglio ai compiti accordatigli, l'insufficienza di provvidenze eccezionali e l'utilità invece, non bastando le leggi esistenti, di portar i necessari completamenti nel campo del diritto comune, suggerirono il rigetto del progetto.

Le basi sue vennero però successivamente riprodotte, e fu approvata la « *legge del 21 ottobre 1878 contro le mene democratico-socialiste rappresentanti un pericolo generale.* » Per essa le pubblicazioni o le Società manifestanti, in una maniera pericolosa per la pace pubblica, tendenze socialiste o comuniste dirette a rovesciare l'ordine politico o sociale esistente, sono vietate (§ 1). È anche repressa la divulgazione di tali stampati (§§ 19 e 21).

Quanto ai giornali, si ammise che il divieto loro possa estendersi alla pubblicazione ulteriore, quando il divieto d'un singolo numero siasi emanato sul fondamento della nuova legge: condizione aggiunta per impedir che un giornale, non in base a questa, ma per fatti avvenuti prima dell'entrata sua in vigore, potesse sopprimersi, secondo che, per vero, il governo aveva sostenuto (§ 11).

Le pubblicazioni della designata specie sottostanno anche al preventivo sequestro di polizia (§ 15).

Nel progetto si riconosceva, rimpetto agli esercenti stamperie, convinti di agevolare, mediante la loro professione, le mene colpite dalla legge, il diritto della polizia di vietar l'esercizio della tipografia; ma la legge considerò tale misura quale pena accessoria della giudiziale sentenza ed ammissibile solo in caso di sciente violazione (§ 23).

La sentenza di condanna può dichiarar la decadenza dall'autorizzazione al pubblico smercio di stampati (§ 24). In fine « nei distretti o località in cui la sicurezza pubblica sia minacciata dalle mene sopra previste, può l'autorità divietare, per una durata di 1 anno, la distribuzione di stampati nelle vie o altri siti pubblici.... » (§ 28).

Parve che, di fronte ad un partito che si riteneva in aperta guerra collo Stato, colla società e colle loro istituzioni, fosse doveroso sottrarre alle sue tendenze rivoluzionarie i mezzi d'espansione, e segnatamente sottomettere ad eccezionali restrizioni pur il diritto della libera manifestazione del pensiero, onde il movimento suo soltanto nello spirituale campo si contenesse.

Ma i poteri eccezionali conferiti al Governo, e più volte prorogati (sino al 30 settembre 1890), anzichè arrestar l'azione del partito socialista valsero a rafforzarlo ; certo, non ostante l'estrema energia del combattimento, non si raggiunsero efficaci risultati.

263. — Da noi non mancarono *leggi* che accordarono al Governo, però in tempo di guerra, pieni poteri in materia di stampa. Così con legge 2 agosto 1848 gli fù concesso « salvo le istituzioni costituzionali, far tutti gli atti che saranno necessarî per la difesa della patria e delle istituzioni » ; con che però non si autorizzava, pare, a sospendere le guarentigie costituzionali, dovendo queste rispettare. Con legge 25 aprile 1859 si dava al Governo facoltà di limitare provvisoriamente, durante la guerra, la libertà di stampa. Con altra del 17 maggio 1866, a porre un freno al giornalismo relativamente alle notizie concernenti i movimenti delle armi nazionali, fu divietato pubblicar per la stampa tali notizie, salvo quelle ufficialmente comunicate o pubblicate dal Governo.

II.

264. — Ma all'infuori d'una legge, può il *Governo sospendere, in certe contingenze,* la libertà di stampa ?

La risposta affermativa l'offre la costituzione inglese. Ivi lo sviluppo del diritto pubblico portò ben presto a derogare al generale e permanente stato legale mediante il *suspending* e *dispensing power* ; il potere cioè di porre una legge temporaneamente fuori vigore, e quello d'esimersi, in singoli casi, dalla sua osservanza. Dopo lunghe lotte riuscì là il Governo ad affermar entrambi i poteri *(contra legem*, o *prœter* ed *intra legem)*, pur dopo che la partecipazione del Parlamento alla cosa pubblica fu dichiarata inviolabile. Il *bill* dei diritti del 13 febbraio 1688, « il preteso potere della Corona di sospendere le leggi o l'esecuzione loro, come è stato usurpato ed esercitato pel passato, è illegale, se nol consente il Parlamento », ebbe soltanto per effetto di trasmetter tale potere, dichiarato illegittimo, dal *King* in *Council* al *King* in *Parliament* (Gneist, *Engl. Verf. Geschichte,* p. 684, 686). Ma il formatosi principio della responsabilità ministeriale valse ad armonizzare quell'indispensabile potere coi diritti del Parlamento, e fu adottato come normá costituzionale che « in tempo di pericolo o di stringenti emergenze la Corona, sotto la responsabilità del Ministero, può anticipare la futura deliberazione del Parlamento colla temporanea sospensione di certe classi di statuti » (Todd, *On Parl. Gov.,* 1867, I, p. 288).

L'effettivo accordo del Parlamento colla necessità dell'adottata sospensione da parte del Governo responsabile appariva sufficiente ad esonerar questo da ogni responsabilità; tuttavia venne in uso, cessato lo stato eccezionale, che il primo votasse un *bill d'indennità* per metter al coperto il Governo, agente nell' interesse del bene pubblico (Palma, *Dir. costituz.,* III, p. 100).

Nella costituzione inglese adunque il potere eccezionale del Governo sta così bene accanto alla legge d'eccezione, e la differenza è così minima, che anche il secondo non libera in alcun modo il Governo dalla responsabilità per l'applicazione fattane, tanto che anche alla legale sospensione dell'*Habeas Corpus*

Act segue regolarmente un *bill d'indennità* (May, *Const. Hist.*, 1871, III, p. 12-20).

265. — I principî del diritto pubblico inglese trovano esatta applicazione nello *stato d' assedio*, cioè sotto il regime eccezionale proclamato in qualche città o regione in caso di pericolo imminente per la sicurezza esterna od interna.

Per tale materia l'Italia è nel gruppo degli Stati le cui legislazioni mantengono un silenzio perfetto (Olanda, Svizzera, Scandinavia, ecc.). Buona parte invece riconobbero nelle loro costituzioni che si possa procedere alla dichiarazione dello stato d'assedio ed alla sospensione di certe guarentigie costituzionali da determinarsi volta per volta; taluni hanno anzi, e da tempo, adottato leggi speciali.

In certi paesi (es. Francia, Russia, Germania) si seguì la dittatura *militare*, nella maggior parte però la dittatura *civile* (Inghilterra, Austria, Spagna, Stati Uniti ed altre repubbliche americane).

III.

266. — Circa gli *effetti* derivanti dallo stato d'assedio, meritano esame le *attribuzioni straordinarie di polizia* conferite all'autorità. Certi diritti fondamentali consacrati da un testo della costituzione o da leggi ordinarie subiscono, per causa di quell'eccezionale potere, restrizioni assolutamente richieste dal dovere della repressione. Tra essi vi è appunto la sospensione facoltativa delle pubblicazioni. Questo non è da tutti riconosciuto: ad esempio gli Stati Uniti hanno ricusato di consacrare simile diritto. Però una illimitata libertà di stampa può rendersi incompatibile col regime dello stato d'assedio, dato che questo non sia soltanto, come si diceva di Thiers, uno « stato d'assedio portatile pei giornali » e diretto a colpir indistintamente periodici di tutte le gradazioni, ma suprema necessità di salute pubblica.

267. — In Francia il generale Cavaignac si credette autorizzato, nel 1848, anzichè solo a sospendere, a sopprimere addirittura un giornale avversario, *la Presse*, del cui redattore capo ordinava eziandio l'arresto. L'incertezza della legislazione sembrava autorizzar simile misura. Non mancarono critiche denuncianti quel decreto come attentato alla proprietà privata, potendo la soppressione d'un giornale portare lo scioglimento e pur il fallimento della società creata per esercitarlo. Diverse proposte si fecero all'assemblea per garantire un'assoluta libertà di stampa durante lo stato d'assedio, ma vennero respinte e fu consacrato invece, restringendolo, il diritto « enorme ma necessario » arrogatosi dal Cavaignac « di interdire le pubblicazioni e riunioni che l'autorità militare ritenga di natura da eccitare o prolungare il disordine » (art. 9, n. 4.°, legge 1849, mantenuto dalla legge 3 aprile 1878).

La sospensione della libertà di stampa deve però essere fatta espressamente conoscere, chè in niun modo può considerarsi conseguenza accessoria dello stato d'assedio. Può quindi anche essere proclamata per un territorio minore, o per sole certune città tra quelle colpite da detta misura. L'interdizione d'un giornale ha inoltre carattere essenzialmente temporario, ed in tal senso hanno sempre i tribunali di Francia interpretato i decreti di soppressione emessi dall'autorità militare (Consiglio di Stato, 5 giugno 1874, *Dalloz* 1875, 3, 57).

Può essere per minor tempo, ma mai per tempo eccedente la durata dello stato d'assedio. Se il decreto non determina la sua durata, essa si prolunga naturalmente sino alla cessazione dello stato d'assedio. Ove il giornale ricomparisse prima del termine prefisso, potrebbe essere sequestrato e il sequestro potrebbe eziandio precedere la sua pubblicazione effettiva (Cassazione di Francia, 10 e 23 aprile 1874, *Sirey* 1874, 1, 329, a proposito dell'*Avenir national*).

Pei termini assai vaghi della Legge francese del 1849, a più riprese l'autorità militare si credette in diritto, sia di sottoporre i nuovi giornali alla necessità di un'*autorizzazione preventiva*, sia di imporre su tutti i periodici la *censura*. Così nel 1849 fu decretata la censura nel dipartimento della Drôme; nel 1871 il comandante di Parigi interdì la pubblicazione, senza autorizzazione preventiva, di tutti i nuovi giornali su materie politiche o di economia sociale..

Evidentemente siffatti generali divieti non erano conformi al pensiero del legislatore, che sin dal 1868 aveva abolita l'autorizzazione preventiva.

Dalla facoltà di *sospender* pubblicazioni pericolose per l'ordine pubblico non poteva, d'altronde, trarsi il diritto di impedir il sorger di *nuovi* giornali o di porre a questi anticipate restrizioni, quando il pericolo non era neppur sorto, nè si avevano argomenti di fatto che ne autorizzassero ragionevolmente la presunzione.

Presso di noi, per altro, non esistono disposizioni legislative in proposito ; deve pertanto riputarsi concessa la sospensione in genere della libertà di stampa, e quindi tanto l'imposizione di singole limitazioni, quanto la totale soppressione di determinati giornali per tutta la durata dello stato d'assedio. E può del pari venire ripristinata la censura (Conformi Klöppel, *op. cit.*, p. 294 ; Delius, id., p. 106 ; Oberholtzer, id., p. 31).

Così nella proclamazione dello stato d'assedio a Genova (3 aprile 1849), venne disposto :

« 6.° I giornali tendenti a spargere menzogne, malcontento, diffidenza, od altrimenti intesi a turbare la tranquillità, il buon ordine ed il rispetto al Governo, verranno *sequestrati* o *sospesi* a seconda delle circostanze, e per quelli stampati in Genova potrà inoltre, nei casi di maggiore gravità, farsi *chiudere* la *stamperia* editrice, e ciò tutto oltre le pene stabilite dall'editto e dal Codice penale ».

Fu poi proibita affatto la *vendita* o *smercio* di *stampati* a mezzo di *venditori ambulanti*.

Nello stato d'assedio del 1862 in Sicilia fu similmente *sospesa* la libertà di *stampa* pei giornali ed ordinato l'arresto di chiunque li stampasse o distribuisse.

Durante lo stato d'assedio dello stesso anno per le provincie napoletane, fu *divietata la stampa*, pubblicazione o *distribuzione* di giornali, senza una *speciale autorizzazione* dell'autorità politica locale, con facoltà inoltre in questa di *sequestrare, sospendere* o *sopprimere* qualsiasi pubblicazione.

268. — La condizione eccezionale creata dallo stato d'assedio importa, nei Tribunali militari, la cognizione dei reati contro la sicurezza dello Stato, la costituzione, l'ordine e la pace pubblica, ossia dei delitti i quali, sia per le circostanze di tempo e di luogo, sia per l'identità dei mezzi impiegati, si riattaccano intimamente ai fatti insurrezionali propriamente detti.

Adunque un delitto di stampa, il quale rientri nella categoria dei reati riservati a quella eccezionale giurisdizione, il che è materia d'apprezzamento in ciascuna particolare specie, non potrà alla medesima sottrarsi, per quanto il cambiamento di giurisdizione non tocchi la sostanza del diritto, nè possano applicarsi altre pene che quelle comminate dalla legge ordinaria.

In Francia, dove taluni delitti di stampa vengono dal Codice penale compresi tra le *infrazioni alla cosa pubblica*, di competenza dei tribunali militari, si esitava ad estender a questi la cognizione dei primi che la costituzione del 1848 riservava al giurì. Il progetto di legge sullo stato d'assedio introdusse una distinzione. L'autore dell'articolo incriminato, che può essere considerato complice di autori di reati deferiti ai tribunali di guerra, diventa soggetto alla loro competenza; in ogni altro caso è lasciato al giudizio del giurì. Ma dinanzi all'assemblea la distinzione fu respinta ed i reati di stampa furono assimilati ad ogni altro genere di delitti contro la cosa pubblica. Per conseguenza i delitti di stampa, aventi quel dato carattere, spettano al tribunale eccezionale in tempo di stato di assedio (Cassaz. franc., 23 febbrajo, 12 marzo 1872; Fabreguettes, *Infraction de la parole, de l'écrit et de la presse*, 1884, I, n. 172 e seg.; Barbier, *op. cit.*, II, n. 846); se commessi invece contro privati, possono, secondo i casi e per le regole di connessità, cadere ancora sotto la stessa giurisdizione.

Quale soluzione, informata ad uguaglianza di trattamento, corrisponde anche ai principî sui reati a mezzo della stampa, che non diversificano dai delitti commessi con ogni altro modo (n. 226 e seg.).

IV.

269. — Giunti al fine dei nostri studî, crediamo interessante riassumere i concetti di un disegno di legge contro gli abusi del giornalismo, presentato alla Camera nella seduta del 16 giugno 1898.

È compito del legislatore procurare che i reati contenuti nei periodici non isfuggano alla condanna e questa colpisca i veri responsabili. Siffatti intenti sono agevolati dalla designazione preventiva d'una persona responsabile; occorre però che questa sia anche in realtà tale, non per semplice finzione. Ora il *direttore* d'un giornale che, per indole del suo ufficio, riassume in sè e coordina tutto il lavoro della redazione, rivede ed approva quanto si pubblica, corrisponde appunto allo scopo.

Adunque (art. 1) ogni giornale deve aver un *direttore responsabile*, sostituito negli obblighi dell'attuale gerente (art. 36, 38, ecc., dell'editto; v. p. 219) che resta abolito. Ma la responsabilità non deve unicamente dipendere dalla dichiarazione, potendo questa essere mendace, sibbene dall'esercizio effettivo di quelle funzioni, solo così potendo l'azione penale dirigersi contro il vero colpevole.

Ciò posto, dei reati commessi a mezzo del giornale risponde anzitutto il *direttore* (art. 2). È legittima la presunzione ch'ei conosca tutto quanto nel giornale si pubblica; se l'ignora, la mancata sorveglianza da cui conseguì il reato reclama una pena che non sembra ingiusto sia la pena stessa del reato. Ne risponde poi l'*autore*, se conosciuto, nel qual caso, se venga condannato, il direttore, pur non essendo esente da responsabilità, profitta della riduzione della pena alla metà. Restan salve, pegli altri compartecipi, le norme sul concorso dei reati.

L'art. 3 risolve la questione del *risarcimento dei danni*. Nel più dei casi la civile responsabilità riesce illusoria. Gli scrittori, quando non sono anonimi, sono privi di fortuna; i direttori, non avendo parte nell'impresa, versano nella stessa condizione. Pei proprietarî non è da tutti ammessa la responsabilità civile; poi questa è pure inefficace, stante l'abolizione della cauzione. Restano i tipografi, ed il progetto li sottopone a un diritto singolare, accordando, pei *danni e spese*, il *pignoramento delle macchine, caratteri ed altri oggetti inservienti alla tipografia; a chiunque appartengano*.

Seguono disposizioni sul regime amministrativo della stampa periodica.

La facoltà del *sequestro* preventivo è devoluta unicamente all'*autorità giudiziaria, e deve iniziarsi giudizio nel termine di dieci giorni* (art. 6); se no, sarebbe il ripristinamento della censura.

Il magistrato può sottoporre a più stretto freno il giornale dopo due o più condanne, ancorchè non tutte passate in giudicato, per certi reati (capo II a V dell'editto, art. 126, 135, 246 e 247 cod. pen.), *divietandone la distribuzione*, se non scorsa un'ora dalla consegna della 1ª copia, o *sospendendo* addirittura il giornale stesso se trattasi di reati gravi, quali provvedimenti sono immediatamente esecutivi, nonostante appello.

È devoluta alla *competenza* del *tribunale* l'istiga-

zione dei militari alla disobbedienza delle leggi, ecc.
(n. 259), chè figura rientrante nel diritto comune
e identica alla istigazione a delinquere di cui all'art. 246 cod. pen. pure di competenza del tribunale (art. 3 leg. 19 lugl. 1894).

L'art. 5 tempera la pena della diffamazione a
mezzo della stampa, abbassandone il minimo (a 6
mesi di reclusione e 300 lire di multa).

L'art. 4 concede possano i *giudizî per diffamazione* aver luogo a porte chiuse, per quanto non
ricorra il *pericolo per la morale e pel buon ordine*
(art. 268 Cod. pr. pen.). Si vietano alla stampa i
resoconti dei dibattimenti in tali giudizî, anche se
non seguiti a porte chiuse (mentre il capoverso dell'art. 10 dell'editto prevede solo tal punto).

270. — Se il progetto proposto merita plauso per
l'abolizione del gerente, da tanto reclamata, non è
così di certe altre disposizioni.

Esso, invero, mentre in apparenza respinge il
principio di *presumer* uno responsabile penalmente
del fatto altrui, pone poi tale presunzione a fondamento della penale responsabilità del direttore. Ed
a torto, chè, specie nei grandi giornali con più edizioni quotidiane, per la stessa materiale necessità di
cose, non può il direttore esser nella condizione di
tutto vedere e tutto prevedere. Risponder penalmente, oltre che di certi reati d'ordine politico, pur
dei reati d'azione privata (es. diffamazioni) che si
nascondono talvolta nelle notizie più innocenti all'aspetto esteriore, sarebbe esigere qualche cosa di
superiore a ciò che nell'ordine normale delle cose
è possibile. Adunque, non solo la presunzione di
dolo, ma quella stessa di trascurata sorveglianza è
senza giustificazione.

Ammettendo poi la ricerca di un effettivo direttore oltre quello indicato nel giornale, si apre l'adito
a indagini e difficoltà che renderanno tarda ed incerta l'azione della giustizia, chè, quando citato il
secondo, non mancheranno testi a sostenere che il

direttore effettivo è un altro, e quando citato il direttore ritenuto effettivo, succederà l'inverso.

La responsabilità civile del tipografo stabilita in via assoluta è criticabile (n. 256). Si invoca la legge inglese, ma mal a proposito, chè questa adottò unicamente la presunzione semplice di colpa, e concede al tipografo di provar l'ignoranza del contenuto criminoso dell'articolo, nonostante adoprata la debita diligenza. La rivalsa del tipografo contro il proprietario per tali conseguenze (con patti, aumento di prezzo, ecc.) a nulla approda, chè, se la regola sancita è falsa, non si legittima certo per l'uso di ripieghi per parte di chi ne sia indebitamente colpito. La concessione del *pignoramento* sulle macchine ecc. della tipografia non aggiunge alcun nuovo diritto a quei già competenti secondo le norme ordinarie, dato sieno quegli oggetti, come di regola, del tipografo. Non si riconosce invero alcun diritto di privilegio, chè questo spetta solo per le cose in *pegno* di cui il creditore è in *possesso* (art. 1882 e 1968 n. 6° Cod. civ.). Non escluso quindi il concorso di altri creditori, specie privilegiati, quella disposizione porterebbe spesso a scarsi risultati.

Specialmente, quanto alla *sospensione* di un giornale, occorrerebbe un limite di tempo entro cui abbia luogo la seconda condanna, ad es. entro un anno, diversamente ben pochi giornali potrebbero sottrarsi a quel pericolo.

Ritoccando l'art. 383 sulla diffamazione, era opportuno determinar meglio gli estremi del reato, tenendo conto delle esigenze della stampa, specialmente in fatto di cronaca su materie di generale interesse (v. mio lavoro *Redattori della stampa*, in *Enciclop. Giur.*, n. 144 e seg.).

INDICE ALFABETICO

INDICE

Stabilimento della SOCIETÀ EDITRICE SONZOGNO *in Milano, Via Pasquirolo, 14.*

COLLEZIONI LEGALI

MANUALI PUBBLICATI.

SERIE I, A.

1. ***Manuale delle Case,*** degli avvocati MUZIO MAJNONI e PASQUALE GAVIRAGHI .... L. 2 50
2. ***Manuale del trasporto delle persone per ferrovia,*** dell'avvocato EUGENIO CADEO .... » 2 50
3. ***Le presenti riforme dell'ordinamento amministrativo in Italia,*** del dott. LUIGI CASTIGLIONI ...... » 2 50
4. ***Sfratto da case e fondi,*** dell'avvocato GIULIO CERVI .... » 2 —
5. ***Giornali e giornalisti,*** dell'avv. AGOSTINO RAMELLA .... » 4 —

DI PUBBLICAZIONE IMMINENTE.

SERIE I, A.

La polizia scientifica, di G. ALONGI.

La fotografia nei giudizi civili, dell'avvocato MUZIO MAJNONI.

Le regole della giurisprudenza pratica civile, dell'avvocato GIULIO CERVI.

La pratica delle istituzioni politiche, del prof. VINCENZO MICELI.

La beneficenza pubblica, del dott. LUIGI CASTIGLIONI, con appendice sulla contabilità delle Opere Pie del prof. rag. *Giovanni Rota.*

Il contenzioso amministrativo finanziario, dell'avv. FEDERICO CRESSIO.

Le norme delle adunanze pubbliche, del dott. ARNALDO AGNELLI.

Depositi e vendite commerciali, dell'avvocato A. TORTORI.

Inviare Vaglia o Cartolina-Vaglia alla Società Editrice Sonzogno in Milano, Via Pasquirolo, 14.

Stabilimento della Società Editrice Sonzogno *in Milano, Via Pasquirolo, 14.*

DI IMMINENTE PUBBLICAZIONE.

SERIE I, C.

Guida dei giudizi arbitrali, dell'avvocato E. Valdata.

Guida degli uffici finanziari, del rag. cav. L. Venosta.

Guida per gli aspiranti agl'impieghi nelle Cancellerie e Segreterie giudiziarie, pei candidati notai, procuratori, ecc., di Virgilio Zanghieri.

Guida delle tasse sugli affari, *dello stesso.*

VOLUMI PUBBLICATI.

SERIE III. — BIBLIOTECA LEGALE POPOLARE.

1. **I libri di commercio,** dell'avvocato Riccardo Crespolani . . . . L. 1 —
2. **Tutori e curatori,** note pratiche di diritto pupillare, dell'avvocato Muzio Majnoni . . . » 1 —
3. **Dello stato legale del sordomuto,** del prof. Carlo Perini . . . . » — 60
4. **Elementi di ordinamento giudiziario,** dell'avvocato Giulio Cervi, . . . » 1 —
5. **Delle persone morali o giuridiche,** dell'avvocato Arturo Lion . . . . . » 1 —

DA PUBBLICARSI QUANTO PRIMA.

Breve repertorio di diritto civile, dell'avvocato R. Crespolani.

Elementi di procedura civile, dell'avvocato Giulio Cervi.

La delinquenza, *dello stesso.*

Borse e Camere di Commercio, dell'avvocato A. Tortori.

Associazioni operaje; *dello stesso.*

Istituti di Credito, *dello stesso.*

Principî di Sociologia Criminale, dell'avvocato A. Angiolini.

Inviare Vaglia o Cartolina-Vaglia alla Società Editrice Sonzogno in Milano, Via Pasquirolo, 14.

14.

E.

V.

i
l,

0.

)